JN050266

松本清張推理評論集 1957—1988

松本清張

中央公論新社

目次

I

II

III

松本清張推理評論集　1957－1988

本書は、推理小説に関する松本清張の文章のうち、主にこれまで単行本・全集に未収録だった作品を集成し、またそれに関連する既刊収録済の作品を加えたものです。

「Ⅰ」には一九六五年以前に発表されたミステリ評論を、「Ⅱ」には作家論およびそれに類するものを、「Ⅲ」には一九六六年以降に発表されたミステリ評論を、それぞれ主に収録しました。作品名の下に記した数字は、初出媒体に発表された年月日を示しています。

本文中、明らかな誤りと思われる記述を訂正し、ルビを整理し、編集部による補足を〔 〕内に注記した箇所があります。

また、今日の人権意識に照らして不適切な語句や表現が見られますが、著者が故人であること、発表当時の時代背景と作品の文化的価値に鑑みて、原文のままとしました。

I

『小説研究十六講』を読んだころ　1960.11

　ときおり古本屋めぐりをすると、ほこりだらけの上の方の棚に木村毅(き)著『小説研究十六講』という本を見かけることがある。背の金文字も、とうにつやを失っている。地の藍の色もあせている。しかし、これを発見するたびに、私はそぞろ少年の日を思い出さずにはおられない。そして私と同じような読者が、かつてこの本を読んだであろうと想像すると、心の中で微笑が出る。ただし、この本の最初の持ち主が、私と同じ程度に、この本を熟読したかどうかは分からない。

　この本を私が夢中になって読んだときは十六歳か七歳のときであった（初版大正十四年）。当時、私はある会社の給仕をしていた。仕事の暇なときはきたない机の上で隠れ読みし、使いで自転車で走るときも、こっそり片手に抱えた。四六判五〇〇ページで、隠れて持ち出すには大きすぎた。一ばん好都合なのは銀行に使いに行くときで、「××会社さアん」と窓口で呼ばれるまではゆうゆうと客待ちの長イスに腰かけて大ぴらで読むことができた。銀行の方でもっと手間どってくれたらいいと思った。この本に限らず、そんな読書法をやっていたが、この『小説研究十六講』が一ばん記憶に残っている。

　その前から小説は好きで読んでいた。しかし、小説を本気で勉強したり、小説家になろうとは思っていなかった。だが、この本を読んだあと、急に小説を書いてみたい気になった。それほどこの本は私に強い感銘を与えた。どこに感動したかというと、これは大へん小説というものを科学的に分析して書かれてあったように思った。いま、読み返してみても、この感想はあまり変わらない。それに著者の記述が学者みたいに四角ばらず、その上、適当にペダンチックであった。出版社は新潮社だが、当時、同社では、『トルストイ十二講』とか『近代思想十六講』とかいう、いわゆる「十×講」ものを出していたが、本書はその一つであった。

第一講・小説と現代生活、第二講・西洋小説発達史、第三講・東洋小説発達史、第四講・小説の目的、第五講・リアリズムとロマンチシズム、第六講・小説の基礎、第七講・以下何々と十六に分割されてあるが、面白いのは、この第五講から以後である。「背景の進化とその哲学的意義」とか「文体対内容と形式」という項は、いまでも私に役立っている。

「しかし背景と人物との間に存する情緒的調和よりも、むしろ情緒的対照（Emotional Contrast）の方が有効な場合も珍しくない。左に引くはロマン・ローランの『ジャン・クリストフ』の一節で……」

「背景によって行為を暗示しうる方法について、スティブンスンは『ローマンス雑話』の中に左の如く述べている。劇は行為の詩（The Poetry of Conduct）であり、ローマンスは境遇の詩（The Poetry of Circumstance）である……」

「ポウおよびモウパッサンもまた、ひとりその熟巧の芸術的素質によって不朽なるべきを得た作家の好例証である。ポウの短篇の諸作の如き、人生と直接に相わたる重要事を語り、人道的含蓄ある提示をなすことは毫末(ごうまつ)もない。モウパッサンもまた、語らずにおいたら却って気品を保持し得たであろうようなことを摘発してはばからぬ。ただ、両者とも、意図に専念なるや、芸術的完成の上に微塵の躓きも見せて居らぬ。茲(ここ)において乎(か)吾等は、不完全なる妥協と未成なる努力の集積した現世では、単なる技巧、単なる細工も、完成である限りに於て、それ自身一つの善であり、価値であり、立派な存在権の主張であることを知る。……」

一例をいうと右のような文章である。この張りのある文章にも私は魅せられたし、カッコの中に収まった英語の単語も十六、七歳の私にはひどく知的な印象を受けた。それに、西洋の有名な小説の梗概や短文が引用してあるので、欧米文学にも通じたような気になった。

木村氏の当時の立場は、トルストイから影響をうけた文学論が基調をなしていたようで、氏はのちに英国のフェビアン協会をまねた日本フェビアン協会の会員か何かになられたはずである。人道的社会主義が氏の路線だったようである。それはともかく、本書は氏の壮年期に書かれたもので、文章の緊張感、引用の豊富さは自然と当時の氏の気力を表現している。

ずっと後年になって、私は図らずも小説書きになったが、少年のころに受けた本書の感化は今でも忘れられない。この本のあとにも出版された諸家の「小説作法」といったたぐいのものも読んだが、この本以上の感銘はうけなかった。感覚が一ばん新鮮な時代に読んだせいであろうか。——私が東京に移ると、すぐにお訪ねしたのが木村氏だった。現在でも、この本の恩恵を受けている。

古本屋の棚にこの本が忘れられたように置かれているのを見るとき、私はほこりにまみれた自分の少年時代を回顧するのだ。

推理小説に知性を

1958.03

最近、探偵小説、推理小説のブームが到来したという言葉をよく耳にするが、私はそうは思わない。

しかし、ある有力な広告代理店の調査によると、このところ若い女性の推理番組への希望が圧倒的に多く、従来希求の強かったメロドラマ、ホームドラマを遥かに凌駕しているということであるし、昨今、海外の探偵、推理小説の翻訳ものがうなぎ上りに読まれてきている現象は、やはり世の中が落ちついてきて、在来の恋愛小説や家庭ユーモア小説が飽かれ出してきたせいと考えられる。

では、外国の翻訳ものが受けて、日本ものがあまり読まれないのはなぜであろうか。

これは、わが国の読者が、在来の作家の手法をよく承知しており、陳腐な文章や構成に対する不満がようやく強くなってきたからに他ならない。

探偵小説、推理小説といえば、比較的低い読者層を相手にした大衆娯楽雑誌の狭いカラの中で、謎解きやプロットの変ったコケおどしの事件の連続に終始して、一向に知性が盛られないで現在に至ったという致命的な欠陥が、海外の翻訳ものに愛好者を走らせた要因といえるのではないだろうか。

従って、国産の探偵小説、推理小説が本当に愛されるためには、手垢に汚れた従来の手法を脱して何よりも知性を加味しなければならないと思う。これを反省せずに、いわゆる既成作家によるわが国の探偵小説、推理小説ブームは絶対に到来しないであろうと私は考える。

去る日、江戸川乱歩賞を受けた新人仁木悦子嬢の『猫は知っていた』の作品は、このような既成作家連に対して極めて大きな教訓を示唆したものであって、彼女の特殊的な身体条件への同情もあることながら、この作品に脈うつ新鮮味が多くの読者の心を強く捉え、やがてはベスト・セラーにもなった事由であると思われる。

本来の探偵小説、推理小説のように、謎解きや、トリックに凝って、パズルを楽しむことに終始していたのでは、筋とトリックだけで辛うじて支えている底の浅い作品しか生れず、人間も書かれていなければ、社会生活も描かれずに終るのは当然なことで、これでは何ら人間性の盛り上りもなく、奥底に内在する心理描写の追究もなされるわけもない。私は、ここに大きな不満を感ずる。現在までのような、女性関係や財産分配、または宝探し的単純な動機を廃して、社会性のある厚い動機ととり組み、この動機の主張から人間を描写する手法を勉強しなければならぬと思ったのは、この点に大きな不満を感じたからである。

探偵小説、推理小説の上で、犯罪の動機を鋭く追究することが、結局人間の真底を描くことに連なるからであって、極言すると、私は動機だけでも十分に推理小説が成立するという確信をもつようになってきている。

私は過日『点と線』『眼の壁』の二作を単行本として世に出したが、この実作から、本格的な探偵小説、推理小説とは、いうは易く産み出すのは極めて困難であるということを痛感した。即ち前述のような動機の主張を通じて、本格構成は容易ではないことを身をもって味わったのである。もっとも、この間には、作品を社会性の問題の核心にふれさせることによって多少は補うことができるのではないか、とも考えたりしたが……。

外国、ことに英国では、老後最大の愉しみとして挙げられるものが二つあるといわれ、その一つは、日なたぼっこをしながら、探偵小説や推理小説を静かに読むことであり、他の一つは薔薇いじりの趣味であるという。格調の高い作品が生まれる所以であろう。

推理小説の独創性

1958.03

推理小説ブームがいわれている。女性の読者が殊に多くなったという。たしかに、このごろ翻訳ものを読んでいる女性を電車の中などで見かけるようになった。

去年の前半期ごろからそういわれているが、ブームといっても、まだ翻訳ものである。日本の創作ものは、やはりまだ陽の当らぬ場所にあるようだ。なるほど仁木悦子さんの書下し長篇がベスト・セラーになって十万近く売れて、日本推理小説始まって以来の記録だそうだが、これをもって直ちに日本ものにブームが来たとはいえない。なぜかというと、仁木さんはまだシロウトである。専門作家の方はそれほど流行っている訳ではない。

シロウトの方が売れて、クロウトの方が流行らないというのは変則で、本当のブームとはいえない。

それにつけて思うのは、専門の方がなぜブームに乗らないのかという原因は、今までの作品の非現実的な児戯性がたたっているのではなかろうか。いたずらにトリックばかりに凝って、小説の方がかすんでいる。これまでは少数の探偵小説の「鬼」を相手にしていればよかったが、そういう同人雑誌的な小説では一般性がないのである。

推理小説が読まれ出したのは、いわゆる中間小説の実質がマンネリズム化したことに関係があると私は考えるが、そのような読者には専門家の書く類型的な人物性格や、心理の空白や動機の軽薄や文章の粗雑が読むに耐えないからであろう。日本の創作ものは、もっと低俗性から脱して知性をとり入れなければ翻訳ものの読者を奪うことはできないように思う。肝心のトリックも独創性のあるものはあまり見当らぬようである。

独創性といえば、本紙〔東京新聞〕三月十八日付の夕刊で荒正人さんが私の前に書いた《江戸川乱歩の初期の作品に比肩する独創的なトリックを書くすぐれた作家は現在一人もいない》の文章をひいて、「専門家ならば」この「放言は出来ぬ」と非難している。[*1] 荒さんは「中村真一郎によると」と他人の言った言葉で私を「専門家」にしているが、私はそんな意識をもったことはないし、週刊朝日の書評[*2]では「推理小説に関する限り、シロウトの域を出ない」と評されている。サンデー毎日書評[*3]でも同じ意味だった。専門家になったり、シロウトになったりややこしいことだが、それはどうでもよい。

なお、サンデー毎日書評でも、荒さんと同じように私の右の発言が「暴論」だと感情的にいっているから、この機会に答えたい。

乱歩氏初期の作品にならぶ独創的なトリックを書くすぐれた作家が現在一人もいない、といったのが、どうして放言であり、暴言であろう。私は事実の印象を言ったまでである。これは「専門家ならば」の制約には関係しない。荒さんは多分、横溝正史氏を私が無視したことを言っているかもしれないが、同氏とても乱歩初期の独創性には及ばない。「これは日本の探偵小説の歴史にたいする無知を暴露したものである」と荒さんはいっているが、結論がとうとつに出て、理由が示されていない。また、荒さんは、横溝氏ひいきとみえて、私の別な文章をひいて「名前を伏せた横溝正史にたいする侮辱である」と居丈高である。しかし、あの程度の私の批評が「侮辱」であろうか。荒さんは「文壇外文学と読者」という一般評論の中で私のことにふれたのだが、この部分だけアンバランスに興奮の調子があるのは、荒さんが、探偵小説の方にも「専門」的な批評家のつもりだからであろうか。

なお、拙作とトーマス・マンの作品の類似をいっているが、私のは実際に九州の知人の話であり、ガンの患者の多い今日では極めて自然に到達し得る着想である。マンのその作品をよまなかったのは私の不明であるが、模倣ならば「文藝春秋」などに作品の発表などはしない。

荒さんは私の推理小説の本の推薦文を書いて頂き（無論、広告だから額面通りには受けとらなかったが）感謝していたが、同じ本について全く反対の攻撃文が出たのには驚いた。否定なさるのなら、たとえ出版社から頼まれた広告文でも、お書きにならなければいいのにと思うのだが。

結論を忌憚なくいえば、現在の通俗大衆性を脱けなければ、日本の創作ものにはブームが来ないのではないかということである。

ブームの眼の中で

1958.06

「近ごろは推理小説ブームですな。それについて何か」と新聞社や雑誌社から私などにも「御意見」をきかれる。私が推理小説らしきものを書き出しているせいであろう。そこでこの間から多少雑文を書き散らしてきた。

お目に止っている方もあるかもしれないが、第一にブームと騒がれているほど推理小説は現在隆盛に赴いているであろうかという疑問。そして、それは案外翻訳ものだけではないかという私の感想をいっている。何も早川書房に頼まれて書くのではないが、実際、電車の中で人が読んでいるのを見ると大てい翻訳ものである。それに近ごろ女性が多いとは皆の云うところである。この間も某誌の編集者が云うには、彼が電車の中でその種の翻訳ものを読んでいると、隣りに坐った二人連れの若い女性が、彼の手にしている本を見るとお互いが突っつき合って笑ったそうである。ああ、この人も読んでいるわ、とか、やってるわ、とかいった表情だったそうで、彼女たちもそのファンだと思うと自分はうれしくなった、という話であった。

しかし、日本の創作ものはそれほどパッとしないのである。仁木さんの『猫は知っていた』が十万部売れ、私の二著が少し出たくらいで、ブームの印象を与えたらしいが、仁木さんも私も「まだシロウトの域を出ない」作者である。シロウトが出て、クロウトのがそれほどでもないというのは変格で、現在の創作推理小説が実際のブームに乗ったとは云い難いのである。

云いかえると、日本の創作もののマンネリズムがブームを喚び起さないのではないかと思う。その理由として、独創性の無さと、物語の低俗性を私は挙げてきた。

たしか大下宇陀児氏だったと思うが、最近の新聞に日本の推理小説は「外国で密室が流行れば密室を、ハードボイルドが流行すればハードボイルド風を」すぐに真似して書くと指摘してあったが、大体その通りであった。

一体、われわれが外国ものを読む時は、空間的な距離間を意識の底にもって読む。外国の風土や習慣は、われわれが日常知っている周囲の生活ほどには実感がないから、多少絵画めく。だから少しばかり不自然であっても、分らなくても、まあ読めるのである。この場合、エキゾチックな感興も大いに役立つであろう。

ところが、日本の題材となると、その空隙が無くなり、われわれの周囲の生活に直接に密着する。ここではありそうもないことはすぐに分るのである。小さな嘘でも、全体の現実感を失うほどに、われわれの熟知している実在の世界である。これに外国の密室のトリックを応用したり、ハードボイルド風の行動を持ち込んでも不自然である。リアリティが無いのだ。――私は、リアリティの無い推理小説ほどばからしいものはないと思っている。

無論、リアリティは風俗描写や環境描写の巧みにのみあるのではない。山村の風物や方言がうまく書かれていても、新聞記者のラフな行動をそれらしく書いても、むやみと不自然な殺人が行われるような筋立はおよそ現実感がないのである。そらぞらしい空疎なつくりごとしか感じられない。

それというのが、今までの推理小説の支持者の一部が熱烈な「鬼」と称するファンであったからだ。彼らはトリックや意外性を愛好する。それが意表を衝き、奇抜であればあるほど喜ぶ。作者もその要求を満足させねばならない。それが昂じて、そのことだけが本体となり、作者はその「鬼」のみを意識して作品を工夫し、小説の要素である人間描写は第二義的となり、文章を置き去りにした。「鬼」はそのことに寛大だったから、遂にはただの「犯人探し」のゲームとなり果てた。作者とこの熱心な少数の読者の関係は、恰も同人雑誌に似通っている。同人雑誌ならそれで通るかも知れないが、それでは一般性が無いのである。一般の読者は小説を読もうとしているのだ。私は日本の創作推理小説を不振にしたのは、皮肉にもこの小説の熱心な支持者である「鬼」に一半の原因があると思っている。

断っておくが、私はトリックや意外性が推理小説の重要な成立条件であるのを否定しているわけではない。いや、これがなければ推理小説は一般の普通小説と異なるところがなくなるであろう。ただ、それがあまりに至上的に信仰化され、遊戯的なパズル式になったことの行き過ぎを云いたいのである。

なるほど同人雑誌的でない場所でも日本の推理作家は仕事をしている。しかし、それらは殆んど程度の低い大衆雑誌の枠の中である。当然にそのトリックや意外性は低俗性と結びつき、またその読者を意識してか本気に仕事をしていない。どういうものか、彼らは推理小説の真の読者の選択を誤っている。日本の創作ものが「新青年」によって育ったことを考えれば、誰が実際の読者であるか考える筈だ。ただ、「新青年」時代と違うのは、今日では遥かに読者が文学的な教養の面で成長していることである。即ち、翻訳ものにブームがあっても、現在の低俗な創作ものにはブームが無い所以である。

私は、今までの推理小説に動機が軽視されている傾向があるので、これにもっと力点を置きたいと云ってきた。つまり動機の主張が、人間描写に通じるからである。これまでそれは、倒叙的な構成では貧弱ながら試みられてはいたが正統的な本格ものでは冷遇されていた。本格もので動機を描けといっても、何も犯人の心理描写の必要はない。その全体の事件なり犯罪が、その動機でなければ発生しないような必然的な、現実性に密着した、個性のあるものなら充分であろう。

しかし、これは作者にとって容易なことではない。だが、困難だといっても、今後は誰かがやらなければならないのではないか。推理小説も、もう「古い型」では一般に通用しなくなるのではなかろうか。

推理小説はもともと異常な内容をもっている。いわば人間関係が窮極に置かれた状態である。だからこそ、推理小説はもっとリアリティが必要である。サスペンスもスリルも謎も、リアリティの無いものには実感も感興も湧かない。殊に、現代のように、人間関係が複雑となり、相互条件の線が錯綜したり切断されたりして、人間は或る意味において個として孤立している状態では、推理小説の手法は最も活用されてよい。その場合には、リアリティの附与が益々必要だと思うのである。

推理小説のヒント

1959.05

推理小説の根幹は、いうまでもなく、トリックと意外性で、これがなかったら、推理小説とは呼べないものになるだろう。ぼくは、犯罪の動機にもっと力点をおけといったけれど、これはトリックや意外性の要素を軽視したからではなく、軽視されていた動機の面をもっと主張したいと考えたからである。これはたびたび、いったり書いたりしたことだから、ここには繰り返さない。

推理小説を書いてみて、これは、つくづく頼まれてから書くものではないと思った。推理小説ほど着想が独創性と新工夫を要求されるものはない。他人の作品の影響をうけると、露骨に真似だと軽蔑される。自分が前作に使ったトリックのバリエーション（変形）をやると、二番煎じだとののしられる。

ところが、着想というものは、そう頻繁に湧いてくるものではないから、依頼の頻度には追いつけないのである。そこで、作者は四苦八苦する。こればかりは、机の前に懊悩しても、端然と瞑想しても出て来ないのである。都合よく頭の中に何か持っているときならば格別、頼まれてから思案すべきものでは決してない。ろくなものが出来るはずがないのだ。

書きたい衝動に駆られたときに初めて書く、というのはどの小説にも通じることだが、とくに推理小説のように、新型、新型と工夫が要求されるものは、アイディアを得たときにペンをとるべきものであろう。が、現在のマスコミの状態ではそうもゆかないが、理想としてこれに近づきたい。いや、今年は仕方がないが、来年からはそうしたい。

年をとっても少しも衰えをみせぬアガサ・クリスティーのような婆さんは、どこでどのような方法で着想を得ているのか知りたいものだが、おそらく、お風呂の中とか、食事の最中とか、散歩の途中とかにインスピレーションがひらめくのではなかろうか。

ぼくの場合は、やはり風呂だとか、トイレの中とか（昔からいっている）、電車とかバスとかに揺られている時が多い。つまり、ぼんやりとしているときがよろしい。このときは暗示程度だが、早速家に帰って忘れないうちにメモしておく。あとで引張り出して、つまらなくて捨てることもあるし、ものになることもあるし、発展しないでそのままになっているのもある。もちろん、依頼原稿の無いときに、ぽかりと浮んだ方が出来がよく、頼まれてから考え出したのは拙劣である。

ヒントといっても、単独に出てくるわけではなく、何か経験につながりをもつ。自分の体験とか、他人の話だとか、新聞の社会面だとか、小説の上とかである。人の話は聞いたときには面白いが、案外、いい着想がひき出せないのは、ぼくのくせなのであろう。

大体、推理小説の着想というのは、人の意表をつく効果をねらうために、心理的な盲点や錯覚を考える。こういうことの天才はチェスタートンで、「一枚の葉を人に気づかれないためには森の中に隠す。森のないときには森をつくる」（ブラウン「折れた剣」）の着想は、さまざまな作家に応用され、数々の佳作を生んでいる。

とにかく、推理小説の着想は、盲点、錯覚をつくために、とかくものの見方が裏返しになっているといってもよかろう。ぼくの場合も、大体そういう傾向にある。

新聞に心中が出ると、男と女を他人が別々に殺して死体を一緒に置いていたら(『点と線』)と思ったり、山林中から腐乱死体が発見されて、死後何カ月と推定される、と書かれていたら、死体を短時間にそのような状態にさせる薬液があったらアリバイがつくれる(『眼の壁』)と思ったり、身元不明の行路病死者があると、これを身がわりに使えないか(「巻頭句の女」)と思ったりする。

犯人はおのれの犯罪の成行が気にかかるという。そのため絶えず新聞を見たり、人の話が気にかかるが、東京にいる犯人が地方で犯した犯罪は地方紙しか報道されない事実から「地方紙を買う女」を思いつく。殺人事件が起ると、捜査はまず被害者の身辺関係を追う。しかし、ずっと昔の古いつきあいで、現在、交際もなく、家人も知人も知らない存在の人物が犯人だったら容易に分るまい(「捜査圏外の条件」)と考えたりする、新聞社の交換手が大勢の社員の声をよく識別していることから、「声」のヒントになったりする。

しかし、ヒントはあくまで思いつきで、それ以上に発展しないでしぼむことが多い。だが、それがものになってもならなくても、ふと浮んだ着想を、頭の中で、組み立てたり、解体したりしていじっている間が、子供が積木細工をしているように、ぼくにとっては一番愉しい時間である。だから、推理小説は、依頼を受けてから着想を考えるべきものではない!

推理小説の文章

1960.03

1

文章は文字による作者の意思の伝達である。他の芸術、たとえば、絵にしても、それを見れば、その絵画のよしあしが分かるし、音楽にしても、耳を傾ければその良否が分かるのである。しかし、小説は、書かれた文字をまず読まなければ分からない。いかに優秀な小説であっても、それを全部読みとおさなくては、価値は分からないのである。つまり、小説の場合は、他の絵画や音楽と違って、読者に文章を読ませるという一つの負担をかけるわけである。これは、読者にとっては、かなりな荷を負っていることになる。絵画の場合だと、一目見たら分かるし、音楽の場合でも、十分か十五分聞いていれば判断できるであろう。しかし、一個の小説を読む場合、それが短編にしても、長編にしても、かなりな時間と視力の労働を要するのである。近ごろ、小説がテレビに食われるといわれているのも、このことに無関係ではない。

推理小説においては、トリックや意外性が作品の根底であり、不可欠な条件であるにしても、それがやはり小説である以上、文章の良否が問題になってくる。推理小説といえども、一般の小説と少しも変わりないのである。ただ、トリックという特殊性のみに依存して、文章を考慮しないのは大変な間違いである。

今、文章は文字による作者の意思の伝達といったが、文章には二つの効果がある。一つは説明であり、一つは感情である。文章それ自体は、むろん説明である。

〝黒ベンツ二二〇ＩＳ走行二千哩以下白輪タイヤ付新品同様〟（新聞の三行広告より）とか、〝数と数を現わす文字の間に、加法、減法、乗法の三つの演算を施して得られるものを整式という〟（数学の教科書より）というような文章でも、ちゃんと説明になっている。これを読んでも、筆者の意思は十分読者に伝わっているものと言えよう。しかし、これでは、ただ説明だけであって、味もそっけもない。小説の文章には、この説明以外に、特殊の気分といったもの、雰囲気あるいは情緒といった感情が加わってくる。それらがその小説の効果をたすけるのである。読者はそれによって、暗示を受けとり、作家の感覚に陶酔するのである。したがって文章がその小説の色彩を決定する、ということも言い得るのである。

つまり、文章は、たんに説明だけではなく、それ以外のいろいろな要素――色彩感情やリズムを読者に与えて、あたかも、さまざまな陰影が、オーケストラにおける各楽器の渾然一体となって一つの演奏をしているようなものであると言えよう。

しかし、文章には、むろん、その作家の個性が出る。小説がその作家の固有のものであるとしたならば、文章もまた、その作家の固有のものであると言える。

従四位下左近衛少将兼越中守細川忠利は、寛永十八年辛巳(しんし)の春、余所(よそ)よりは早く咲く領地肥後国の花を見棄てて、五十四万石の大名の晴々しい行列に前後を囲ませ、南より北へ歩みを運ぶ春と倶(とも)に、江戸を志して参勤の途に上ろうとしているうち、図らず病に罹って、典医の方剤も功を奏せず、日に増し重くなるばかりなので、江戸へは出発日延の飛脚が立つ。徳川将軍は名君の誉の高い三代目の家光で、島原一揆の時賊将天草四郎時貞を討ち取って大功を立てた忠利の身の上を気遣い、三月二十日には松平伊豆守、阿部豊後守、阿部対馬守の連名の沙汰書を作らせ、針医以策(いさく)と云うものを、京都から下向させる。続いて二十二日には同じく執政三人の署名した沙汰書を持たせて、曽我又左衛門と云う侍を上使に遣す。大名に対する将軍家の取扱としては、鄭重を極めたものであった。

（森鷗外「阿部一族」大正二年より）

世に住むこと二十年にして、住むに甲斐ある世と知った。二十五年にして明暗は表裏の如く、日のあたる所には吃度(きっと)影がさすと悟った。三十の今日はこう思うて居る。――喜びの深きとき憂愈(いよいよ)深く、楽みの大いなる程苦しみも大きい。之を切り放そうとすると身が持てぬ。片付けようとすれば世が立たぬ。金は大事だ、大事なものが殖えれば寐(ね)る間も心配だろう。恋は嬉しい、嬉しい恋が積もれば、恋をせぬ昔がかえって恋しかろ。閣僚の肩は数百万人の足を支えて居る。背中には重い天下がおぶさって居る。うまい物も食わねば惜しい。少し食えば飽き足らぬ。存分食えばあとが不愉快だ。……

（夏目漱石「草枕」明治三十九年より）

この二つの見本を見ても分かるとおり、鷗外と漱石の間には、はっきりとしたわかれがある。いわば、鷗外の文章は、文字の上でいう楷書であり、漱石の文章は行書ということができるであろう。また、鷗外の文章は、織物でいえば手織木綿であり、漱石の文章は柔らかい絹物とでもたとえることができよう。これが作家の個性の文章である。しかし、鷗外にしても、漱石にしても、このような根底の文体には変わりはないが、個々の作品については、その作品の効果の上で多少の変化を見せていることも注目してよい。次に鷗外の『雁』と漱石の『こころ』を引用してみよう。

岡田に蛇を殺して貰った日の事である。お玉はこれまで目で会釈をした事しか無い岡田と親しく話をした為めに、自分の心持が、我ながら驚く程急劇に変化して来たのを感じた。女には欲しいとは思いつつも買おうとまでは思わぬ品物がある。そう云う時計だとか指環だとかが、硝子窓の裏に飾ってある店を、女はそこを通る度に覗いて行く。わざわざその店の前に往こうとまではしない。何か外の用事でそこの前を通り過ぎることになると、きっと覗いて見るのである。欲しいと云う望みと、それを買うことは所詮企て及ばぬと云う諦めとが一つになって、ある痛切で無い、微かな、甘い哀傷的情緒が生じている。女はそれを味うことを楽みにしている。それとは違って、女が買おうと思う品物は、其女に強烈な苦痛を感ぜさせる。女は落ち着いていられぬ程その品物に悩まされる。縦(たと)い幾日か待てば容易く手に入ると知っても、それを待つ余裕が無い。女は暑さをも寒さをも夜闇をも雨雪をも厭わずに、衝動的に思い立って、それを買いに往くことがある。万引なんと云うことをする女も、別に変った木で刻まれたものでは無い。只この欲しい物と買いたい物との境界がぼやけてしまった女たるに過ぎない。岡田はお玉のためには、これまで只欲しい物であったが、今や忽ち変じて買いたい物になったのである。

（『雁』明治四十四年―大正二年より）

私の哀愁は此夏帰省した以後次第に情調を変えて来た。油蟬の声がつくつく法師の声に変る如くに、私を取り巻く人の運命が、大きな輪廻のうちに、そろそろ動いているように思われた。私は淋しそうな父の態度と言葉を繰り返しながら、手紙を出しても返事を寄こさない先生の事をまた憶い浮べた。先生と父とは、丸で反対の印象を私に与える点に於て、比較の上にも、連想の上にも、一所に私の頭に上り易かった。私は殆ど父の凡ても知り尽していた。もし父を離れるとすれば、情合の上に親子の心残りがある丈であった。先生の多くはまだ私に解っていなかった。話すと約束された其人の過去もまだ聞く機会を得ずにいた。要するに先生は私にとって薄暗かった。私は是非とも其所を通り越して、明るい所迄行かなければ気が済まなかった。先生と関係の絶えるのは私にとって大いな苦痛であった。私は母に日を見て貰って、東京へ立つ日取を極めた。

（『こころ』大正三年より）

『阿部一族』と『雁』とは、一つは歴史小説であり、一つは当時の現代小説という違いはあっても、これが同じ作者のものかと思われるくらいである。『阿部一族』は、素材の気分を出すために、文章は硬筆で書かれているが、一方の『雁』の方は内容がまったく違うので、それに合わせて、文章も軟筆で書かれている。漱石にしても、『草枕』は、一人の青年が山奥で美女に会うというきわめてロマンチックな作品なので、文章も意識的に美文調に絢爛としているが、一方の『こころ』はテーマが心理的なものだけに、文体もきわめてリアルな、飾りけのないものにしている。しかも、両方とも、鷗外の文章であり、漱石の個性であることに間違いはない。要するに、同じ作者であっても、作品の内容にしたがって、文章もその効果を出すために、変化しているわけである。

　在来の小説は、二葉亭四迷の『浮雲』以来、日本人の話し言葉として書かれてきた。四迷が文語体から脱却して口語体を創始したのは、口語体という話し言葉の形式であり、したがって、それを踏襲した自然主義以来の文学は、すべて話し言葉ということができる。

> 　時雄は雪の深い十五里の山道と雪に埋れた山中の田舎町とを思い遣った。別れた後其の儘(まま)にして置いた二階に上った。懐かしさ、恋しさの余り、微かに残った其の人の面影を偲ぼうと思ったのである。武蔵野の寒い風の盛(さかん)に吹く日で、裏の古樹には潮の鳴るような音が凄じく聞えた。別れた日のように東の窓の雨戸を一枚明けると、光線は流るるように射し込んだ。（中略）暫くして立上って襖を明けて見た。大きな柳行李が三箇細引で送るばかりに絡げてあって、其向うに、芳子が常に用いて居た蒲団――萌黄唐草の敷蒲団と、綿の厚く入った同じ模様の夜着とが重ねられてあった。時雄はそれを引出した。女のなつかしい油の匂いと汗のにおいとが言いも知らず時雄の胸をときめかした。夜着の襟の天鵞絨(びろうど)の際立って汚れて居るのに顔を押附けて、心のゆくばかりなつかしい女の匂いを嗅いだ。

性慾と悲哀と絶望とが忽ち時雄の胸を襲った。時雄は其の蒲団を敷き、夜着をかけ、冷めたい汚れた天鵞絨の襟に顔を埋めて泣いた。

（田山花袋「蒲団」明治四十年より）

……その女は、私の、これまでに数知れぬほど見た女の中で一番気に入った女であった。どういう所が、そんなら、気に入ったかと訊ねられても一々口に出して説明することは、むずかしい。が、何よりも私の気に入ったのは、口のききよう、起居振舞などの、わざとらしくなく物静かなことであった。そして、生まれながら、何処から見ても京の女であった。尤も京の女と云えば、どこか顔に締りのない感じのするのが多いものだが、その女は眉目（びもく）の辺が引締っていて、口元なども、屢々（しばしば）彼地（あちら）の女にあるように弛んだ形をしておらず、色の白い、夏になると、それが一層白くなって、じっとり汗ばんだ皮膚の色が、ひとりでに淡紅色を呈して、いやに厚化粧を売り物にしているあちらの女に似ず、常に白粉（おしろい）などを用いぬのが自慢というほどでもなかったけれど……彼女は、そんな気どりなどは少しもなかったから……多くの女のする、手に暇さえあれば懐中から鏡を出して覗いたり、鬢（びん）をなおしたり、又は紙白粉で顔を拭くとかいったようなことは、ついぞなく、気持ちのさっぱりした、何事にでも内輪な、どちらかというと色気の乏しいと云ってもいいくらいの女であった。

（近松秋江「黒髪」大正十一年より）

だいたい、多少の変化はあっても、昭和の初期までは、このような文章が主流であったと言えよう。ところが、最近の文学作品は、日本語古来のものを駆使して文章を綴るというよりも、一つの新鮮さを加えるために翻訳形式が使われはじめた。すでに、芥川龍之介あたりからこの傾向は見えていたが、横光利一の初期の作品などを経て、近ごろは、もっぱら、翻訳調が若い作家の主流になっている。これは、一方から見れば、日本語的文章の破壊であるが、また、別の面から見れば、新しい文章の創始ということができるであろう。

このいずれを使うかは作家の自由であるが、推理小説を書く場合も、作家が常に文章にこのような工夫をしていると同様な創意を、絶えず持ちつづけることが必要だと思う。

彼と妻とは、もう萎れた一対の茎のように、日々黙って並んでいた。しかし、今は、二人は完全に死の準備をして了った。もう何事が起ろうとも恐がるものはなくなった。そうして、彼の暗く落ちついた家の中では、山から運ばれて来る水甕(みずがめ)の水が、いつも静まった心のように清らかに満ちていた。

彼の妻の眠っている朝は、朝毎に、彼は海面から頭を擡(もた)げる新しい陸地の上を素足で歩いた。前夜満潮に打ち上げられた海草は冷たく彼の足にからまりついた。時には、風に吹かれたようにさ迷い出て来た海辺の童児が、生々しい緑の海苔に辷(すべ)りながら岩角をよじ登っていた。

(横光利一「春は馬車に乗って」大正十五年より)

それはまず彼の顔のもつ一種の美にたいする感嘆であった。それは白い皮膚と鮮やかな赤の対照、その他われわれの人種にはない要素から成りたつ、平凡ではあるが否定することのできない美の一つの型であって、真珠湾以来私のほとんど見る機会のなかったものであるだけ、その突然の出現には一種の新鮮さがあった。そしてそれは彼が私の正面に進むことを止めた弛緩の瞬間私の心に入り、敵前にある兵士の衝動を中断したようである。

（大岡昇平『俘虜記』昭和二十三年より）

安枝は手をうしろに支え、足はのびのびとのばして沖を眺めた。積乱雲が夥しく湧いている。そのいかめしい静けさは限りなく、あたりのざわめきも波のひびきも、雪のかがやく荘厳な沈黙の中に吸い取られてしまうように思われる。

夏はたけなわである。烈しい太陽光線にはほとんど憤怒があった。

三人の子供は砂の城を築くのに飽きた。汀の余波を散らして駆け出した。これを見ると、安枝は今まで陥っていた自分一人の安逸な世界から目をさまして、立上って子供たちを追った。

（三島由紀夫「真夏の死」昭和二十七年より）

この中の例に出した大岡昇平氏は、『俘虜記』を書くにあたって、どのような文体にしていいか、迷ったと告白している。氏は、自分の文章をまだ持たないので、さしあたり翻訳調を採用したと言っているが、少なくとも推理小説は、トリックの斬新性のみならず、絶えず文体の新しさも考えなければいけない。

2

文章は、先にも言ったように、説明が本来の目的であるが、しかし、小説の場合においては、説明は描写である、ということがある。この描写は、まず、背景、人物、事件と大体分けられるであろう。

このうち背景は、ことに推理小説においては最も大切な部分で、この背景の設定によって、小説の効果がまず決定されると言ってよい。普通の小説と違って推理小説は、だいたい、異常な事件をモチーフとしている。それだけに、背景は、いっそう大切な一要素となっている。ここで、よく例に出されるポーの「アッシャア家の崩壊」の冒頭を見よう。

雲が重苦しく空に低くかかった、陰鬱な、暗い、寂寞（せきばく）たる、秋の日の終日、私はただひとり馬に跨って妙にもの淋しい地方を通り過ぎて行った。そして黄昏の影があたりに迫って来る頃、漸く憂鬱なアッシャア家の見えるところへまで来たのであった。どうしてであるかは知らない——が、その建物の最初の一瞥と共に、堪え難い憂愁の情が私の心に滲みわたった。堪え難い、と私はいう。何故ならその感情は、荒涼たる、あるいはもの凄い自然の最も峻厳な像（すがた）に対する時にさえわれわれの心が通常感ずる、あの詩的であるが故に半ば快い情趣によって、少しも和げられるところがなかったからである。私は眼前の風景を眺めた、——ただの家と、その邸内の単純な景色を、ものさびた壁を――眼のようなうつろな窓を――少しばかり生い繁った菅草（すげぐさ）を――数本の朽ちた樹々の白い幹を――眺めた、阿片耽溺者の酔いざめ心地――日常生活へのいたましい推移――夢幻の帳（とばり）のいまわしい落下――を除いてはいかなる現世の感覚にも喩えることの出来ないような魂の全くの沈鬱を感じながら。心は氷のごとく冷たく、うち沈み、痛み、――いかに想像力を刺激しようとも壮美なものとはなし得ぬ救い難いもの淋しい思いにみちた。何であろう、――私は立ちとどまって考えた、――アッシャア家を見つめているうちにこのように自分の心をうち沈ませたものは何であろう？

（「アッシャア家の崩壊」一八三九年／佐々木直次郎訳、一九三一年より）

これを読むと、いかにも、荒廃した地方を、ひとり馬に乗って歩いている人物と、その背景にくりひろげられている荒涼たる原野、重く低く垂れこめた陰鬱な雲など、まず読者の目の前にうったえてくる。この暗鬱な空気が、「アッシャア家の崩壊」という作品全体を流れるムードなのである。したがって、後に起こるところの事件、アッシャア家の崩壊という世にもあり得べからざる現象が、読んでいて少しも不自然にならないのを助けているのである。

余談だが、私は少年時代、この冒頭の文章に魅せられて、九州の田舎を自転車でまわり、ポーの世界を空想したことがある。

次に、芥川龍之介の「開化の良人（おっと）」の冒頭を見よう。

何時ぞや上野の博物館で、明治初期の文明に関する展覧会が開かれていた時の事である。或曇った日の午後、私はその展覧会の各室を一々叮嚀に見て歩いて、漸く当時の版画が陳列されている、最後の一室へはいった時、そこの硝子戸の棚の前に立って、古ぼけた何枚かの銅版画を眺めている一人の紳士が目にはいった。紳士は背のすらりとした、どこか花車（きゃしゃ）な所のある老人で、折目の正しい黒ずくめの洋服に、上品な山高帽をかぶっていた。私はこの姿を一目見ると、すぐにそれが四五日前に、或会合の席上で紹介された本多子爵だと云う事に気がついた。

（「開化の良人」大正八年より）

これを読むと、黄昏の人気のない博物館の一室で、二人の男が静かに何事かを話しはじめる。そこから、すでに読者は、ただならぬ何かを感じるであろう。したがって、それからつづく物語は、この雰囲気のために尾を引き、本多子爵の語る奇怪な話がいかにも自然に、また、ふしぎな魅力をもって聞かれるのである。

このように、小説の文章は、まず冒頭から、すでに作品の雰囲気を決定している。冒頭といえば、たんに叙景描写だけではなく、事件の全体を暗示するのである。そして、その文章がまた小説の背景ということができるであろう。たとえば、ポーの「黒猫」という小説の冒頭を見よう。

今ここに書き留めようと思う、世にも奇怪な、また世にも単純なこの物語を、私は信じてもらえるとは思わないし、またそう願いもしない。そうだ、私の眼、私の耳が、まず承認を拒もうということの事件を、他人に信じてもらおうなどとは、まこと狂気の沙汰とでもいうべきであろう。しかも私は、狂ってはいないのだ――夢をみているのでないことも、たしかだ。だが、私は、もう明日は死んでゆく身だ。せめては今日の中に、この心の重荷をおろしておきたいのだ。

（「黒猫」一八四三年／中野好夫訳、一九五〇年より）

この冒頭によって、読者はすでに怪奇な物語を予想するのである。従って、ここには叙景的な描写はないが、説明の文章そのものが小説の背景だということができる。しかし、このような文章をあまり乱用すると厭味たらしくなってくる。日本の探偵小説がほとんどこの系列を真似したためにどのように通俗になったか。ポーは決して、こけおどしの文章ばかり書いていない。彼はあたかも、精密な設計図を先にひき、それに向かって計算して文章を書いているのである。しかし、従来、日本の探偵小説のうち多くが、この文章をよしとするあまり、勝手に内容の空疎な、過大な形容詞を羅列したために、ついに堕落してしまったのである。まことに、文章とは危険きわまりないものである。

探偵小説について、古典的なもう一つの例を挙げよう。これは、例のドイルのシャーロック・ホームズである。

クリスマスがすんで二日目の朝、私はおめでとうの挨拶のつもりで、わが友シァーロク・ホウムズを訪ねてきていた。ホウムズは紫色のガウンを着て、ソファーに寝そべっていた。右方の手のとどくところにパイプ掛けがあり、くしゃくしゃになった朝刊紙のいくつかが山と積まれて、ついさっきまで調べものをしていたとみえて、すぐそばに置いてあった。カウチの横に木椅子が一つ、その背の角に、ひどくみすぼらしい、汚れいたんだ山高帽子の、とてもかぶれたものでなく、あちらこちらとひび割れしているのがかかっていた。椅子の上にレンズとピンセットを置いてあるところをみると、この帽子がこんなふうにぶら下がっているのは、調査のためだったらしい。

「仕事中だね」私は言った。「おじゃましたらしい」

（「青い紅玉（ルビー）」一八九二年／鈴木幸夫訳、一九五九年より）

これを読むと、冬の朝のロンドン、ベイカー街の一室で、主人公のホームズが、これから興味ぶかい難事件とぶつかろうとしている様子が、記述者であるワトソンとのやりとりや、部屋の雰囲気を描くことによって、読者の目にも、いかにも、事件の発端を感じさせるのである。こういう描写はまた、シャーロック・ホームズ物語の大きな背景となっている。したがって、推理小説の場合、異常な事件を描写するとき、背景はきわめて注意深く取り扱わねばならない。

われわれは、異常な場所で殺人が起こった場合、それほど恐怖心は感じないものである。日常の生活で、われわれのすぐ隣りの部屋で殺人が起こってこそ、はじめて現実的な恐怖を受ける。ただ単に、背景を内容にマッチさせよといっても、それは、芝居の書割りのような道具立てをゴテゴテと並べよというのではない。あくまでも、内容の効果に応じて考えるべきである。波止場でピストルの鳴る映画やテレビは、よくわれわれの見るところであるが、これには何らの現実感がない。つまり、異常な事件であるから背景もまた異常でなければならぬというのは間違いである。

ポーや秋成の書いた小説には、なるほど、異常なバックが用いられている。たとえばポーの「裏切る心臓」にしても、死人の蘇生という事件を取り扱って、古びた黴臭い部屋が使われている。ポーの時代にあっては、このような設定は彼が最初に創始したもので、その時代にこそ感銘を受けたが、また、ポーのような天才的な描写力を持った作家にしてはじめて効果があるが、凡百の作家がことごとくこの模倣をしたからといって、成功するものではない。むしろ、近ごろは内容の異常さに対比して、描写も押さえ、背景もきわめて日常的なものを選んで効果を高める方法が新しいのではないか。

3

ポーに比肩する作家としては、日本では上田秋成であろう。秋成の『雨月物語』の各短編には、ポーと同じような、異常な世界が設定されている。たとえば、「白峯」の一節を引用してみる。

日は没しほどに、山深き夜のさま常ならね、石の牀木葉の衾いと寒く、神清、骨冷て、物とはなしに凄じきここちせらる。月は出でしかど、茂きが林は影をもらさねば、あやなき闇にうらぶれて、眠るともなきに、まさしく円位円位とよぶ声す。

また、同じ『雨月物語』の中で、「浅茅が宿」の一節を引いて見る。

窓の紙松風を啜りて夜もすがら涼しきに、途の長手に労れ熟く寝たり。五更の天明ゆく比、現なき心にもすずろに寒かりければ、衾被かんとさぐる手に、何物にや籟々と音するに目さめぬ。面にひやひやと物のこぼるるを雨や漏ぬるかと見れば、屋根は風にまくられてあれば有明月のしらみて残りたるも見ゆ。家は扉もあるやなし。簀垣朽頽たる間より荻薄高く生ひ出でて朝露うちこぼるるに、袖湿てしぼるばかりなり、壁には蔦葛延かかり、庭は葎に埋れて、秋ならねども野らなる宿なりけり。

「白峯」の場合は、一人の僧が山中の荒れ果てた陵を訪い、祈念するくだりであるが、その情景設定は、今にも帝〔崇徳院〕の怨霊が現われても、読む者に少しも不自然ではない。また、「円位円位とよぶ声す」ということで、読者もまた、あたかも自分が起こされているような気持になるのである。あとの「浅茅が宿」の場合は、死んだ妻の霊と一夜を臥すくだりである。一夜が明けてみれば、わが家と思いきに、荒れた野原に朝露に打たれながら目が覚めた、という一章であるが、これも文章のとおり、緻密な計算によって組立てられているので、少しも不自然さを感じない。

要するに、いかに奇怪なことが書かれていようとも、あくまでも、それは現実的な筆の運びである。いわば、フィクションのリアリズムということができるであろう。

4

次は、人物である。人物描写は、外面的な描写と心理描写に分けられるであろう。人物の描写は、小説の中心にあるだけに、もっとも大切で、またむずかしいところである。まず、初心者がもっとも困難を感じるのは、その人物を書くにあたっての風貌であろう。これは、克明に、あたかも写生画のように書く人があるが、あまり緻密に書きすぎると、読者にイメージを与える余地がなくなり、かえって、窮屈な人間像ができあがってしまう。

紳士は年歯(としのころ)二十六七なるべく、長高(たけたか)く、好(よ)き程に肥えて、色は玉のようなるに頬の辺(あたり)には薄紅(うすくれない)を帯びて、額厚く、口大きく、腮(あぎと)は左右に蔓(はびこ)りて、面積の広き顔は稍(やや)正方形を成せり。緩く波打てる髪を左の小鬢(びん)より一文字に撫付けて、少しは油を塗りたり。濃からぬ口髭を生(はや)して、小からぬ鼻に金縁の眼鏡を挟み、五紋(いつつもん)の黒塩瀬の羽織に華紋織の小袖を裾長に着做(な)したるが、六寸の七絲帯(しちんおび)に金鏈子(ぐさり)を垂れつつ、大様に面(おもて)を挙げて座中を眴(みまわ)したる容(かたち)は、実(げ)に光を発(はな)つらんように四辺(あたり)を払ひて見えぬ。此団欒(まどい)の中に彼の如く色白く、身奇麗に、而も美々しく装ひたるはあらざるなり。

（『金色夜叉』明治三十年―三十五年より）

これは、尾崎紅葉が『金色夜叉』で描いた富山唯継(とみやまただつぐ)の風貌描写であるが、実に精緻をきわめている。しかし、これを読んでも、読者にあまり実感は来ないであろう。なるほど、写真のように精密な描写だが、それ以外に、彼の風貌からは、生きた人間像が浮かんでこない。つまり、これは、作者が勝手に、人物の風貌を読者に押しつけているのである。これでは読者も、生きた人間として受け取ることはできない。

また、昔は、着ている着物にしても、いちいち、呉服屋の番頭のように、精密に、細かい柄まで描写したものだが、これも、なるほど品物は何であるかわかるが、少しも色彩として映ってこない。近ごろの小説には、このような、いたずらに煩わしいだけで効果のない描写はやめて、服装を書くにしても、ただ、白っぽい着物とか、黒っぽい帯だとかいうように書かれている。このほうが、読者にそれぞれのイメージを与え、ずっと効果があるようである。

また、服装にしても、風貌にしても、書かれる人物の性格と無関係ではない。したがって、その人物の小さな動き、こまごまとした動作が、性格を反映していることになる。従って、心理描写を真正面からしなくても、ある程度は、その人物の外側の動作によって心理を描くことさえできるのである。

心理描写は、最もむずかしいところで、昔の小説を読むと、心理描写はあまりない。ただ、行動だけで書かれているものが大多数であった。しかし、近代小説は、心理の小説といわれるくらいに、心理を大切に取りあつかっている。推理小説の場合もまた例外ではないのである。

私は、今までの推理小説が、心理の面にあまり重きをおいていないのに、少なからず不満を感じていた。一般の小説と推理小説とは、むろん、相違はあるけれども、心理描写を全然無視した小説というのは、文学的に鑑賞に耐え得られないのではなかろうか。このことから、私の動機尊重論が出てくるのであるが、そのことは、本稿では無関係であるから、あまり触れないことにする。

普通の小説のことはしばらくおいて、推理小説における心理描写は非常にむずかしい。事件の謎をあくまでも隠しておく必要上、人物の心理も、読者の目の前ではあきらかにすることができない場合が多い。したがって、心理描写を書きこむ場合は、多くの場合倒叙法が用いられる。ここに推理小説の名作、フランシス・アイルズの『殺意』の一節を引用してみよう。

ビクリイ夫人は二人の姿のみえないのに気がついていた。彼女には良人のしたことがよく分っていたから、軽蔑で声を鋭らせた。「あなた、どこへ行ってらしたんです？　さがしていたのですよ。」

「何か用かい？」どこから見てもビクリイ学士は正常であった。頬骨のあたりがぽっと紅くなっているが、小さいので目立たなかった。

「ボールが足りなくなっています。ベンジイさんがまたグーズベリの中へ打ちこんだのです。すぐ捜してきて頂だい。」彼女の言葉は普段にもまして命令的だった。耳ざわりなその大きな声は誰にでも聞えた。男たちはひどくいやな顔をした。そしてそれぞれボールを捜しに行こうとしたが、それは主人がわの役だからと止められた。皆もそれには異議がないようだった。

「おれなら犬にだってあんな言いかたをするものか！」ビクリイ学士にも細君の語気は分ったし、その裏に何があるかも感知した。そしてお客たちの思わくも推知された。頬の小さな紅みが少しひろがってみえた。

そのときギニフリッドが笑った。

ビクリイ学士に分るとよかったのだが、それは神経の緊張しすぎたあとの意味もない笑いにすぎなかったのだ。しかし彼にはそれが分らなかった。彼には世界中から嘲笑された――妻の尻に敷かれたしがない良人への因襲的な嘲笑と聞えた。とくべつの好意を期待し、その温かい理解をあれほどまで熱望していたギニフリッドまでが嘲笑者の仲間に加わるとは！

くるりと踵(きびす)をめぐらして、彼は顔中をまっ赤にそめた。そしてとつぜん、あらゆる感情をこめて妻への打ち勝ちがたい憎悪に駆られた。「畜生！」コートの端をまわってゆきながら、小さいからだを憤怒に湧きたたせた。「畜生！ もう我慢ができるものか！ あいつ死んでしまえばいい。いや、殺してやれたらなあ。」

(『殺意』一九三一年／延原謙訳、一九五三年より)


また、これよりもっと精緻なのは、ドストエフスキーの『罪と罰』におけるラスコリニコフの心理描写であろう。

老婆の住いへ行く階段は、門からすぐ右手にあった。彼はもう階段の口へかかっている……息をついで、どきどきする心臓を手で抑えると同時に、ちょっと斧に触って見て、もう一ど位置を直すと、それから用心ぶかく、たえず耳を欹(そばだ)てながら、彼はそっと階段を昇って行った。けれどこのときは、階段もがらんとしていて、戸という戸はみんな閉っていた。誰ひとり出くわすものはなかった。もっとも、二階目に一つ空いたアパートがあって、すっかり開けっぴろげにされ、中でペンキ屋が働いていたが、その連中も彼の方を振り向きもしなかった。彼はちょっと立ち止まって考えてから、また先へ進んだ。「そりゃ無論、ここにあいつらがまるでいなかったら、いっそううまかったんだが、しかし……まだ上に二階あるからな。」

やがてもう四階である。早くも戸口まで来た。もう向い合せのアパートだ。それは空き家になっている。三階でも老婆の住いの真下に当るアパートは、すべての兆候から推して、やはり空き家らしかった――戸口へ釘づけにされていた名刺がとれていたから――引っ越して行ったに違いない！……彼は息がつまってきた。瞬間、「帰ってしまおうか！」という考が閃いた。しかし、彼はそれに答を与えないで、老婆の住いの気配に聞き入った。死のような静けさだ。それから、彼は再び階段の下に耳をすました。長いあいだ注意ぶかく聞き耳を立てた……やがて、最後にもう一どあたりを見廻して、心を引きしめ、身繕いして、改めて輪にかけた斧を手で触ってみた。「蒼い顔をしてやしないか……ひどく？」と彼は考えた。「余り興奮してやしないかな？　あいつは疑り深いから……もう少し待つ方がよくないかしらん……動悸の止るまで？……」

しかし、動悸はなかなかやまなかった。それどころか、まるでわざとのように、さらに烈しく、もっと烈しく、いよいよ烈しく打った……彼は我慢し切れなくなり、そろそろと呼鈴へ手を伸ばして、がらがらと鳴らした。三十秒ばかりたってまた鳴らした、今度は少し強く。

（『罪と罰』一八六六年／米川正夫訳、一九三五年より）

しかし、推理小説が、解決を最後に持って行き、いろいろなトリックや謎を読者の前に秘めておくばあいは、心理描写はひどくむずかしい。つまり、そこに書かれる人物の言動は、かならずしも、彼の本心ではないからである。

われわれは複雑な生活を送っている。したがって、絶えず、言っていることと考えていることが裏腹な場合が多い。このことを文章の上で現わしたのは、ジェームス・ジョイスであろう。ジョイスは、ものを考えていることと、口でしゃべっている言葉とを交互にないまぜて、一つの形式をつくり出した。が、推理小説においては、このようなことすら許されないのである。

この場合、心理描写はひどく困難になってくる。このことから、あるいは、推理小説には心理描写が出てこないという一因にもなったかとも思われるのである。けれども、隠していることと、描写を全然していないこととは、もちろん違う。注意深く書くならば、その心理状態を真正面から書かなくても、ある程度、出てくるわけである。それが、最後の解決の場面になって、その人物の行動なり、動機なりが、以前の小さな注意と照応して、はじめて表裏一体となり、一個の心理描写が見事にできあがるということが、理想ではなかろうか。

推理小説の場合は、普通の小説とちがって、事件が一つの主人公になっている。事件の叙述はたいへんむずかしいところで、これを描写するには、微妙な工夫を要する。たとえば、事件そのものを書くとすれば、どうしても説明に流れやすい。われわれは新聞記事の文体を見るが、分かりやすいだけであって、気分もなければ感情もない。といって、あまりによけいなことに筆を費すと、事件の本筋そのものを見失って、わけの分からないことにもなりやすい。

　そこで、叙述をすすめながら事件を展開していくか、事件をずらせて人物の動きを展開するか、小説の素材によってちがうが、だいたいこの二つに分かれるのではないかと思う。人物をとらえて背後の事件を展開する方法は、長編小説においては活用できる。しかし、だいたい短編小説においては、事件が主体である場合、事件からはいっていくのが普通のようである。この場合、事件をいかにして説明していくか、ということが問題であろう。もっとも端的な、明白な叙述は、新聞記事の応用、警察の調書、裁判記録の引用である。これだと事件そのものをもっとも短く紹介し、また、それから描写にはいっていけるという利益がある。しかし、この方法を用いすぎると、鼻につく恐れがある。

　佐藤春夫の「維納(ウィーン)の殺人容疑者」は、外国にいる実弟から送ってくる新聞記事によって推理するという形式がとられている。これなどは、新聞記事をもっとも巧妙に応用した一例であろう。同じ作者の「女人焚死」もまた、信州の山奥に起こった一女性の焼死事件を、作者がたまたまその土地に滞在して、駐在所の巡査から概略を聞き、小説の主人公が推理を試みるという形式がとられている。これもまた、事件そのものをズバリと出して成功している例であろう。

　また、事件をもっとも簡略に、端的に決定する冒頭として、ポーの「ウィリアム・ウィルソン」が挙げられよう。

　かりにしばらくウィリアム・ウィルソンとしておこう。なにもわざわざ僕の本名をあげて、僕の前のこの美しい紙面を汚すことはないからだ。それはすでに、僕等一族にとって、あまりにも侮蔑、――恐怖、――嫌悪の対象となりすぎている。その比類ない汚辱は、風さえ怒って、すでに世界の果て果てまでも、姦しく吹き伝えている有様ではないか。おお、追放無慚の堕地獄漢よ、この世界と、そしてその名誉、その栄華、その黄金なす希望に対しては、汝はすでに永劫に死んだものなのだ。そして汝の希望と天国との間には、限りない暗澹の密雲が、とこしえに重く暗く垂れこめているのである。

（「ウィリアム・ウィルソン」一八三九年／中野好夫訳、一九五〇年より）

このわずかな数行を読んだだけで、事件の色彩が読者の頭にはいってくるのである。

事件を目的として書く場合、ともすれば、その事件の中に、人物の性格、心理が埋没される恐れが多い。この時は、私の考えでは、人物の行動に伴って、その心理の反映ともいえるわずかな身振り、動きなどを的確にとらえたほうがいいのではないかと思う。ことに、短編小説の場合は、枚数に限りがあるから、長々と人物の描写に筆を費すことは困難であろう。また、事件を主体とした場合、その中の人物は、絶えず、事件の家来となることになる。つまり、事件が主人公であり、人物は、その下僕として振りまわされる恐れが多い。そうなると、自然に、人物は類型的となり、平凡になってしまう。しかしながら、事件というものは、人間同士のからみ合いによって起こるものであり、人間の心理の葛藤によって起こると考えるならば、必然的に、その中の人物描写が少ないとしても、全体として、性格の彫刻はでき得るのである。

サマセット・モームは、その著書『小説の作法』で、「私の場合は、人物の性格が決定したら、事件はおのずから起こってくる」という意味のことを言っている。まことに味わうべき言葉である。人間の心理を離れて事件はないのであるから、事件を主体としても、注意深く計算するなら、あるいは、人物描写を長々と書くよりも、人物の性格を鮮明に浮かびあがらせることができ得るのである。

5

普通の小説でもそうだが、推理小説の場合には、ことに精密な設計図をひかなければならない。いい加減なことを書きはじめて、途中で、筆が進まず、支離滅裂になることが、推理小説の場合にもっとも多い。これは、私がしばしば経験するところである。

ポーは、後世に残る珠玉のような短編を書いているが、いずれも、精密な計算をしているのである。「アッシャア家の崩壊」にしても、その最初に、アッシャア家の館の壁に、一筋のひびがはいっているところの描写がある。読者はそこで、何気なく見のがすのであるが、最後に、嵐の晩アッシャア家の館が崩壊する時、そこから家が崩れ落ち、背後にただならぬ閃光を発するという描写に至ってはじめて、最初の一条のひびが、精密に計算されたものであることに気づくであろう。また、このちょっとした叙述があることによって、後の、あり得べからざる情景が、真実として迫ってくるのである。ポーの怪奇は、世にもあり得べからざることばかりで、現実感が伴わないように見えるが、しかし、その物語に引き入れられている間は、実際、それが絵空事とは毛頭考えられないのである。これは、ストーリーが非現実的であっても、筆があくまでも現実性をもっているゆえんである。

推理小説は、日常の茶飯事を描写するのでなく、人間の非常な事態をモチーフとしているので、筆をそれに合わせると、ともすれば、絵空事になってくる。ここにおいて、文章の上で、飽くまでも、リアリズムが要求されるのである。ただ、概念的な形容詞だけではすまされないはずである。

また、一つの効果をあげるためには、文章はストレートに進んではならない。絶えず、緩急自在に叙述を進行させる必要がある。

小泉八雲に「貉（むじな）」という短い作品があるが、昔、江戸のお濠端を一人の中間（ちゅうげん）が歩いていると、お濠に向かって、女がしくしくと泣いている。中間がその女に、お女中どうしたのか、と問いかけると、女中が顔をあげて中間を見た。すると、その顔が、眼も鼻もないのっぺらぼうなので、彼は胆を潰して走り出し、ようやく、暗闇の中に提灯をともしている屋台店を見つけて、息を切らせて駆けつけた。提灯の灯影では、亭主が下を向いて何やらやっていて、中間に、どうしたのかと聞くので、実はそこでのっぺらぼうの化物に会った、と話した。すると亭主は、こういう顔ですか、といって、あげた顔がのっぺらぼうであった。という一編のコントである。

これを分析すると、中間は、最初に驚き、次に安心し、ふたたびまた驚く、という繰り返しが利用されている。人間の心理として、最初に驚き、次に、そこに一つの緩衝地帯を設け、さらにもう一度驚きを繰りかえすということになると、後の驚きは前の驚きよりもいっそう大きいのである。

推理小説の筆を進める場合、このような計算は考慮に入れていいと思う。中には、事件の急迫をそのまま急追するあまり、そのような余裕がなく、かえって、感興を殺ぐ場合が多いのである。したがって、そこには、多少の文章上の遊びを要することになろう。しかし、筆の遊びといっても、もちろん、それは計算された遊びでなければならない。上田秋成の「菊花の約」という作品の中に、次の一節がある。

> 此日や天晴て千里に雲のたちゐもなく、草枕旅行く人の群々かたりゆくは、けふは誰某がよき京入なる。此度の商物によき徳とるべき祥になんとて過ぐ。五十あまりの武士、廿あまりの同じ出立なる、日和はかばかりよかりしものを、明石より船もとめなば、この朝びらきに牛窓の門の泊は追べき。若き男は却物怯して、銭おほく費すことよといふに、殿の上らせ給ふ時、小豆島より室津のわたりし給ふに、なまからきめにあはせ給ふを、従に侍りしものの語りしを思へば、このほとりの渡りは必ず怯べし。な恚み給ひそ。魚が橋の蕎麦ふるまひまをさんにと、いひなぐさめて行く。口とる男の腹だたしげに、此死馬は眼をもはたけぬかと荷鞍おしなほして追ひもて行く。午時もややかたぶきぬれど、待ちつる人は来らず、西に沈む日に、宿り急ぐ足のせはしげなるを見るにも、外の方のみまもられて心酔るが如し。

この一節は、左門という主人公が、約束の日に、赤穴という武士を待って、家の外に佇んでいる情景である。道行く人のこのような会話は、物語の本筋にはなんら関係がない。しかし、このことによって、左門が友を待っていらいらしている気持と、のんびりと世間話を交わしながら過ぎて行く旅人との対照が、かえって、主人公の焦慮を効果的に現わしているのである。

したがって、筆の遊びといっても、緊密に、本来の筋との関連を持たせなければならないことはもちろんである。そして、そのことによって、実際以上の効果をあげなければならないのである。このような文章の見本は、たとえば、近松秋江、宇野浩二などに見られるであろう。その文章は、一見饒舌体である。よけいなことがいろいろ語られているが、どれ一つとっても、その小説の色彩、雰囲気、気分を盛りたてるのに役立たせている。

江戸川乱歩は、その文章を、宇野浩二に見本をとったといっているが、実際、乱歩の初期の作品には、このような筆の遊びがふんだんに見られる。

これは、乱歩の出現当時の時代と無関係ではない。当時、文壇の主流は、谷崎潤一郎であり、宇野浩二であり、芥川龍之介の時代であった。この中で、もっとも推理小説に情熱を持ったのは、潤一郎、春夫の二人であろう。潤一郎の「柳湯の事件」、「友田と松永の話」、「途上」などは、青年乱歩に感激を与えたものと思われる。潤一郎の文章は話し言葉である。したがって、乱歩が潤一郎に惹かれ、宇野浩二の文章についたということは、きわめて自然な成行きであった。乱歩の「二銭銅貨」、「D坂の殺人事件」、「心理試験」などの作品は、すべて、潤一郎、浩二の文体である。

ところが、後の日本の推理小説は、乱歩をピークとしているので、自然にその模倣者となったのはやむを得ないが、この文体のもっとも欠点とするところを彼らが汲み、のちに、日本の探偵小説の堕落の因となったことは遺憾である。

乱歩のこの文体とまったく対照的なのは、小栗虫太郎であろう。その翻訳体の文章は、ヴァン・ダインあたりの影響を受けて、やたらにペダンティックな注が多い。宇野浩二の文章にも注が多いが、それは、補足的な意味、あるいは気分的なもので、ヴァン・ダインの学術的な注とは全然意味がちがう。小栗虫太郎の文体は、難解をもって知られている。この文章のやさしさと難解とについては、いろいろ意見もあるが、文章の難解のゆえに、かえって特殊な愛好家によろこばれる利点もある。戦後に出てきた第一次の新人、武田泰淳、野間宏、椎名麟三は、すべて難解な文章によって特色をつけたのである。

「なに、詩文で虚妄を？」と熊城がグイと唾を嚥んで聴き咎めると、法水は微かに肩を聳やかせて、莨の灰を落した。彼の闡明は、もうこの惨劇が終ったのではないかと思われた程に、十分なものだった。法水はまずその前提として、猶太人特有のものに、自己防衛的な虚言癖のあるのを指摘した。最初に、ミッシネー・トラー経典（同十四巻の猶太教本教典）中にある、イスラエル王サウルの娘ミカル（註）の故事——から始めて、次第に現代に下り、猶太人街内に組織されている長老組織（同種族犯罪者庇護のために、証拠湮滅、相互扶助的虚言を以ってする長老組織）にまで及んだ。そして、終りに法水は、それを民族的性癖であると断定したのであった。所が、続いてその虚言癖に、風精との密接な交渉が曝露されたのである。

（註）イスラエル王サウルの娘ミカルは、父が夫ダビデを殺そうとしているのを知り、計を用いて遁れせしめ、その事露顕するや、ミカルは偽り答えて云う。「ダビデが、もし吾を遁さざ

れば汝を殺さんと云いしに依って、吾、恐れて彼を遁したるなり」――と。サウル娘の罪を許せり。

（小栗虫太郎『黒死館殺人事件』昭和九年より）

良吉は、自分の罪でないことで、自分の責任を問われるときに限って、まことに不思議な態度を取るのであった。これは、良吉の生れつきの性質であるようにも見えた。とに角一度は、これは僕ではない、冤罪だと言うのである。ところが相手が、これをただちに認めてやらないと、もう決して二度と冤罪の主張をしないのである。或る場合には、何か疑いをかけられただけで、一度も抗議することなしに、直ちにその罪を身に引き受けるようなこともあった。だから、良吉の沈黙は肯定だか否定だか少しもわからぬことが度々あった。

（木々高太郎『人生の阿呆』昭和十一年より）

小栗虫太郎の文章は、その難解さによって特色づけられ、読者は、その該博なペダンティックに幻惑されたのである。実際、当時、探偵小説なるものを軽蔑していた一般文壇人の中にも、小栗虫太郎のファンが相当にあったことは、彼の文章の特徴について、考えさせられる一面である。この、煩わしいくらいに出てくる注は、人によっては、それが単なる装飾であるといっているが、文章にもまた装飾がなければならない、と私は考えている。かならずしも、それは、濃い装飾でなくても、淡々とした文章の中にも、やはり必要であろう。小栗虫太郎ほどではないが、多少それに近いのは、久生十蘭ではなかろうか。また、別な情緒的なムードを持ったものに夢野久作がある。

これらの人びとは、乱歩の作品に見る文体とは、まったくちがった方向をとり、それぞれの特色を持っている。いずれにしても、作家は、その作品を表現するうえに、特殊な文体を創設しなければならない。いたずらに他人の作品の文体を真似するだけでは、文学としての価値は薄い。のちに、木々高太郎は、その文学的な効果を高めたために、文章も勢い、文学的な表現をとっている。

次に、ハードボイルドの典型的な文体といわれるヘミングウェイの「殺人者」の一節を抜きだしてみよう。二人の殺人者が、田舎町の小さな食堂に、めあての人物をさぐりにはいってくる。そこで彼らはコックと給仕をおどして待伏せするのである。

ほとんど会話ばかりでつないでゆく、テンポの早い、センテンスの短い文章は一見何気ないようでいながら、実は少しの無駄もない、選び抜かれたものであるのに気づかれると思う。

「おい、兄ちゃん、おれに話してみな」とマックスが言って、「おまえ、これからどんなことが起きると思っているんだ?」

ジョージはなんとも答えなかった。

「聞かせてやろうか」とマックスは言った。「おれたちは、スウェーデン人をひとり、ばらそうってわけよ。おまえ、オウル・アンドルソンという大男のスウェーデン人を知ってるだろう?」

「知ってます」

「やつは毎晩ここへ飯を食いにくるだろう?」

「ときどき来ます」

「いつも六時にくるんだったな？」

「くるときは、そうです」

「おれたちはなんでも知ってるんだぜ、兄ちゃん」とマックスが言った。「何かほかの話をしようや。おまえ映画は見に行かねえのか」

「たまにしか行きません」

「もっとたびたび見に行かなくちゃいけねえな。おまえみてえな兄ちゃんにはためになるぜ」

「なんでオウル・アンドルソンを殺すんですか？　あなたがたに何かしたんですか？」

「何かしようにも、そんな機会はやつにゃ一度もなかったよ。おれたちに会ったことさえねえんだから」


（「殺人者」一九二七年／大久保康雄訳、一九五三年より）

戦後になって、日本においても、アメリカのハードボイルドの影響を受け、文体も乾燥し、アクチュアルな文章がはやりはじめた。一例として石原慎太郎の『亀裂』の一節を見よう。

相手は一寸の間、ロープで立ち直った彼に用心してか機を窺いながら、例のしゅっしゅっと言う音をたて、その度小さくジャブを出した。

ボディを狙って来たら、左へ一歩逃げてカウンターのアッパカットだ。神島は決めながら立っていた。そして、相手は思った通りボディを狙って来、唯、神島は左へステップ出来ずまともにレバーを打たれた。重く熱い固まりが最下段の肋骨にかかって炸裂し、背部のキドニーにまで響いた。打たれた瞬間、内臓の上でその骨が鳴るのを彼は感じていた。衝撃は痛みの後、重苦しく熱いものを体中に拡げていつまでも残った。タイミングも遅れてボディをカヴァーする隙に、相手は右左と顔を打った。顎(ジョウ)と左のこめかみを。眼の前に真赤な熱苦しい何かが覆い、覆っては引きはがされた。打ち込まれたと言う知覚は、前同様、一瞬も二瞬も遅れ、半ば義務でもあるかのように下っていた手を頭に戻した。それはすでに反射とは言えぬ速度でしかない。そして、上ったその腕の下から、殆どはずみをつけて相手はまたボディを打った。こらえて身をひねりながら部厚く重いパンチの下で胸廓が音をたてて歪んだ。その歪みを戻すように相手はまた打った。

少しずつ自分の体が前にかがんで行くのをどうしようもなしに、唯感じていた。熱して苦しい何かが太く、逆に下から上へこみ上げ、彼は段々に体を折った。

(「亀裂」昭和三十三年より)

こうした文体が、若い新人に影響を与えぬはずはなかった。しかし、ハードボイルドの魅力は、行動によって一面の真理を抽出、表現しようとするところにある。ただいたずらに、その内容だけ真似ても、技術が伴わなければ、人物がうるさくうごきまわるだけで、印象が希薄になるのみならず、性格なり、人間関係が類型的になってしまう恐れがある。

とにかく、従来、日本の探偵小説作家は、トリックだけに意を用いて、文章をあまり顧みないという悪弊があった。これは、日本の探偵小説がまだ幼稚であって、きわめて通俗的な興味だけで読まれていて、文学的には豊穣とはいえない場所にあったことに原因するであろう。具体的にいうならば、変わったトリックを用いて小説を書き、それだけで、やすやすと世に出られる状態であったことが、若い新人に文章を等閑(なおざり)にさせた大きな原因ではなかろうか。推理小説を書く場合も、普通の文学を志望する新人が、同人雑誌で切磋琢磨するように、まず、小説について、基礎的な研修を積むことが必要ではないかと思う。

懸賞小説に期待する

1963.03

こういうことを書くと、私の好みに陥りそうだ。私の考えと、一般人士の考えとが必ずしも一致するとは思われないが、ここではひとまず、私だけの考えで述べてみよう。

新聞の懸賞小説というと、おのずから漠然とした制約がありそうである。たとえば、私小説の系統ではちょっと場違いとなろう。新聞小説は、読者が毎日、生活のうるおいの一部として読みつづけるのだから、なんといっても、興味をつなぐ種類のものでなければならない。

この場合の興味とは、必ずしも読者に迎合せよという意味ではない。なかには、自分をむなしくして読者へのサービス精神ばかり考えている人がある。そんなものは出来もよくなければ、面白くもなんともない。まず、新聞小説を書こうと思えば、自分で最も読みたい小説を自分で書くという気構えがほしい。

現在掲載され、また過去に掲載された新聞小説が必ずしも読者の満足を買っているとは思えない。読者によっては、もっとこういうものが欲しい、こういう小説がよみたい、という希望があろう。あなたも自分が求めている小説を、みずから書くつもりになってもらいたい。

応募者は、どうかすると、現在の作家の作品を一応目標にするようである。なかには、あの作家の小説ぐらいは自分でも書ける、という人がある。しかし、これは間違いだ。現在の作家が書いている小説が標準とならないことはいうまでもない。なぜなら、書いている作家それ自身も、自分の作品に満足していないからである。

殊に、これから出ようとする新人は、既成の作家以上の作品を書かなければならない。現在、雑誌などに載っているような小説の水準では、絶対に成功しないと思ってもらいたい。先ごろ、川端康成氏が芥川賞選考の感想として「新人の作品よりも、旧人の作品のほうにまだ野心的なものがある」という意味を発言して注目をひいたが、全くこの通りのことを、これから応募作品を書いてゆくあなたにもいいたい。新人は既成作家を圧倒する野心を持ち、新しい試みをしなければならない。これはどのジャンルの小説についてもいえることだ。

あなたが何を書くか私には分らないが、もし、現代に題材を求めるなら、だれもが目をつけなかった分野を発見する必要があろう。しかし、鬼面ひとを驚かす体のハッタリではもたない。そんなものは人にはすぐに見破られるからである。また、現在の作家の作品を頭に入れて、それに影響されてもならない。どちらかというと、現在流行している傾向よりも正反対なものを選ぶべきだ。人は常に流行の反対側に新鮮さを感じるからである。

時代小説についても同じことがいえる。もし、あなたがその方面に手をつけるなら、今までだれもが使わなかった手法を自分で編み出すことだ。それが史的な事実に基づいた歴史小説であるにせよ、また、フィクションを縦横に駆使したいわゆる時代小説にせよ、これまでの常識を打破しなければならない。「小説はどのような書き方でもある」といったのはたしか鷗外だったと思うが、現在の小説形式を不変の規約と心得てはならない。

あなたはまた新聞小説という特異の形式にとらわれてもならない。ひと時代前は、一回の終りに必ずヤマを設定することがはやった。しかし、こんな小細工では読者に翌日の新聞を待たせるということはできない。新鮮な題材と的確な構成こそ読者を引っぱってゆく要素である。それに、あなたには既成作家が持っていない人生経験があるはずだ。一つや二つは、必ず小説の材料になるものを持っているはずである。

むずかしいことを考える必要はない。自己の持っているものをテーマにして、それをふくらますなり、他の物語に仮託するなりして構成しても十分である。この場合、体験そのものをナマで書くというのではは必ずしもなく、それを奔放な想像力でドラマに仕立てるべきであろう。また、あなたは絶えず新しい着想を得るための訓練をしていなければならない。それにはユニークな観察が大事である。

以上、思いつくまま書いたが、要するに、あなたは自身が最も面白いと思う小説をお書きなさい。それは同時に読者の共感をひくことであるから。今の小説はつまらない、自分はこういう小説を読みたい、という希望をあなた自身が書いて充たすのである。

一人の芭蕉

1963.06

（聞き手・青柳尚之）

1　私の経歴

出生より朝日新聞入社まで

明治四十二年、小倉市に生まる。

大正十一年、小倉市（現在北九州市）清水（きよみず）高等小学校卒業後、川北電機入社。同社経営不振のため昭和二年、同社退社。

昭和二、三年というのは一番不況の最中でしたからね。この会社は扇風機が主でした。当時、川北扇風機というのは有名で、そのままのマークが、ナショナルの系列会社に継承されている。この間ナショナルを見学したときに扇風機工場に行って、偶然そのマークを見て、なつかしかったです。

その後、印刷会社に入社。

僕のやっていたのは、オフセット印刷、それの版下。それと地方ですから、デザイナーみたいなところはないわけで、印刷屋が引き受けていた。だから、そういう仕事もやっていたわけです。

昭和十一年、同社退社。

昭和十二年、朝日新聞広告部入社。同年、二十八歳で結婚。

十二年になぜ朝日へ入ったかというと、十二年は、ちょうど日華事変勃発ですね。その前からずっと、いわゆる満洲事変が起こっていて、十二年の二月十一日に朝日新聞が小倉に今まで置いていた支局を支社に昇格させて、そこで新聞を発行する。というのは、日華事変によって将来、中国大陸が販売ルートになるという目星をつけまして、それを見越して、印刷を九州にもってきた。そのときに入ったわけです。

——これは友達か何かの関係で？

いや、それはね。なんにも、引きも、知り合いもないいんだよ。

文学歴

——ところで版下工時代に文学の愛好者仲間に、お入りになっていたそうですが。

まあ、好きな者はいますし、僕よりみんな歳は上でしてね。当時私は十八、九ぐらいでしょう。他の人は工場労働者が多いんですね。八幡製鉄とか門鉄〔門司鉄道局〕とか、そういう工場労働者が多くて、歳もみんな大きい人だった。つまり職場文学といいますかね。そういうグループの中に、なんとなく知り合いをもって、みんなで集まって、文学の勉強——というほどでもないですよ。そういうグループみたいなものに入っていたわけです。

——同人雑誌なんか出しておられたんですか。

いや、そんなものはない。

——集まって本を読んで、文学の研究……。

そうそう、その頃は、マルクス主義文学というか、プロレタリア文学が猛烈な勢いで台頭した頃で、雑誌の「戦旗」だとか「文芸戦線」、田舎ですからね、主に入ってきたのはこの二つです。これはご承知のように、「戦旗」の方が発禁になって、そういうものをもっている人は、後に四・一六事件のときに、アゲられたわけです。僕ももっていたから、一緒に豚っパコに入っちゃって……(笑)。

――思想として、そういうものをもっていたのでしょうか。それとも……。

まあ、そういう雰囲気はあったですね。そのころ小林多喜二がさかんに「戦旗」に「不在地主」だとか、「蟹工船」だとかいうのを発表してますからね。一方で、また「新感覚派」の時代がある。そういうことで、両方読んでいた。もう一つ前には芥川、菊池、山本有三などがありましてね。いろんなものを手あたり次第に読んでいましたね。

推理小説歴

――推理小説はどうだったのですか。

推理小説はね。(眼をつぶって考えて)うん、そうだ、推理小説を読み始めたのは、十六か十七ぐらいですね。その頃はまだ、日本の創作物は殆んどないんだよ。

翻訳物もあんまりなかった。「新青年」もあんまり載せなかった。その翻訳物の評判がよくて、本誌にだんだん載っけるようになって、僕らが夢中になって読んだものだ。(煙草に火をつけて)ちょっと記憶がアヤフヤだけれども、例の「地下鉄サム」(ジョンストン・マッカレー作)ものは面白かった。それからオー・ヘンリーもあった。ビーストンがさかんに載っていた。それからフレッチャーの例の『チャリングクロス事件』や『ダイヤモンド事件』など。そうそう、それからチェスタートンもあったな。小酒井不木（ふぼく）さんがさかんにチェスタートンを翻訳していた。

その中で面白かったのは、ビーストンだった（力強く）。ああいう短篇作家はオチのつけ方がうまかったですね。正確にいうと、オー・ヘンリーは推理小説じゃないけれども、オチが推理小説的なので、載せていたのでしょうね。

それから小南又一郎という、京都の法医学者がいた。これが、実話物を、さかんに書いていましたね。それは感銘を受けましたな。乱歩さんの「二銭銅貨」が出たのは、そのすこしあとぐらいだな。その前には、小酒井さんの創作があったんじゃないかな。

――黒岩涙香は、ほとんどお読みにならなかった？

涙香は読まないね。小酒井さんの『犯罪文学研究』――これは不木全集に出てますけれども、面白かったねえ。江戸川さんの「二銭銅貨」の「南無阿弥陀仏」の暗号、あれは仰天した（笑）。感銘を受けた。その前にポーの「黄金虫」を読んでいたから。「D坂の殺人事件」も面白かった。「屋根裏の散歩者」は当時あんまり買わなかった。

――やはり「二銭銅貨」が一番面白かったわけですか。

いや、「D坂」が面白かったな。「二銭銅貨」は南無阿弥陀仏がすばらしいアイデアだったからね。それから二銭銅貨の厚み。いま二銭銅貨といったって、若い人は知らないだろうけれど、われわれの頃は、親から二銭銅貨をもらうと、いまの子供が五百円ぐらいもらったようにうれしかったものだね。あの厚みの中にトリックがあるというのは、面白い。

作家志望

作家志望ではなかったのです。なぜかということは、ほかでも書いているが、「戦旗」をもっていて、アゲられたわけですよ。それで、オヤジがふるえ上がった。僕は留置場に二十日ぐらい入っていた。小倉警察署ですよ。えらい目にあってね。不潔なんてものじゃないんだね。この間、留置場を見せてもらったけれども、あんなきれいなところじゃなかったね。その時の記憶は、『無宿人別帳』の牢屋の雰囲気に役立った。

帰ってきたら、オヤジが本をみんな焼いちゃったんだ。ひとりっ子ですからね。うちは貧乏で、とにかく両親もだんだん老いこんでくるから、生活の方をなんとかしなけりゃならん。だから、作家志望ってことはやめて、余裕があれば本を買って独り読んで慰めているという程度にした。

――「西郷札(さつ)」の前に創作はしておられなかったのですか。

その前は書いてないんだ。その前は、いまいったように、グループで集まっていただけなんで、あの頃には少し、いたずら書きしたかもわからないけれども。「西郷札」だって、作家になるつもりで書くんじゃなく、あのときちょうど「週刊朝日」の一等三十万円が……。

――その魅力ですか(笑)?

そうだな。それに魅力を感じて、書いたんだけれども……。

処女作のころ

まあ、書いたけれど、当選なんて考えは全然なくて、佳作ぐらいに入ったらいい。それと、最初に書いたんだから、ものになるかどうかわからないけれども、とにかくどのくらいの評価をつけてもらえるかということを、一度試してみたかったんだね（噛みしめるように）。それは確かに応募する気持の一つにあった。

懸賞募集が発表されて、はじめから、よし、書こうというんじゃなくて、百科事典を操っていたら、「西郷札」というのが偶然出てきて、それからテーマみたいなものが浮かんだのでね。よし、書こう、これならイケるんじゃないか、というので書きはじめたのが、もうすでに締切があと一カ月もないくらいでしたよ。だからあれ、締切に遅れているんだ。とにかく同じ新聞社ですからね。ちょっと待ってくれと頼んで、それから出した。新聞社の方でも自分の社の者が出したということは、はじめからわかっていたので、まあ、あれが一番面白いけれども、どうも自社のものを一等にするわけにはいかなかった、ということを後から聞きました。

——これが入選したので、作家になってみようとは思わなかったのですか。

いや、まだ思わないですよ。まだ自信がない。思いがけなく、それが直木賞候補になった。それで、これはまあイケるんじゃないかという気持がしたわけですけれども、まだ作家になろうという気持はなくて、朝日新聞に勤めてはいたが、給料ぶんでは最低生活です。なにしろ家族が多いものだからね、まあ、今後こういう投稿でアルバイトして、少しでも小遣いを稼げれば、一番いいと思ってました。

木々高太郎の手紙

当時、木々さんと乱歩さんの、推理小説の論争がありましてね。木々さんは非常に推理小説を拡大解釈しているんですね。だから、たとえばドストエフスキーの『罪と罰』も入るし、それから鷗外の「かのように」までも入っている。その主張の当否は別として、「西郷札」も、先生のいう「推理小説」のカテゴリーに入るか、という意味の手紙を出した。そうしたら、返事がきましてね。あれは立派な推理小説になる（顔をほころばせながら）。今後なにか書いたら寄越せ、ということで、それで木々さんが多分推理小説としてどこかの雑誌に出してくれるのかと思って書いたのが「火の記憶」です。それが「三田文学」に載った。「三田文学」に載るんだったら、もっとまともな、いわゆる純文学系列のものを書かなくちゃいけないんじゃないかという気がしたわけです。それで書いたのが「或る『小倉日記』伝」。

上京前後

木々さんから、出てこいといわれたのですが、すでに四十を越しているし、家族は多いし――八人だったんだ、その時――だから、朝日新聞を辞めて東京に出てきたって、すぐに注文があるやらどうやらわからないし、また当初は珍しがられても、後はだめになるかもしれないし、社にいれば最低、生活は保証されているから、これは大英断ですよね。辞めるわけにはいかないので、なんとか転勤にしてもらえないか――これは芥川賞受賞後ですね――と上役に話したんですよ。そうしたら、広告部長ではよくわからない。それで業務局長に相談したら、業務局長も小説のことがよくわからないもんで、編集局長に相談したんだ。

そうすると、局長がいうにはね。「或る『小倉日記』伝」は読んで面白かったけれども、あれは、いわば新聞記者が足で歩いて書いた、探訪記事のような小説だといった。つまり、あの小説の中に出てくる話は全部、実際の話を僕が集めた、というふうに思っている。だから、松本はあまり才能はない、というわけだ（苦笑）。これは東京にやったら、かえって本人がかわいそうだ、ためにならない、必ず後悔する。だからそれよりも、九州においといた方がいいんじゃないか、ということになっちゃってね（笑）。なかなか転勤させてくれない。仕方がないから僕は、じゃあもうここまできたんなら、社を辞めるより仕方がないと思って辞表を書いてね、広告部長に出したわけだ。そうしたら、そんなにいうなら、というので、ようやく東京本社に転勤を許してくれました。非常に理解がありましたね。社の都合としては、なんら東京にやる理由はないんだな。全く個人的な立場だけ考えて、転勤させてくれたんだから……。転勤といったって、これは重役の方の会議にかけてやることだし、転勤費用だって相当なものだしね、よくやってくれたと思って感謝しているんだがね。

東京へ出てきても、すぐに社を辞めるわけにはいかない、というのは、一つはそういう義理があったんだ。こっちへきて、すぐに辞めるというのは、あまり非人情だ。だから二年間はいましたね（昭和三十一年五月、朝日新聞広告部退社）。

もう一つは、なかなか注文がないんだよ、芥川賞もらったって。いまはパッとくるけれども、あの頃はあんまり騒がれない。騒がれだしたのは、石原〔慎太郎〕君以後ですね。これは、どの作家でも共通したところでしてね。とうとう二年間、なにかホサれたような恰好でした。しかし、その冷却期間をおかれたというのは、いま考えると、自分の勉強に非常に役立ったと思いますね（しみじみと）。

というのは、芥川賞受賞後、いろいろ書かされると、メチャクチャになっちゃうんだな。なぜかということ、僕は前から文学のほうは読むだけであって、実作はしてないから、自分はどういう方向へいったらいいか、よくわからないわけです。だから、人よりも別なものを書かなくちゃいかんということは、考えていたけれども、じゃあそれはなにか、ということは、まだ考えがなかった。

それで、「別冊文藝春秋」に、芥川賞受賞後第一作が恒例として載りますね。この時に、江藤新平が叛乱を起こして逃げまわっている話を書いた（「梟示抄」）。それに続けて、本多正純という、これは家康の家来ですけれども、それが失脚して、奥州の方に流される話（「戦国権謀」）。これを二つ書いたために、歴史小説家というレッテルを貼られて、しばらくは歴史小説を書いていました。

推理小説を書いた動機

本格物だけが推理小説の本道だという誤った――誤ってはいない、たしかにそれはその通りだろうけれども――あのころ出ている推理小説というのは、その本格なるが故に、あまりにそれに淫しすぎていたきらいがあった（語調強く）。いまから考えてみてもね。高木〔彬光〕君の一連のものが非常に流行った。横溝〔正史〕さんのものもそうです。ところが、僕は「記憶」の時でも、推理小説ではあるけれども、やっぱり人生の一断片というものをどこかに覗かせたいという気持はあったわけです。小さい時の、親に対する、あるちょっとした記憶が、大人になって自分の経験によって、あの時、母親は実は不貞をしていたんじゃないか、というような推理ですね。そのことによって、古めかしいけれども、自然主義的な手法を使ってみた。

本格は否定しない

僕なんか本格というのは、さっき「淫した」という言葉を使ったけれども、なにかそれに固まってはいけないような気がするな。といって、変格物に、あまりにふつうの小説に近づいてもいけない。本格物の中に、変格派の人生的な味がある、それの融合したものが、いいんじゃないかという気がするな。だから変格物があまりにあたりまえすぎて、推理小説的な面白さ――トリックだとか意外性だとか――そういうものが全然ないのもいけないと思うんだ。まあ、そこのところをよく誤解を受けているようですけれども……。ですから僕は書いていて、それは失敗はもちろんいろいろ多いけれども、書く時の気持は、推理小説的な法則を守っているつもりなんだよ。

ＳＦ

僕は科学はヨワいです（笑）。

ハードボイルド

ハードボイルドも、あんまりついていけないな。ヘミングウェイなんか、大分評判がいい時に、読んでみたが、あんまりついていけない。

ショート・ショート

あんまり読まないけれども、大体、好きは好きですね。ショート・ショートというのは、川端〔康成〕さんあたりが新感覚派で出た頃の「掌篇」小説でしょうね。

推理小説はやめない

推理小説を〔書くのを〕少なくしたいといったことはありますがね。やめるなんてことは……これは好きだからね、僕は……。好きってことは、論理を超越したことだから、これからも書きますけれども、今はあまりにも多すぎるから、自分でもいやになっているんです。

それからもう一つはね。推理小説というのは、たとえば注文を受けて、それから考えるというのは、大体出来が悪いですね。ふつうの文学でもそうだけれども、特に推理小説の場合は、アイディアが第一だからね。そのアイディアが浮かんで、これはぜひ書きたい、という時に、場を与えられるのが理想的ですな。

2　創作作業の現状

いま、だんだん減らしていますけれども、非常に忙しくなったのが四年ぐらい前からです。その時は、つまらないことを考えてですね。これは文藝春秋に尾関君というのがいるんですよ。前に「文學界」の編集長をやっていた。彼と話をしているうちに、自分の書く数量的な限界を一ぺん試してみたい、それはまあ、井上靖さんにしても、舟橋聖一さんにしても、丹羽文雄さんにしても——丹羽さんはまだどんどん書いているけれども——とにかく、そういう人たちは一応非常に忙しい時期を乗り越えたわけですよ。だから、やはり職業作家である以上、忙しい時に耐えなきゃいけない。それもパッシヴな形ではなくて——つまり、受身ではなくて一体自分の限界はどこまで書き得るんだろうか。つまらないことだけれども、もっと、それを積極的な意味で一つ試してみたい。ということを、その尾関君と、話したわけだよ。それも一年間だけだ、と。ところが、その限界というのが、やっぱり一年で遂に辞められなくなったのですね。それがもうずっと引き続いて、今まで来ているのです。

その時が、確か『黒い風土』〔単行本化に際し改題『黄色い風土』〕と『黒い福音』のちょっと前だから、昭和三十四年ごろ。そのころもうとにかく書いて、まだ少し余力はあったんだね。三十五年に少し控えた。しかしそうなると、今度は一つのスピードがついて、止まんなくなっちゃったんだよ。これは外的条件もあります。ちょうどその頃、もう腕が利かなくなっちゃったんだそうだがね。神経痛になっちゃった。そのために、文藝春秋社から初めてつけてくれた速記者がいましてね。非常に優秀な人で、今でも僕についていてくれているんだが、『日本の黒い霧』の半分はその方法をとった。

そうしたら、今度は速記の便利さというものが、わかったわけだよ。しかしまあ、ああいう論理的な記述と、小説的な描写というのは、おのずから違ってくる。口述で小説的な文章というのは、なかなか書けるもんじゃないわけだ。『日本の黒い霧』の中でも、描写らしいものは、「「もく星号」遭難事件」ぐらいなものだろう。

それでなかなか始め、馴れなかった。翻訳ができて、見てみるととてもトンチンカンなところが多くて、書き直すのにひまがかかって、かえって時間がかかってね。しかしそれがだんだんに、なんというか、まあ馴れというか、習熟というか、少しはマシになってきた。

口述筆記

口述筆記のいいところは、その後で、読んで直すのが大変だけれども、少し頭の中で整理して、はじめに構成をきちんと決め、これはぜひ書かなければならないという文句は、メモしておくんだよ。つまりぜひ書きたい文章というのは、メモしておいて、それを前にして話すと割と楽だよ。そういうふうにやって喋るでしょう。そうすると片一方で翻訳してくれる。その翻訳の時間がかなり長い。その時間に、僕は次のものを考えればいいわけだ。

健康

少し書くとやっぱり腕が痛いな。腕が痛くなりだしたのは、三十四年か五年頃です。「真贋の森」というのがありますね。あれを書いた時は、血痰が出てたんだよ。ちょっと痰が出ると、その痰が真っ赤なんだよ。糸みたいな、あれじゃない。パス〔結核治療薬〕なんか飲みながらね、胸が悪いのかどうかはっきりわかんないんですが、まあしかし、現在の健康状態はね、そうよくもないし、悪くもないですね。

――手の痛くなるというのは、全然利かなくなるんですか。

いや、ここ（二の腕をさすって）のところだけだ。鈍痛を感じるわけだよ。

速記

二人ですが、二人といっても一人は資料の整理だとか、電話の受け応えなんかしますからね。厳密にいうと一人かな。秘書なんて、そんな大層なものはいません（首を振って）。そんなご身分じゃないですよ。

――この前、平林（たい子）・松本論争[*1]で、平林さんがネタを集める秘書みたいな人がおられるということをいわれてたんですけれども、そういう人は、いらっしゃるわけですか。

いや、秘書じゃなくてね。これは絶対いえないニュース・ソースみたいなもので、そもそもの結びつきは、下山事件の頃だよ。下山事件の頃から、そういう人たちと接触を持って、絶対に外部には発表しないということを約束した。そういうのが『日本の黒い霧』『深層海流』それから『現代官僚論』に、ずっと続いて持ってますがね。まあ秘書じゃなくて、なんというか、仕事上の協力者のようなものですね。

——それは数人ですか。

まあ、不特定多数としておいて下さい。トップ屋さん的な存在じゃなくて、全く僕の気持に共鳴してくれてやってくれる。専門的な正確な知識をもたないといけない。以前からその世界に身を置いた人じゃないと、だめなんだよ。だから『深層海流』の中でも、二、三人しか知らないことまで、書いてあるわけだ。

アカハタ論争

——何かアカハタに一時いた方だという噂がありますが。

そういうことはない。全然アカハタとは関係ないです。

——じゃあ、全然違う方面のことがいわれているわけですね。

ええ。

——まことしやかにいわれると、読者にそういう観念を植えつけますからね。この際、そういうことはないと、はっきり云った方がいいと思いますが……。

出版社にいた人、かつて共産党にいた人で、今は関係ないけれども、そういうところから、つまらないデマが出るんだ。

3　私の日課・断片

起　床

朝は大体九時には起きてますね。

――九時からもうお書きになるわけですか。

いやいや、起きるのが九時だから、飯食ったり、新聞読んだり、それからしばらくボンヤリ煙草を吸ったりして、モーターがまわるのは、そうねえ、十一時頃からですね。

――編集者関係の訪問なんかで。

そう。ちょうど仕事をはじめる頃に電話が鳴ってくるしね。なるべくお客さんは断るようにしているのですけど、それでもこういう仕事をしてると、どうしても会わなければならない人もあるわけです。しかし、人と会うことによって、またリクリエーションにもなるんだよ。

執筆時間

夜はあまり客も見えませんから、やっぱり重点的に七時から十時頃の間が、一番脂が乗ってますね。昨夜なんかやっぱり調べものしたから、今朝寝たのが四時だよ。ちょっと目が赤いだろう。

睡眠時間

昼寝は一時間ばかり……。これは非常に有効ですね。僕は枕に頭をつけると、すぐに眠れますからね、昼寝はね。だから、酒も何も飲まないで、すぐに寝れるんだね。この前、NHKの「茶の間の科学」で近藤〔宏二〕ドクターにほめられました。

――それだけ疲れているのでしょう。

疲れているんだ。もう、昼寝の時なんか、とにかく何か目を開けていても、夢みたいなものが見えるんですね。幻聴が聞こえるんだよ。ガチャガチャ話し声が聞こえるんだ。それはもう神経が乱れかかっているので、寝なきゃだめですよ（笑）。

――上石神井にいらした頃はよく、夜、ハイヤーなんか飛ばして。

この頃、見るところなくなっちゃったね（笑）。この頃はまた元へ戻った。

バー

わざわざ行くことはないね。何かの会の時に、帰りにね。だからこの間ちょっとある招待を受けて、新橋に行ったんだけれども、去年から、初めてですよ。芸者衆がおめでとうございます、というから、ハハア、今年初めてだったなと気づいたくらいだな。バーもそうですよ。どこへ行っても、見えませんね、といわれる。バーでも、そう面白い客でもないしね。また、たまに行くから良いのでね。そう酒も好きじゃないでしょう。だから、女の子にもモテないしね。それが一カ月に一回ぐらいなら、楽しいですね（微笑）。雰囲気がいい。

酒

まあ、洋酒の方だったらウィスキーの水割りで五杯ぐらいですね。この間も、六杯ぐらい飲んだかな。それが限度。

煙草

煙草は、客と話したり、仕事していると、六十本でしょうね。ただし、フィルター付きです。

コーヒー

コーヒーは、飲むねえ。コーヒーは一日やっぱり大体五、六杯飲みますね。

税　金

税金は去年、一日十一万円でしたよ。今年は五百万円ぐらいは少ないらしい。だけど税金が今度、本の初版と再版と同じになっちゃったでしょう。だから税金は多いですね。

家族構成

家族は両親はいなくなったし、一人はお嫁に行ったから、男の子が三人、長男は慶應の三年、次男は学校が嫌いで、電機屋に働いているのですよ。何か電機屋でもやりたいというから、それなら商売でもさせようと思って……。それから一番下が高校の二年生か——。と、僕ら夫婦だけです。

——そのほかに女中さんと犬がいましたね。

あと、お手伝いさんは二人ですね。

趣　味

とくに趣味はないですね。

ギャンブル

ギャンブルは嫌いなんだ。賭けなんていうのは。

映　画

映画は好きですけども、なかなか行けませんね。自分の原作のものもあまり見ないほどです。

テレビ

テレビもほとんど見ませんね。自分のつくった奴、「黒の組曲」〔NHKのドラマシリーズ〕なんて、全部見たことないんだから。

観　劇

今度芝居を書きたいと思うから、来年はすこし小説を少なくして、芝居を書きたいから、せめて見るようにしたいと思っている。七月に僕のを幸四郎〔八代目〕がやるんだよ〔「誘殺」〕。頼まれているから。

読　書

原稿を書いてて、つい疲れた時とか、ちょっと息を抜いた時に、かたわらに本があると、ひっぱり出して、面白がって読む。そういう時の本が面白いですね。それも小説は読まないんだ。小説はもういやになる。だからまあノン・フィクションみたいなものですね。固い本もあるし、随筆みたいなものもある。

動　物

とくに好きじゃないな。

スポーツ

いや、全然だめですよ〔投げ捨てるように〕。

尊敬している人

〔額に手をあてて、目をつぶって考える〕尊敬している人、ね。そりゃ難しいね。

好きな外国の作家

まあ、初期のシムノンだな。それからH・G・ウェルズ、チェスタートン、フレッチャー、ウールリッチも好きです。

好きな日本の作家

難しいね。作品にすれば、江戸川乱歩さんの初期と、木々さんの初期の作品ね。それから、ある意味では、甲賀三郎の短篇も好きだった。

いまの新人作家

不勉強だから、わからないでいうのはどうも無茶な話だけれども、いまの推理小説というのは、それまで持っていた中間小説のあらゆる要素を取り入れているわけですよ。推理小説が万能になったわけだと思うんですね。だからこれに代わるものがないのよ。たとえば、中間小説の主流だったああいう愛欲ものとか風俗小説的なものとか、それからまあハードボイルド、みんな入っているでしょう。だから風俗小説として淡々と書かれているものは、それ自体は味があるんだけれども、いまの若い人を主流とする読者は、それじゃちょっと物足りない。そういうものが全部推理小説の中に吸収されてくるとね、この推理小説は、ブームといったって、次に代わるものがないから、なんだかいやいやながら続いているという気が僕にはするんですよ。だから、これに代わる新しいものがあれば、いまの推理小説というものは、一ぺんに下火になるんじゃないか。それだけの要素を持っている。

それは、どういうことかというと、若い人の修練がまだ足りないせいで、器用に任せて書いているということがあるんですよ。それから、推理小説という名で、似て非なるものが横行している。これは出版社の罪もある。こういうことでね、何か代わるものが出たら、一ぺんに落ちてしまう。一度落ちてしまって、残ったものが本物だ、という気がしますね。

推理小説のルール

ヴァン・ダインの二十則だとかに、この間、佐野洋君が否定的意見をいってたけどね（笑）、まあ、その論争の当否は別として、ヴァン・ダインの二十則が鉄則とは僕も思わないよ。思わないけれども、しかし漠然とした推理小説のルールといったものは必要ではないかと思うんだよ。それだからこそ、推理小説の生命があると思うんだ。それをうんと煮詰めたものが、いわゆる本格であって、それから人生の方にというか、もっとふつうの小説に近づこうとするのが変格派、と。これは変格派でもやっぱり、本格的なものが、どこかになくちゃいけない。それじゃなければ推理小説じゃないよ。

本格派の方の、いわゆる一部のマニアみたいに、絶対技術的な面で凝り固まらなければいけないという主張も、またおかしいと思うんだ。小説自体がどんな書き方でもあるように、推理小説だって、どんな形でもあるんだから、それを偏狭な目で見て、気に入らないものは「あれはだめだ」と性急にいう言い方は、困るわけですよね（笑）。まあ、僕は社会派の元凶みたいにいわれているけれど、やっぱりそれは推理小説の法則は踏まえなければいけないと思うんです。

批　評

あまりに本格に凝り固まった人はね、それ自身が密室の中に入りすぎるんだ。もっと端的にいえば、小説的な鍛錬も修練もないままにアイディアだけで推理小説を書いているということですね。だから僕は、そういう本格派の殿堂から――殿堂か密室か地下室か（笑）、それはわからないけれども――そういうところから一度、広い社会の方へ出して、書きたかったわけですよ。ところが、これがあまりに広がっちゃって、普通小説との境界がアイマイになってきたところに、いまの不満があるわけですよね。まあ、とにかく僕はわりかた批評には素直にうなずく方ですよ。たしかに欠点は自分でも承知し、そういうところを突かれると非常に痛い。これじゃいけないという気持は絶えずありますから。あるけれども、悪意のある批評は困るよ。

どの作家でも、批評するからには、愛情をもってやっつけてもらいたい。別な言葉でいえば、一応その作家を認めた上で批判してもらいたいということだな（早口で）。その作家を認めなきゃ、全然無視したらいいんだよ。

マスコミと作家

たとえば、ある人が出てきて、それが受けた、といえば、そっちへザーと流れていく。今度は別の人が出て、その方へ流れていったりして絶えず現象を追っていくのが、マスコミだと思うんだよ。そういう点で、マスコミというのは絶えず後から追っかけていく。一度それに食いついたら、モミクチャにしなければ承知しない。骨の髄までしゃぶらなければすまないというところが、まあマスコミもドンランはドンランだ。今度まただめだと思うと、これほど早く捨てるところもない。そういう点、非常に冷酷無情でもあるわけだよ（笑）。

たとえばある作家が、一つの仕事をなし遂げ、そこであぐらをかいている。しかし、自己の完成したものを、一度破壊しすっかりメチャクチャにしてしまって、失敗するかもわからないけれども、新しい岩壁にまたよじ登っていく、そういう気魄が必要と思う。そういうことをすることで、たえず新鮮さをもてる、と思うんだよ。マスコミというのは、新鮮さを追っていくんだから、あの男はこの次なにをやるかわからないという、たえず未知数をもたなければいけない。完成はもとより望ましいけれども、完成された次の瞬間には、それが未完成になって、次の段階に取り組んでいくということを、たえず考えなければいけない。若い人にそういう言葉はすすめたいな。

若い人

享楽面がいわれているけれども、案外しっかりしているんじゃないですか、考え方は。ただ、昔のように、本をあまり読まなくなったのは、困るね。ほとんど読まないですね。学校出たらもうそれっきり。学校それ自体が、もう就職の手段だしね。会社へ入るなり、自分のビジネスにつくなりしたら、いつのまにか社会に、要領のいいところに身が染まっている。非常に調子はいい、愛想はいい。かなり利己的な人間になっていくような気がしてますね。だから、社交は非常にうまくなったよ。

政　治

政治は非常に興味はある。私は、いま『官僚論』を書いているがね。日本が占領されてアメリカ軍が政治家の大物や高級官僚を、ほとんどパージしてしまったギャップに、新官僚群が出てくるわけですね。そういう官僚は仕事に手馴れている、ＧＨＱはその連中をしきりと使ったわけです。官僚の台頭は、そのへんから起こってくる。いまの政治家の、ほとんど六割ぐらいが、官僚出身ですね。だから純粋の政党出身の政治家というのは、数えるほどしかいないんだな。いまの内閣でも池田〔勇人〕さんはじめ大蔵省出身者が多い。大平〔正芳〕外相でも、黒金〔泰美〕官房長官にしても、大蔵官僚出身でしょう。

だから、いまほど官僚が政党を支配している時はない。そういう意味で『官僚論』を書いているんだ。そういう点で、政治に非常に興味はあるんだ。

——何党の支持ですか。

とくに特定のものはないけれど、しいていうなら、社会党左派かな。ハハハ。

食　物

食べ物は僕は粗食ですよ。本当に田舎から出てきたもんでね、都会的な洗練さがないわけですよ。だから、日本食で、お茶屋かなんかに行って、ゴタゴタ出てくるようなものは嫌いだしね。それからフランス料理だとかね、そういうのは第一、名前がわからないし、食べたって別においしいとも思わないね。やはりお茶漬屋なんかに行ってね、むしがれいの焼いたものだとか、シンプルな味ね。焼くか、煮るか、刺身か。そういうようなものなんだよ、ハハハ……。

コレクション

書画骨董は好きじゃない。ここにあるのは貰い物が多くて、こういう仏像なんかは前から好きでしてね。若い時から、まあ考古学は好きだったし、したがって、古代といいますか、上代というか、飛鳥・天平の頃の、ああいう仏像が好きでね。それで、大和なんか、よくまわって行ったことがあるんだよ。いま、うちの庭に、東大寺の礎石が一つ手に入ったので、おいてありますがね。そういうものは若い時に、和辻〔哲郎〕さんの『古寺巡礼』などをもってまわって行った頃のノスタルジアなんですよ。とくに好きってことはないです。

友　人

友人というのは、ほとんどいないですね。つまり小学校卒ということに対する社会的な冷遇というか、差別待遇というか、そういう面では、非常につらい目にあったわけですよ。今は、そんなことはないけれども。残念なのは、友だちがいないことね。つまり高等学校なら高等学校、大学なら大学の友だちがいて、みんな付き合っているわけでしょう。あいつは高等学校の友だちだとか、大学が同期だったとか、先輩とか後輩とかいって、非常に友だちが多いわけですよ。そういうことで、非常にさみしい思いはしますね。

好きな自作

推理小説に限っていうと、長篇では、やっぱり『点と線』でしょうね。最初に書いた……それからまあ、『ゼロの焦点』。

——『眼の壁』は？

これはいけない。『時間の習俗』、『球形の荒野』。まあ、それくらいですね。

短篇では、わりと多いんですよ。好きなのは。「張込み」だとか……「顔」、それから記録ものだけれども、「日光中宮祠事件」。「地方紙を買う女」「鬼畜」「カルネアデスの舟板」「一年半待て」「二階」なんていうのは、好きだった。それからまあ、『黒い画集』の中のいくつかですね。それから短篇集『影の車』の中のいくつかと、『駅路』の中のものですね。

4　創作ノート

「地方紙を買う女」

有楽町の駅前に、地方紙を売っている。それのヒントが一つと、それから当時僕は地方新聞の代理店を通じて、小説を書いていたので、地方からよく投書がくるんだ。その二つで思いついた。

「鬼畜」

これはいまの特捜部長の河井信太郎の若いときの実話です。

「二階」

これは女性の心理ですね。人妻の心理だな。人妻は、夫が同じ家の中でも隔絶されると、たとえ付き添い看護婦であっても夫と二人でいれば、そこに一種の男と女というものを想像するわけだ。そういう女心というものを書いた。

『蒼い描点』

これは書くことがなくて困って、とにかく箱根にいってね、何か考えがつくだろうと思って、偶然に入ったところがケーブルカーでおりる旅館でしてね。二軒並んで、それぞれにケーブルカーがついている。それで合図でベルが鳴るということから思いついたが、とうとうあれは生かされなかったけれども……。

『黒い画集』

「遭難」

その頃は、山に登るものに悪人はいないといっていた。僕はそれに一つの反発を感じて、人間だから、そう規定するのはおかしいじゃないか、ということが一つあったのと、それから山における完全犯罪だな。それまでに、山岳の犯罪小説というのは、ないでもなかった。つまりそれは石で殴り殺すとか落石に見せかけて上から落すとかいうものだった。そうじゃなくて、山というものは気象条件とか道とか、からだの健康状態とか疲労程度とか、これは個人差によっていろいろあるわけですよ。そういうあらゆる可能性のものを、一つの方向に集中させると、手を下さなくても一種の殺人ができるんじゃないか。遭難の原因中には、道を迷うとか、リーダーが誤って凍死させるということはよくあるが、もしそこにある意識が働いていれば、いくらでもそういうことはできるんじゃないかということを考えた。場所を鹿島槍に選んだのは、鹿島槍の研究の本も出している登山家がいまして、道を迷うのは、あそこの頂上で、ある場所が非常に似たところがあるというので、僕は山登りを知らんから、その人に地形なんかを聞いた。登山については、朝日新聞の山登りの好きな人や、ベテランたちにいろいろと聞いてまわりましたよ。そして自分でも鹿島槍に登ったんだよ。登らないと、やっぱり人の話を聞いたんでは実感が出ない。大体それで自分のイメージがはっきりしたんですね。

「証言」

家庭を乱さないで、情事をたのしむという、中年の男性の気持ね。そして、それがバレると、家庭争議のみならず、会社の出世の妨げにもなるわけだ。どうも君は私生活が乱れているじゃないか、と上役によくいわれるわけだね。そういう自分の防御のためにウソをつく。それが他人にとって生死のさかいに分かれるような、重大な証言になる場合を想像してみたのですよ。

「坂道の家」

中年のもうすでに初老に近い男が、若い女に溺れていく。それにヒモがついていることを承知しながらも、別れられない。ヒモと女を別れさせるために、いくらでも金を出してやるんだが、なかなか別れない、ということを、あるバーで聞いたんだよ。そこからの発想でね。

ただ、どうして殺すかということだが、はじめは、もう坂道のところへわざと家を借りて、年寄りの男だから、心臓が弱い。だから急な坂を上ったり下ったりすると、かなりハアハアいうわけだな。そういう状態にしておいて、何かショックを与えて死なそうとしたが、どうも弱いので、それで急に水につけて、その前にビールを飲ませて、心臓マヒを起こさせる。ところが水につけたんじゃわかってしまう。それで、死体をつけたまま湯を沸かしたらいいんじゃないかということを考えついた。これは監察医務院の人に聞いたけれども、それじゃおそらくわれわれでも発見できないだろう。——あまり完全犯罪すぎると、今度は手がかりが困るんだね。それでもう、窮余の一策が、水を余計冷たくさせるために、氷を買ってきて、もっと温度を下げる。そうするとその中についてきたオガクズの一つが、湯の中に漂っているということが一つと、この女がいつも風呂を沸かすのにきまった時間がある。バーの女だから、大体夕方お化粧する。それをいつも近所の試験勉強している人が見ているわけだ。時ならぬ時に煙が煙突から上がるという、この二つで結局落したわけだ。

「**失踪**」

これは実話です、美人家主の……。菊村〔到〕氏も同じ資料で書いて、扇谷〔正造〕君からなんかいわれたけれども、終戦後の混乱期に、連れ出されてどこかで殺された。犯人というのは、まだ無罪を叫び続けていますがね、共犯者というのが、みんな逃げちゃっているんだ。そうすると、彼だけ残っているということは、もう関連した犯人がいない。つまり彼の無罪とも考えられるし、また有罪であるとも考えられる。しかし有罪を証明するものはないじゃないか。ということから、思い切って無罪の方にもってきて書いたんだ。

「**紐**」

これも、実際の犯罪から思いついたことです。御主人が競輪、競馬でいろいろスッちゃったために、非常に困っている。なんとか女房に金を残してやりたいと思っているうちに、自分は人生に絶望しちゃって、多摩川かどっかで、女房に自分のノドを締めさせて、殺させるわけですよ。一種の自殺幇助ですよね。それがあとでわかる。ちょっと話としては考えられないようなことだけれども、実際にあった事件ですね。それから思いついたんだ。

「**寒流**」

これもあるバーのマダムから聞いたのがきっかけです。ある相当の銀行の重役になっている人が、当時は支店長だった。支店長というと管内のそれまでのお得意さんを、全部あいさつしてまわったり、時々は大口のところにご機嫌伺いにいってますでしょう。担当者以外に。そんなことからバーのマダムを好きになってしまうのだが、すでに自分の下の預金係の担当者とマダムができているわけだ。それを支店長は知らない。それを知られると、担当者も左遷させられるからいえない。そういう、何か会社の中の上役と下役の関係で、自分の女がみすみす箱根で上役にとられていく、哀しさというものが、やっぱり胸にきたわけだ。それからですよ。あとは例によって、で……。

「凶器」

これはクリスティーの砂袋――砂袋をもった女が、それを固めて殺人をしたあと、その砂を庭園に撒いて、凶器を消しちゃうという あの話から思いついたのですが、そのままじゃ似通った話になっちゃうのでね、何かないかと思ったら、ロアルド・ダールの「おとなしい凶器」を思いつきましてね。あれを日本的にして、のべ餅のカチカチになった奴で殺しちゃって、それをぜんざいにするという日本的な話にした。これは明らかに焼き直しだからね。それを日本的にするために、方言をふんだんに入れて、きわめて日本の風土にマッチするように移しかえた。

「天城越え」

これはやっぱり僕の好きな作品の一つですね。これは静岡県警察本部犯罪集という捜査資料の中に、天城の話じゃないけれども、やはり女を尾けていって、乱暴した男が、別な男に殺されるという事件があったわけですよ。

それを今度は、僕の少年時代の思い出として書いた。つまり子どもの頃は親がやかましいから、自分の住んでいるところからあまり動かないでしょう。僕がいたところは、まだ今のように電車もバスもないところで、旅人はみんな歩いて行ったものなんだ。旅人がずっと向うへ行くと、一つの峠がある。峠の中に豆ツブのように人が歩いて消えて行く。峠の向うにどんなすばらしい景色があるのだろうかという、一種の少年の憧れがある。と同時に、もう親に黙ってその峠を越えてきた時の恐ろしさ。そういうものが少年時代に僕の記憶の中にあった。それを天城にもってきて両方をミックスしたわけです。

『小説帝銀事件』

平沢〔貞通〕のことを、ずいぶん調べましてね。小説ということになっているけれども、中に出てくることは全部、実際の山田さんという平沢の弁護士さんに、資料をどっさり借りてきて、いろいろ読みました。捜査資料とか、弁論要旨、検事の論告などを読んでみて、平沢は無罪か有罪かということになると、僕は無罪を投じたいんだ。これはわからないので、ただ彼は金をもらっているわけですよね。それがどこからか、アイマイなんだ。これはわからないので、困っているんだけれども、それ以外は青酸化合物といったって、化合物なるものが、化学検査をやってもわからないわけですよ。方程式も出てこない。もし青酸カリだったら、飲んだら大体二、三十秒の間に死んじゃうはずですが、生き残って助かった人もいるし、二、三分ぐらい生きていた人もいるわけです。きわめて遅効性のもので、これは警察の方では、青酸カリが古いからというけれども、そんなことはないですよ。それはそうじゃなくて、いわゆる化合物の中にアルファがあるんじゃないか。その化合物がわからない。警察の方では、それもわからないし、平沢がどこから薬を手に入れたかもわからない。判決文にも、「かねて平沢が所持していたある青酸カリ」と書いてある。「化合物」がいつのまにか「カリ」になっている。ということは、凶器が唯一の物的証拠でしょう。それなのに、平沢がどこからそれを入手したのかも全然わからないで、犯人と決めつけるのはおかしいじゃないですか。

それからあの終戦直後の混乱期に、警察が大陸方面の軍の防疫関係、ことに細菌戦の研究をやっていたあたりを、調べようとすると、いつのまにか、ＧＨＱの壁にぶつかっているという、複雑なことがいろいろあって、捜査がグッと変ってきた。というようなことから、平沢のアリバイも、あれにいろいろ詳しく書いてあるけれども、決定的なことはすべてない。少なくとも証拠不十分ということは、あり得るんだよ。それなのに、あれを死刑にするのは、少しひどいではないかということがあった。一人ぐらいが死んだのなら死刑にならないと思うんだが、十六人服毒されて十二人死んでいるんだ。世界的な報道になって、相当ショッキングな事件ですからね。平沢を死刑にしたのは、そういう事件の大きさや重大さを考えた判決じゃないかという気もするわけだ。それだったら余計おかしいじゃないか。証拠不十分ならば、事件が大きかろうが、社会的衝撃を与えようが与えまいが、同じことなんだから——当人にとってはね——ということから書いた。

『影の地帯』

死体漬けのホルマリンというのがある。死体を漬けて、ロウ漬けにするんだよ。それを切り刻む。ヒントはね、監察医務院の方で、人間の内臓をいろいろロウ漬けにして、これを機械でうすく切るんだ。本当に桜の花びらみたいにうすいんだ。そういうふうにしてから、染色して、毒物反応がないかを顕微鏡にかけてみるんだよ。臓器をパラフィンに漬けてうすく花びらのように削っているというのは、ちょっと面白かった。それで、もっと拡大して、死体にしたんだ。

それからもう一つは、その操作をする工場を建てて、それを今度用事が済んだら立ち退くということになるのですけれども、これは、急に工場を建てたり、済んだらそこを退いたりするというのは、おかしく思われるから、遠いところに地主さんのいる空き地を、非合法的にそこに建てて、用の終わる頃には、誰かが密告するから立ち退きを要求される。仕方がないので、工場を崩して立ち退く。こうなると誰が見ても自然だというのでその二つを結合したわけです。

『黒い風土』〔黄色い風土〕

とくに言いたてることはないけれども、これは登戸〔研究所〕で陸軍が謀略用の、ニセ札を刷っていたんだ。中国や南方やのニセ札をつくって、それを攪乱用にしていたんですがね。その時の機械が二台あって、一台はいま凸版にあって、もう一台はどこにいったかわからない。これは非常に優秀な機械です。このなくなった一台をめぐって、これは当時登戸の、特殊なそういう謀略をやっているところの首脳部が隠しているということは、あり得るんだ。もうすぐ終戦になるということに気がついてバラして、それを今度またニセ札に使おうということからの発想だな。あれは三社連合から出たから、北海道と中部と九州は書かなければいけないんだけれども、九州はさすがに書けなかったが、そうしたら、いやに舞台が広がったんですよ。

『霧の旗』

これは大分やられたけれども、僕はそんなに悪いとは思わないんだ。今朝の新聞にも出ていたけれども、弁護士というのはすごく高い。一流弁護士に頼めば頼むほど、高い。国家では国選弁護士という制度をもっているけれども、国選弁護士というのは、どこまで熱意をもってやってくれているかどうかということは、アヤフヤなんですよ。というのは、員数でこなしていく傾向が多い。ひどいのになると、今日は出席できないからというので、廊下をうろついている国選弁護士の友だちに、大体の筋を話して記録もないのに、その国選弁護士が法廷で弁護論をぶつという例さえある。刑事事件にすると、非常に優秀な弁護士が一生懸命やってくれる。そのために、実際に有罪のものが、無罪を証明されることは、可能性があるわけだ。しかしこれは金がたくさん要る現状で、支払えない貧乏人はどうなるか、ということから矛盾をつきたかった。

『黒い福音』

これは（実際の）スチュワーデス殺人事件で、相当調べまして、結局当時の特殊地帯であった世界的な宗教団体——あの場合はカトリックですが——それを通じて相当密輸が起きている。かつ、その金によって宗教団体が事業の拡張をやっているということが、わかったわけですよ。スチュワーデス殺しもただの情痴じゃない。うしろにそういう背景があるんだ、ということから書いたわけですね。

『日本の黒い霧』

これは推理小説じゃない。実際のあれを小説にすると、弱いのです。なぜかというと、どこまでがフィクションか、わからないでしょう。実際の材料なり資料なりを使っても、間に作者のフィクションが入ると、本当の資料までボヤけて見えて、アイマイになり、そこに説得力がなくなってくる。だから本物を使って、その資料によって、自分はこう考える、こう推理して、こういうふうに結論づけるということを書いたわけです。だから、資料はほとんど正確なものを使ったし、それから細部の小さなデテールに到っては、僕が実際に人に会ったりした。向うの人だって恐れているからね。僕も共産党の潜行じゃないがタクシーを三度も四度も乗り換えて向うの人と接近してね。非常に汚い部屋で話をしたり、ちょっとあの頃はスリルがあったよ。

『球形の荒野』

外務省のヨーロッパ駐在のある外交官が、戦時中、昭和十九年に死んでいるんですよ。それに奇怪な噂があるわけだ。つまり〔アレン・ウェルシュ・〕ダレスというのは、向うの後のCIAの親玉だが、当時スイスに拠点があって、そこでしきりと謀略活動をやっていた。どうもその駐在官もスイスにおったし、そういうところから、終戦工作をしきりとやっていた。ところが、どこの大使館にもアタッシェというのがいるでしょう、大使館付き武官が、陸軍も海軍も。そういう人たちからの迫害があったから、思い切ってイギリスに渡って、そして表向きは死亡ということにしてしまった。これは当時の外務省の首脳部の了解の下にやったという噂があるわけだ。その噂をもとにして書いた。

『わるいやつら』

医者というと、あまりに誰でも信頼するけれども、一番ふしぎなことは区役所の受付だな。医者が死亡診断書を書いて、遺族がもっていって、焼場で焼いてもらう許可書をもらいますね。ところが窓口では全然平気なんだな。つまり、医者が本当にこの死亡診断書を書いたんですかということを、問い合わせしない。ひどいのになると、そういう医者がいるかどうかさえわからない。だから殺人のアリバイとか死体を埋めるなんて面倒臭いことはしなくても、勝手に何々院長なにがしと書いて、ポンと判を押して、これは死亡診断書だといってもわからない。そういう矛盾が一つ書きたかった、それがまあ、はじめのいとぐちですね。いろいろ悪いことをしてるんだが、聞いた話もあるし、こちらの想像もある。

『考える葉』

名前はいわないが、いま大実業家になっている人がいるんだ。この人は、戦争末期に軍需省の雇員――運転手で、いろいろな軍需物資の横流しをやっていた。そのために憲兵隊につかまったが、終戦のためウヤムヤになってしまった。その人は、もちろん一人でやったんじゃない。相当上の方と結託して、彼が横流し物資をどこかに運んだんですがね。ところが戦後になって、その人がメキメキと売り出しまして、数億の金を、ある財閥に突然投げ出したんです。昭和二十四、五年頃。そうすると、終戦の時の一介の運転手が、いくら終戦直後の混乱期があったとしても、金の出所がおかしいじゃないですか。そこに彼が軍需省の隠退蔵物資の横流しのものをどこかに隠して、あの終戦混乱期に、ヤミに流して一儲けした、とも考えられる。彼自身の釈明によると、鉱山であてたとか、株式で儲けたとかいってますがね。実証はないわけですよ。これは実話なんです。そういうところがヒントです。

同時に、甲府の近くでは、ダイヤモンドの研磨をやっている。あそこは昔から水晶をやっていたから、そういうものが発達している。その甲府の近くに、硅石といってガラスの原料の鉱山があるんです。そういう鉱山をもっていると称して、何をやっているかわからない人もいるわけですよ。これは実際にいるんで、そういうのをいろいろミックスした。……だから、僕のはいつも背景が出るんだな。

『砂の器』

いま、超音波で手術ができるわけです。メスの代りに超音波によって切るんですが、メスでは届かないところでも、超音波だと届く。順天堂でやっていますが、そういうことから考えれば、殺人だってできるんじゃないか、というのが一つの発想。それから「ヌーボー・グループ」と書いてあるけれども、いわゆるヌーベル・バーグの波に乗って、いろいろと景気の良い若い人たちが出てきたでしょう、今までの芸術を一切否定するとか……そういう人たちをちょっとカリカチュアライズして書いた。

『連環』

印刷屋の話だな。僕は印刷屋にいましたからね。あそこに書かれているような子どもに近いのを知っているわけだ。それから、あそこに書かれているような印刷屋の主人と、その二号さんの関係も知っている。そこからの発想が最初でね。そして、東京から流れた男が、なんとか一旗上げたいと思って、いろいろ悪いことをするんだけれども、結局九州時代に因縁のついた女が上京してきたために、手足まといになって、遂に破綻を来たす。これはエロ出版が入っているが、これも調べましたね。だからあそこに書かれている原価計算は大体みんな合っているはずです。

『深層海流』

これは推理小説じゃないからね。推理小説というのは、前にも話したように、法則がないといけない。これにはそういう法則がない。これは『日本の黒い霧』の続篇のようなものだが、『日本の黒い霧』のように実名では書けない。つまり占領政策が済むと、日米安全保障条約というものが成立して、やはりずっとアメリカの下に、日本がガッチリと押さえられた。この切替の時には、日米共同委員会というものがもたれて、そこで安全保障条約の骨子が決められた。その過程において、たとえばマーカット〔M〕資金というのがあったが、財界も政界も全部押さえられていた。そこに厖大な資金が蓄積されている。それが戦後になって、どこへ行ったかわからない。いろいろ形を変えて、日本に存在しているのですよ。ある会社の設備投資になっているかもわからないし、あるいは銀行の預金になっているかもわからない。あるいはもっと厖大な事業の株になっているかもわからない。そういうことの支配権をめぐって、戦後の政界の内幕を書いた。

『時間の習俗』

これは前に『点と線』を書いた「旅」の連載ですね。戸塚さんの次の岡田君という編集長がもう一ぺんやらないかということで。当時「宝石」あたりからさかんに、社会派は攻撃されている時なんだね。いや、それは尤もなところもある。僕は、前にも話したように、絶えず、攻撃については好意的な受け入れ方をしているんだ。じゃ一つ書いてみようというので、書いたわけです。やはり登場人物も『点と線』と同じ人を使って——僕はそういうことは嫌いなんだよね。これがはじめてですよ——そして、まあ「旅」という読者も考えて、やはりなじみの人物が登場した方がいいんじゃないかと考えてね。一番不可能なこと、遠隔地における犯罪ね、そこに自分が行ってやるんだけれども、第三者にはどう見ても、飛行機を利用しても何をしてもだめだと。アリバイですね。そのアリバイを証明するのは、やはり現地で撮った写真。そこに今までみたいに、風景だとか、観光地だけじゃつまらない。習俗ね。和布刈(めかり)神社のああいう古い神事、そういうのを一つ取り入れたらいいんじゃないか。多分に「旅」的な、そこからの発想です。

近頃の若い男は女みたいな服装してるだろう。女が男みたいな……。そういう服装の性的倒錯という面も取り入れた。そして、若い人に多い同性愛のことも。

II

森 鷗外

鷗外の暗示

1957.02

鷗外の小説を推理小説として見做すのには奇異に思う人が多かろう。しかし小説は読む側にとって、どのようにでも受け取れるものである。小説とは、どのように書いてもよいものであり、小むつかしい方法論などは後廻しである。と同時に、読む方にも、どのような読み方をしてもよい自由がある。かりにジャンルという便宜上の枠を作っているが、これとても極めて観念的なもので、もとより絶対的なものではない。

一体、推理小説とは、何であろうか。その前に「探偵小説」は文学になり得るか、非文学的な運命のものか、という有名な論争がある。探偵小説が、単なる犯人と探偵との智慧くらべであったり、謎ときだけのゲームを使命とするのであったら、絶対に文学とはいえないであろう。それはただそれだけの興味に終るからだ。その限りでは、そのことを実践して主張した甲賀三郎が正しい。文学とは、人生の何かが書かれていなければならないのである。

しかし、その探偵小説を文学にまで昇華する可能性を考えた人は、かなり多かったに違いない。はっきりそのことでモノを云ったのは木々高太郎であるが、同じことを思っていた人はかなりあったであろう。ここに木々説を紹介する余裕は無いが、それに真向から反対した人は、どうも探偵小説の固定概念に縛られていたように思われる。或は低いものから高いものに押し上げてゆく事業の困難に、はじめから締めていたのであろうか。

低いものから高いものへの押し上げは、なるほど困難ではある。しかし不可能では無い。早い話が、講談の世界から切り離して、鷗外は「歴史小説」という高い文学を創り上げたではないか。その歴史小説は、初めのころ、当時の小説家たちから「高等講談」を以て冷評されたことが、その経緯を証拠立てる。

それから、もう一つの見方がある。下から上へでなく、上に在って下の部分を吸収することである。つまり、文学に探偵小説の手法を導入することである。作者は、その作品の効果の上から、どのような手法を用いようと勝手である。谷崎潤一郎は探偵小説を書くつもりで、「途上」や、「友田と松永の話」を書いたのではあるまい。佐藤春夫は「美しき町」や「女人焚死」を書いているが、それも探偵小説を企図したからではあるまい。芥川龍之介の「開化の良人」や「開化の殺人」も同じことであろう。しかしそれらは探偵小説的と云える。少なくともその部分が大変濃厚なのである。

こうなれば、下から押し上げてゆく可能性は大きい。探偵小説に文学的な味づけをするというようなチャチなものではなく、もっと本質的に文学になり得る可能性である。

探偵小説という自分でつくった既製の概念にいつまでも蓋をかぶることはない。犯人と探偵の追駈けっこは、それはそれとして存在させてよい。しかし悉(ことごと)くがそれでは困ることになる。いま、探偵小説は推理小説と名前を変えたが、それですらもう一種の概念の翳りをうけて、上を指向する人々にとっては不自由さを感じているのではなかろうか。

従来の探偵小説乃至推理小説（煩わしいから以下推理小説と書く）が何故文学に縁遠いか。要するにそれらは人間が描かれていないからである。近代文学の要素である人間心理がまるで無視されている。あるものは類型的な人間の行動だけであり、心理とも呼べない観念的な、人形的な性格だけである。一部の推理作家はひたすら不自然なトリックだけを追う。パズルなら、なにも長々と下手な小説に仕立てることは無い。近ごろ流行のクイズにした方が、読者に読む負担をかけなくてよい。

推理小説は、もっと生活を書きこまねばならない。犯罪はどうして行われたかを書くと共に、何故行われたかも同じ比重で書くべきである。犯人の動機は、われわれの奥に持っている心理から索き出して貰いたい。トリックの意外性はまことに結構であるが、生活に密着したものにしたい。

こうして作者が推理小説のつもりではじめても、人間像を美事に描き切れば、も早、いわゆる純文学も推理小説も区別は無いであろう。少なくとも、愚にもつかぬ身辺雑記の類の私小説よりは、ずっと文学である。

近ごろ心理スリラーという言葉をきく。これは心理的なサスペンスを特殊に強めたものであろう。まことにわれわれの日常生活には、心理的な危機が満ち満ちている。この部分を截り取って拡大して見せることも、これからの推理小説の行く道の一つの方向であろう。

その意味で、ここに択び出された鷗外の四つの作品は暗示的である。

「かのように」は明治四十五年一月「中央公論」に載った。「かのように」とは奇妙な題名であるが、なかに書かれた通りである。頭脳明哲な主人公が、洋行前も帰朝後も、なぜ怏々（おうおう）として愉しまないか、それがサスペンスになって最後まで読ませてゆく。独逸語が訳注なしに出てくるが、それは鷗外の筆癖で、分らなければ飛ばして読んでもよい。主人公の悩みは、今の時代から見れば何でもなく思えるが、久米邦武博士が「神道は祭天の古俗なり」の論文で追放された明治の時世の華族を頭に入れて読んで頂きたい。これには伯林の四季の模様や、風俗などが出てくるが、これは鷗外自身の経験であって微笑ましい。最初の数行の簡潔な活々した直截な描写はどうであろう。廻りくどい近ごろの文章からみると、頭が下る思いがする。

「魔睡」は明治四十二年六月、雑誌「スバル」に掲載された。主人公の所へ友人が遊びにくる。磯貝という共通の知人の噂が出て、その友人が気がかりなことを一言いう。これは実に何気なく書かれているが、読む方は、どきりとする。というのは、磯貝の所へ主人公の妻が用事で行っているからだ。筆を抑えて、何のケレンもなく書いてあるが、それだけに読む方には感受性が鋭敏になるのだ。そこに妻がただならぬ様子で帰宅する。妻は告白をはじめる。

「それからどうした」「それからどうした」「そのあとはどうだった」という主人公の畳みかけるような質問は、同時に読者の心でもある。主人公も読者も、胸の動悸が高く打っているものである。

普通の推理作家だったら、もっと過剰な筆を費すかも知れない。鷗外は殆ど会話だけで運んでこれだけの異常な効果を出している。前半の軽快さは後半の沈鬱を一層に効果的にしている。主人公の懐疑的な心理の響き方も、簡潔のようで、なかなか複雑な陰影をもって迫ってくる。

「佐橋甚五郎」は大正二年四月、「中央公論」に載った歴史小説である。後記にもあるように『続武家閑話』や『甲子夜話』から取材した。一体、鷗外は歴史小説を書くとき、虚からの創作ということがなく、いつもちゃんとした典拠によった。それが終には、史実を重んじる癖に妨げられて「渋江抽斎」や「椙原品」などの史伝ものに走らせた結果になった。

それは兎も角として、この「佐橋甚五郎」は文句なしに面白い。面白さということでは鷗外の歴史小説では短いながら一番ではなかろうか。鷗外は最後に多少の手がかりらしいものを与えているが、推理的な興味は深い。

文章は、鷗外の歴史物において、独擅場のものである。

「魚玄機」は大正四年七月「中央公論」に書いた。鷗外晩年のものである。漢籍に造詣の深かった鷗外にして初めて書ける作品であろう。後記の参考書目を見ても、この短篇を書くために、どれだけの渉猟がなされたかが分る。

今の推理小説からみれば、その犯罪の発覚の端緒はまことに飽気ない。しかし魚玄機の個性的な性格は、鷗外一流のペダンチックな高雅な文章に浮彫りされている。魚玄機と温飛卿との遠いところからの師弟の愛情、魚玄機の李億に対する不思議な拒否、陳に会ってからの崩れ方、〔玄機の〕女心の弱さは恰も現代小説を読むようである。昔のことを書いても、現代に心が通わねば何にもならぬのである。

この四つの短篇は、図らずも鷗外の作品のそれぞれの特色をならべて面白いことになった。推理小説を書く上にとって、鷗外のこれらの作品は、なかなか暗示的である。

仁木悦子

『猫は知っていた』

1957.12

病院殺人事件である。病院は、院長夫妻、三人の子供、その姪、院長の老義母という家族構成に三人の看護婦と猫が一匹いる。それに入院患者が数人、この患者の中には平坂という一癖あり気な男がいるが、突然行方不明になってしまう。

この病院の末っ児のピアノの家庭教師に仁木悦子という作者と同名の女子学生があるが、その兄貴も一緒について来て、この事件の探偵をはじめる。女子学生はとも角、兄が何の理由で長いこと離れの部屋に泊って病院内をかけ回って探偵するのか分らない。それにこの家庭教師はちっともピアノを教えない。細かいことのようだが、作者がこの辺に注意を払ったら、この小説はもっとリアル感が出たろう。つまり、人物ばかりが動くだけで背景の生活が無い。従って各人物の性格も類型的でアイマイである。平坂は失踪しても二度ばかり電話をかけてくる。それは彼が病院の庭から隣の寺に通じる防空壕の中で死んだ後であることが判る。ネタを割るようだが電話の声はテープレコーダーであった。これは、ちょっとがっかりした。蓄音機だの録音機だののトリックはカビが生えているくらいに古臭いからだ。平坂の次は院長の老義母が殺される。次は看護婦と、殺人は連続的におこる。さて、犯人は誰か。家庭教師の女子学生と兄貴は名探偵ぶって活躍し、遂に犯人を突きとめて、自殺させるという長篇探偵小説。

犯人が殺人に用いたトリックは甚だ機械的なものである。私の好みからいえば、こんなメカニックなトリックは避けてもらいたい。もっと、すっきりした方法を考えるべきだ。猫の重心を利用しているのは思いつきだが、トリックに現実感がない。

欠点を先に挙げて悪いことだらけのようだが、実は、読んでみて面白かった。一番感心したのは、入院患者のさりげない出し入れである。これが重大な伏線になっていようとは読後までは分らなかった。文章は素人くさいが、素直ですらすらと読めた。一部のプロ探偵作家の書くような大げさな身ぶりや、最大限の形容詞が無いのは助かる。これからも、この素直さを失わずに文章を勉強してもらいたい。それから、もっと新人らしい新味を要求する。

殺人の動機は面白いが、少々弱い。これは、もっとその伏線を強調すべきである。著者は伏線の設定には、才能のある人のようである。これに人間性格の個性が描き分けられたら、期待すべき日本の女流探偵作家となり得よう。

著者の言葉によれば、この作品は発表するつもりもなく寝ながら書き綴っていたが、たまたま募集を知って出したという。これは信用していい人だ。懸賞募集を見て、あわてて書いてみた作家には大ていロクなものがないからだ。

角田喜久雄

角田さんの受賞

1958.03

角田喜久雄といぅ名前は、私に一種の郷愁を呼び起す。「あかはぎの拇指紋」を「新青年」で読んだのは、たしか私が十五、六くらいのころであった。筋は忘れてしまったが、この特異な題名はいつまでも記憶に残っている。それからサンデー毎日の懸賞に当選したときの写真も見た覚えがある。大そう好男子の学生姿だった。いま年譜を見ると、それが「発狂」といぅ作品だった。人間も十五、六から二十ころまでが、一番頭がフレッシュな時代で、角田喜久雄の名前と肖像は、そういう新鮮な頭脳の頃に私に入ってきたものの一つである。今思い出すと、当時の人や出来事が薄くなった影絵のようにぼんやり泛(うか)んでくる。

角田氏はそれほど古い作家である。それが現役で未だに第一線に居るのだから、その生命力の長いのに愕(おどろ)く。無論、作家の名前として生きている人は珍しくないが、作品活動が停止するところなく、こんなにみずみずしくつづいているのは珍しい。今度の受賞は、その老いることを知らない活動に更に新鮮さを加えた。

私は受賞祝賀会の席に出て、角田氏から聞いて初めて知ったことだが、氏は最初は懸賞小説ばかりを書き、有力筋のヒキのある依頼原稿を断っていたという。これは実力の無いものには出来ることではない。氏に長い生命力のある所以である。その会では、今更、角田氏に受賞でもあるまいとの配慮もあったという。しかし、これは無用のことで、角田氏のような作家が受賞したことで、探偵作家クラブ賞がどんなに千鈞の重味を加えたか分らない。云うなればこれは角田氏よりも、クラブ賞自身にプラスした受賞である。

わが理想の人

1966.05

角田喜久雄という作家の名を聞いてから随分となる。私が十七、八のころからだろう。そのころは「新青年」や「講談倶楽部」でずいぶん活躍されていた。ときどき、雑誌で写真を見たが、美青年だなと思った。そして、あんなに若くて活躍できたらいいだろうなとうらやましかった。断っておくが、これは読者としてで、私はもともと作家を志望していたのではない。しかし、読者としてもそんな岡妬きが起るものである。

初めてお目にかかったのは、それからほぼ三十年後で、乱歩先生のご紹介によった。御当人を見て、やはり老けられたな、と思ったのは、青年時の氏の写真が眼にこびりついていたからである。しかし、初老になられても、氏の美青年ぶりはそのままおだやかな落ちに到っているという感じであった。

氏とは、二、三度は銀座のバアでごいっしょしたこともあるが、その風貌の通り、静かな酒だった。私も氏のような顔になりたいと思うのだが、これればかりはいたしかたがない。

しかし、角田氏はおだやかな外見の中に、激しい剛毅さを持っておられる。自分の信念を決して枉げられない人だ、ということを知って私はまた尊敬の念を持った。この文章は氏のお祝いのためだが、決してお世辞を書いているのではない。私には、いくらお祝いでも空々しいことは書けないのだ。ふるい言葉だが、外柔内剛という漢語が氏を現わすのにいちばんである。これは氏を知る人たちはみんな同感だと思う。私はどうもイクジがない。

氏はまた理性の人でもある。その言葉は論理からはずれない。理路整然としていて、誠実だから、説得性に富んでいる。相談相手になってもらうには最上級だろう。私もまた、〔推理作家〕協会のことで何度かご相談して有益な助言をいただいた。実は、以上の感想は、そのときに得たものである。

こういう方が、作品の上では、どうしてあんな奔放な空想力が生れるのかと思う。氏は作家としては根からのロマンチストであり、実生活上では良識派であり、その意味でのよきリアリストであるように思う。もしそうだとすれば、全く理想的な融合である。

私は困ったことがあれば角田氏に相談したい。それにはもう少し氏と親密な間柄にならなければならない。たいへん自分だけの都合をいって申訳ないが、そのことだけでも、氏には今後もいよいよ御元気でいて頂かねばならない。公的には勿論である。

江戸川乱歩

対談・これからの探偵小説

1958.07

まえがき――江戸川乱歩　松本さんの長篇「零の焦点」は〔「宝石」〕前月号にも半分しかのせられなかった上、今月号も間に合わないという困った事情になった。しかし、これは編集部が催促を怠ったためでもなく、また、松本さんがこの小説に気乗りしていないためでもない。逆に、専門誌の連載という意味で、松本さんがこの作に全力を傾けているための渋滞なのである。そういう意味で、プロット構成の上に、いささかの矛盾をも残すまいとする気持から、最初の予定を多少変更する必要に迫られ、この二カ月ほど、苦慮をつづけておられるのである。

この事情を読者諸君にお知らせして、御諒承をえたいと思ったので、松本さんに時間を割いていただいて、対談の形式で、読者へのお詫びかたがた、これからの探偵小説について感想を聴くこととしたわけである。

松本　今月休載しなければならなくなった事情をお話しして、読者にお詫びしたいと思います。

御承知の通り、この小説は「太陽」に書きはじめたところで、同誌が廃刊になったので、改めて「宝石」に連載することになったのですが、「太陽」に書きはじめたときは、一般読者向きのサスペンス小説という気持だったのです。ところが、「宝石」に書きつぐことになってみると、専門の読者に読んでもらうのだから、甘い考えではいけないと思い、途中で筋を多少変えることにしたわけです。六月号までで発端のところが一段落したので、そのつぎの筋の運び方について苦吟しているのです。できるだけ本格の読者にも満足してもらいたいという気持があるのでね。この二た月ほど、たえずそれを考えているのだが、七月号の締切りまでに、いろいろ念頭にある筋の運び方のうちの、どれにするかという決心がつかなかったのです。まことに申訳ないと思っています。

江戸川　しかし、『点と線』や『眼の壁』は専門誌に書かれたものでないのに、充分成功しています。「宝石」もあれでいいのですよ。ことさら本格的にと考えられる必要はないのじゃないですか。あなたのサスペンスに富んだ、リアルな作風を、やっぱりそのまま出していただきたい。

松本　いや、『点と線』『眼の壁』は、まだ試作品ですよ。自分では長篇推理小説として充分なものだとは思っていません。今度の「零の焦点」で、一つ全力を出してみたいのです。まあ、この作にすべてをかけているというわけですよ。

江戸川　それは「宝石」として非常にありがたいですが、しかし、休載は打撃ですからね。編集者にも同情していただきたい。

松本　今度だけです。こんなことはもう繰り返しません。お約束します。……ところで、今日はぼくは江戸川乱歩論をやりたいのですがね。

江戸川　待ってください。ぼくの方が質問役ですよ。やっぱり松本さんの探偵小説論を中心にしなけりゃ。

松本　むろんそのつもりですが、まず最初に、あなたのことから入りたいのです。そうしないと具合がわるい。……「二銭銅貨」が江戸川さんの処女作だが、ほんとうにあれが最初なんですか。

江戸川　あれと、もう一つ「一枚の切符」を「新青年」に書く二年ぐらい前に考えてあったのです。一度「一枚の切符」の方を書いて「講談倶楽部」に持ちこんだのですが、黙殺された。この時採用されなかったことが、かえってよかったと思っています。

（乱歩註、ここで松本さんは南無阿弥陀仏の暗号の着想について質問され、私は六つの点をならべた盲人の点字からだと答えた。それから、私が影響を受けた作家は誰かとか、私の文章のことだとか、「心理試験」や「D坂の殺人事件」についてのいろいろな質問、「人間椅子」あたりから変格ものばかり書き出した動機、「芋虫」発禁の件など、種々問答があったが、それは私がほめられている場合が多いのだし、これらの作についての私の感想はみな「探偵小説三十年」に書いていることばかりなのですべて省略させていただくことにした。）

江戸川　それじゃ逆ですよ。ぼくのことを今さら話してみたって仕方がない。やはりあなたの推理小説論が聞きたいですよ。現在の日本の探偵小説についての、あなたの批判というようなものを一つ。

松本　全体に戦後の若い人たちが横溝正史の作風に強く影響されて、その亜流という感じのものが多いのは好ましくないですね。もっといろいろな形のものが出て来なくちゃ。

江戸川　そういう点もあるけれども、しかしよく考えてみると、横溝流の本格派というのは非常に少ないですよ。大体日本の探偵小説は昔から変格が多かった。ぼくなんかもその一人で、悪影響を与えているかもしれないのだが、ともかく本格派は非常に少い。戦前では甲賀三郎、浜尾四郎などのほかは、ほとんど変格派だった。戦後でも、横溝君、高木君、新らしいところで鮎川君ぐらいのもので、あとは純本格を余り書いていない。「宝石」の別冊「〔新人〕二十五人集」なんかは、本格が多かったが、最近はそれもだんだん減ってきてますよ。それに、「二十五人集」なんかを批評の対象にされちゃ困る。あれは未成品を集めたようなものですからね。

松本　本格派が非常に少いということは、いつかも書いておられましたが、ぼくの意味は、必ずしも本格派だけでなく、探偵作家一般の作風が、マンネリズムに陥っているということですよ。こしらえものが多くて、社会的な動機とか、雰囲気や人物のリアリティとか、そういう点が無視されている傾向がある。今までの探偵小説というものはサロン的で、ごく限られた読者だけを相手にしてきたきらいがある。なにかマニア的読者と作家の一つのグループみたいなもので、そこに多くの読者を得られなかった原因があると思うのですよ。

江戸川　それはあるでしょうね。しかし、あなたなんかが、小説としてうまいものを書き出したので、今後だんだんそれが影響してくると思います。現に実地を調べて書くことが一部にはやり出しているのです。あなたの作品は、そういう意味で、日本探偵小説史に一つの時代を劃したといってもいい。

松本　西洋のものが読まれるのは、日本の読者は西洋の生活を知らないのだから、たとえ不自然なところがあっても気がつかないで読んでしまう。そして、そのプロットやトリックだけを輸入してやっているので、これをわれわれのよく知っている日本の生活にもってくると、真実性がなくなってしまう。また、本格ものでなくても、たとえばハードボイルドでもそうですよ。以前から誰々はハードボイルド派だといわれている日本作家があるけれども、摑んでいるのは外形だけで、ハードボイルド文学そのものではない。

江戸川　日本にはまだほんとうのハードボイルド派は現われていませんよ。ごく最近、二十才をいくらも越していないような新人で、ハードボイルドふうの作家が、一、二あらわれてきましたが、これは「宝石」で育てていきたいと思っています。

それから、あなたはさっき西洋の探偵小説にも、かならずしも不自然がないとは云えないと云われたが、それは西洋でも、その通り云われているのです。もう十数年前から、従来の探偵小説は登場人物はトリックのための将棋の駒みたいなもので、生きていない。もっと生きた雰囲気と人間を書かなければいけないと、さかんにいわれ、クイーンやカーは前時代の生残りみたいに云われているのですよ。

松本　それじゃ、人間の書ける新しい作家というものは、どんな人たちです？

江戸川　まあイギリスのグレアム・グリーンの系統ですね。専門ミステリ作家でいえば、エリック・アンブラー、フランシス・アイルズ、フランスのシムノンなど、またアメリカでは、ハードボイルドのハメットやチャンドラーなどが、そういう意味で認められている。

松本　しかし、それらの人の作風は普通小説に近いようなもので、推理を愛する読者は満足しないのじゃないですか。

江戸川　そうですよ。そこが問題です。みな普通小説みたいなものになったら、しいて推理小説というジャンルを立てる必要はないのですからね。だから、推理の興味を充分満足させながら、リアルな小説を書くということです。それが理想です。木々高太郎君なんかも、それを云っているのです。そこで、あなたのことになりますが、あなたの短篇は本格でないものが多いので別だけれども、長篇の『点と線』などは、その理想に近づいている。小説がうまくて、しかもトリックにも充分意を用いている。ぼくがあなたの出現を画期的といったのはその意味ですよ。だから「宝石」の長篇に苦慮されているのも充分同感できます。それはぼくのいわゆる「一人の芭蕉の問題」ですからね。

松本　そんなふうに云われると恐縮してしまいますが、まあ、ぼくのつもりでは、『点と線』『眼の壁』は試作品、今度の「零の焦点」で本当のものを出したいという念願です。

江戸川　しかし、「零の焦点」は発端からして非常にサスペンスがあって面白いのですから、余り凝りすぎないで、ともかく休載のない程度でやってください。商売気を出すようですが、編集者となると、やっぱりそれも重大なのです。その点は充分お含みを願いたい。

松本　それは休むようなことは、もうしませんよ。

江戸川　もう少し「宝石」なり探偵作家なりへの御注文を聞かせてください。

松本　そうですね、今推理小説ブームといわれているのは、大体外国ものの翻訳小説のブームで、日本の作家はそれに負けている状態でしょう。だから、日本の作家は、外国ものの真似でなくて、もっと、それぞれの作家の個性を出したものを書いてもらいたい。

江戸川　そう。個性ですね。個性がほしい。しかし、これは努力しても生れてくるものではない。やっぱりその作家の持って生れたものですからね。そういう大きな個性の作家が出てくることが最も望ましいのです。今年は、「週刊朝日」と共同の短篇募集や、江戸川賞の長篇募集で、そういう画期的な作家が現われてくることを熱望しているのですが……。

松本　出てくるといいですがね。ぼくは新人に対して、外国作家の下敷きになるなということを強調したいのです。探偵小説界では、どうも新人が安易に出すぎる。「宝石」が安易な作品をのせすぎる。

江戸川　どうも未成品の「二十五人集」というやつがあるので、しかも、それが割合よく売れるので、あれを標準にして責められる場合があって困るのですが、普通号にも安易な作品がのったことは否定できない。しかし、ぼく自身はそれを痛感しているので、出来るだけ厳選しているつもりです。相当の作家のものでも書き直してもらうことがしばしばあるのですよ。ぼくはそのために若手作家の恨みを買っているような気がしているくらいです。

松本　純文学の方では、「楢山節考」にしても『人間の条件』にしても、従来の型にとらわれないで、自分の個性を出したものが登場してきている。あれらには外国作品の影響というものは、ほとんどありませんね。探偵小説には戦後そういうものが出ていないのです。ですから、ことに探偵小説の新人に対しては、先人のあとを追うなということを申しあげたいのです。

江戸川　さっきの二つの募集から、今年はそういう新人が出てくることを熱望しています。それと、文壇作家にもつづけて書いてもらいますよ。

松本　その方はなにか政治的な意味があるんじゃないですか（笑）。

江戸川　政治的というよりも商業的意味ですね（笑）。文壇の著名作家のネーム・ヴァリューというものは、やはりほしいのですが、それよりも、文壇作家だといって白眼視したりすることをしないで、同じ愛好者としてやっていきたいのです。これまで「宝石」にのった文壇作家のものは失敗だったというような声もありますが、ぼくはそうは考えていない。出来不出来はあるにしても、やはり文章などの点では大いに学ぶべきものがあったし、今後はもっといいものを書いてもらえると信じているのです。探偵小説の作家陣を純文壇にまで拡げることは、探偵作家は枠の中にとじこもっているといわれた、その枠を取りはずすことですからね。文壇作家やユーモア作家には、ドンドン原稿をお願いしたいと思ってます。そうでなければ、現役二十人ぐらいの探偵作家だけで、毎号十数篇の小説をのせるなんてことは、できっこありませんからね。……松本さん、もっとほかに何かおっしゃることとありませんか。

松本　いろいろあったと思うんですが、ちょっと今思い出せないので……。

江戸川　それじゃ、大切な時間を割いていただいているんだから、今夜はこのくらいにしておきましょう。どうも、ありがとうございました。

江戸川乱歩論

1960.04

江戸川乱歩は、明治二十七年、三重県名張（なばり）町で生れた。本名は平井太郎である。その筆名は

Edgar Allan Poe の発音をもじった。父は名古屋商業会議所の法律の嘱託であったが、宴会などで帰りが遅いとき、祖母と母とは、茶の間の石油ランプの下で、小説本を読んでいた。乱歩は、その頃、黒岩涙香本の挿絵などを覗いていた記憶があった。

乱歩に探偵小説の面白さを初めて教えたのは、涙香であった。乱歩は小学校六年生から中学にかけて、しきりと涙香本を読み漁った。涙香を一通り読んでしまった頃に、父の事業が破産し、彼は苦学の決心で上京し、早稲田大学の予科に編入試験を受けて入った。大正元年である。この年、湯島天神下の小さな活版屋の小僧をやったり、写字生をやったりした。大正二年、彼は数え年二十歳になったが、不思議と文学界のことに不案内であった。当時は、自然主義の最盛期で、花袋の「蒲団」などを初め自然主義文学をいろいろ読んだが、ひどく性的な小説という印象を受けたばかりで、こういう性生活の日記のごときものには興味が持てなかった。後年の乱歩の傾向と思い合わせて面白い。その頃、純文学は面白くないものだ、という考えが沁み込んだのか、彼はだんだん文壇の小説は見向かなくなり、文壇のことは全く無知になってしまった。乱歩に最も影響を与えた谷崎潤一郎が「新思潮」に「刺青」や「麒麟」を発表したのは、明治四十三年であったが、乱歩はそれすら知らなかった。

乱歩が初めて潤一郎の小説に接したのは大学を出てから一、二年後、二十五、六歳の年であった。潤一郎の作品の中で、乱歩が最も感心したのは、「柳湯の事件」や「途上」などの探偵小説的色彩の濃いものであった。若い乱歩は、潤一郎の耽美主義よりも、その探偵小説的面白さにより多く惹かれたであろう。

このことは、彼が、その頃、ポーやドイルを発見したことと無縁ではない。彼がポーとドイルを知ったのは、大正三年、数え年二十一歳頃であったが、この二人の小説を読んでから、小さい時から親しんだ涙香を軽蔑しはじめた。

彼はその頃を思い出して、次のように云っている。「この時期に、私の探偵小説心というものは大体養われたのだが、さて、図書館へ行っても、探偵小説の洋書などはあまりなく、純探偵小説ではポー、ドイル、フリーマンぐらいが精々だった。苦学生のことだから、専門の経済学の原書を買うのが関の山で、丸善に探偵本を注文するというようなことは全くなかった。神田の古本屋を漁って、ドイル、フリーマンなどのチープエディションや「ストランド」誌を買うぐらいのものであった。貧乏書生には図書館のほかに頼る所はない。私は、その頃、早稲田大学の図書館のほかに、上野、日比谷、大橋の三つの図書館へよく通った。上野と日比谷では洋書を、大橋図書館では翻訳物を漁ったが、ここには探偵小説と冒険小説などがよく揃っていて、結局、翻訳で読んだものが多かったわけである」

こうして乱歩の探偵小説への眼は次第に開けて行った。彼は読んだものをメモに整理して自分で清書し、製本し、表紙の図案を描いたりした。彼がその頃読んだ作家の主なものでは、スチヴンソン、ガブリオ、ボアゴベイ、コリンズ、デュマ、ユーゴー、ポー、ホーソン、ドイル、フリーマン、ルブラン、ルルー、ウエルズなどといったもので、かなりその頃の代表的探偵作家のものは読んだことになっている。

彼は、在学中、活版小僧や写字生や政治雑誌の編集部員や図書館貸出係、英語の家庭教師などのアルバイトをした。卒業すると、すぐに大阪の貿易商に入ったのだが、それは一年ほどして辞め、それから雑多な職業を転々とした。三重県鳥羽造船所の事務員、団子坂で古本店自営、東京パックの編集、中華そば屋、東京市役所公吏、時事新報記者、大阪毎日新聞広告部員などであった。どれ一つとして永続きするものはなかった。そして、大阪や東京をその職業のために往ったり来たりし、殊に、古本屋で失敗して食うに食えなくなってからは、深夜、街から街へチャルメラを吹いて流し歩く中華そば屋になったりした。このことは、乱歩の探偵小説に、結局、プラスしたことになった。乱歩の小説を読むと、実に雑多な知識が豊富に織込まれている。例えば、「D坂の殺人事件」は団子坂当時の古本屋の経験が使われているし、最初の出世作「二銭銅貨」に出てくる失業者のやるせない生活は、彼の体験から出たものであった。小説を書くにあたっては何でもそうであるが、雑読をすることと、出来るだけ豊富な人生体験を持つことが必要である。雑多な職業を転々としたという乱歩の履歴は、彼の文学に豊富な経験を蓄積させたのであった。幸い、どの職業も一年も永続きがしなかっただけに、彼は人のする何十年分を短期間に体験した。

彼は貿易商に失敗してからは、温泉から温泉へと放浪をつづけていた。生来、彼にはそういう放浪癖があった。

乱歩は書いている。このとき、宿のつれづれに手にして読んだのが潤一郎の「金色(こんじき)の死」であった。「私は、この小説がポオの『アルンハイムの地所』や『ランドアの屋敷』の着想に酷似していることをすぐに気付き、ああ、日本にもこういう作家がいたのか、これなら日本の小説だって好きになれるぞ、と殆ど狂喜したのであった。それ以来、私は谷崎氏の小説を一つも逃さず読むようになったが、読めば読むほどますます好きになり、今でもその気持は失せていない」

そのほか、乱歩が好きになった作家は、佐藤春夫と宇野浩二であった。当時、文壇では有島、武者小路などによる白樺派のヒューマニズムが流行っていたが、乱歩はこれに傾かず、架空幻想のリアルを愛する文学に傾倒した。この頃から彼が愛好したのが、ドストエフスキーであった。『カラマゾフの兄弟』や『罪と罰』を、彼は息をつかずに読んだ。そして、谷崎以上の驚異を味わった。

乱歩の文章は、この二人の作家のことから見れば、その由来が分るような気がする。彼の探偵小説の文章は、いわばセンテンスの長い話言葉である。潤一郎、春夫、浩二に傾倒していたという彼の文章における話術の巧みさは、この辺から会得したのであろうし、また、心理描写の点は、ドストエフスキーから学んだと思われる。

その頃、乱歩は、不景気な古本屋の二階でごろごろしながら、探偵小説の筋を考えたり、その空想に浸ったりした。後年、「新青年」に発表した「一枚の切符」と「二銭銅貨」の筋は、この薄暗い二階で生れた。しかし、それが発表になるには、当時の「新青年」誌上を借りねばならなかった。「新青年」は、当時、ポーやビーストンやフリーマンの翻訳などを盛んに載せていて、別に、馬場孤蝶、小酒井不木、保篠龍緒などの探偵随筆を載せていた。乱歩は、失業中の苦しい小遣いの中からこれらを買って読み、密かに胸を躍らせた。彼は早くから自分でも創作探偵小説を発表したい気持があり、その構想もあった。『新青年』は第三回の増刊を出し、私は乏しい小遣いを割いてこれを買ったのだが、先の二冊の増刊とそれとを前に比べて眺めながら、私はいよいよ探偵小説を書くときが来たと思った。失業中のことだから時間は充分にある。もし、その原稿が売れれば、煙草代にも不自由をしている際、こんな有難いことはない。多年、培って来た探偵小説への情熱を吐き出すのは今だ、と思った」。

こうして、彼が団子坂時代に大筋だけを考えていた「二銭銅貨」と「一枚の切符」は、それぞれ二、三日で下書きをし、それに手を入れて、改めて原稿紙に書きうつした。数え年二十九歳であった。これを馬場孤蝶氏に送ったが、返事がなく、乱歩はそれを取返した。「新青年」の編集長だった森下雨村にこれを送ってここで初めて彼の芽が吹いた。『『二銭銅貨』を拝見し、すっかり感心させられました。『一枚の切符』も同様一気に拝見し、大変いい作だと思いました。正直なところ、『新青年』へ載せた外国物の二、三の作などより遥かにいいものだと存じます。これだけの作ならば、無論、私の方へ掲載しても差支えありません」というのが、雨村から乱歩へ来た手紙であった。鬱勃たる野心に燃えていた乱歩が、当時の探偵小説雑誌の名編集長雨村から、これだけの讃辞を貰ったのだから、その歓びは想いみるべしである。

「二銭銅貨」は、翌大正十二年の「新青年」の四月増大号に載せられ、小酒井不木は長文の賞讃を添えた。「日本にも外国の作品に劣らぬ探偵小説が出なくてはならぬ。私達は常にこう云っていたのである。が、俄然、そうした立派な作品が現れた。真に外国の名作にも劣らない、いや、或る意味においては外国の作品よりも優れた長所を持った純然たる創作が生れたのである。江戸川乱歩氏の作品がそれである」。

この讃辞も、また乱歩を興奮させた。つづいて乱歩は、「恐ろしき錯誤」「二廃人」「双生児」「D坂の殺人事件」「心理試験」を書いた。乱歩をして職業作家の決心をつけさせたのは、彼の初期の傑作「心理試験」であった。乱歩は、どの商売をしても巧くいかず、半分、失業の中に悶々としていたが、それでも探偵小説作家として専門になるにはまだ躊躇を要していた。彼は、「心理試験」を書き上げると、これを小酒井不木に送り、この一作によって果して自分が専門生活に入れるかどうかの力量の認定を頼んだ。それに対する不木の回答は、立派になれる、という判定であった。ここに探偵作家江戸川乱歩が完全に出現した。

この集には、乱歩の初期の傑作が集まっている。発表された彼の処女作ともいうべき「二銭銅貨」は「あの泥棒が羨ましい。二人のあいだにこんな言葉がかわされるほど、その頃は窮迫していた」という書き出しに始まる。私は初めて「二銭銅貨」を読んだとき、この書き出しの素晴しさに惹かれたものだった。この一行の文章の中に、これから起る事件を読者に予想させ、しかも、端的に現在の状況を説明している。小説の冒頭の巧みさは、このようなものでなければならない。よく引例される志賀直哉の短篇の冒頭にも匹敵するであろう。

この「二銭銅貨」は暗号を主としたものだが、乱歩は、ポーの「こがね虫」やドイルの「ダンシングメン」からヒントを取った。しかし、乱歩は、それを純日本風に消化し、点字符号を使って、しかも、「南無阿弥陀仏」という特異な暗号コードを発明した。ここに、同じ暗号小説にしても乱歩の着想の警抜さがあった。「二廃人」は、二人の老人が田舎の温泉宿で知り合いとなり、そこで過去を語り合う話だが、偶然にも、二人の間には過去に因果関係があり、しかも、一人は相手のために人生を失う、というのが大体の筋である。乱歩は、これをいかにも鄙びた温泉宿の気分から筆を起し始める。さりげない書き方だが、内容は、登場人物の異常な経歴を描き出し、意外性も充分であった。

次の「D坂の殺人事件」は、この一連の初期の作品の中でも傑作の部に属するであろう。私は、これを「新青年」誌上で読み、その新鮮な作風に愕いた記憶がまだ生々しく残っている。

「それは九月の初旬のある蒸し暑い晩のことであった。私は、D坂の大通りの中ほどにある白梅軒という行きつけの喫茶店で、冷しコーヒーを啜っていた」

という書き出しで、この頃の乱歩の文章は、前の「二銭銅貨」といい、「二廃人」といい、極めて日常的な庶民的な雰囲気の中から情景を始めていることが分る。多分、宇野浩二の影響かと考える。ここに登場するD坂とは、乱歩が住んでいたところの団子坂であり、古本屋は、彼自身が経営していた商売を思い出したのであろう。この中で注目されるのは、探偵役として初めて明智小五郎が登場することである。もじゃもじゃとした髪をし、薄汚ない木綿に、兵児帯をしめた後年の主人公が初々しく顔を出す。乱歩は、もちろん、このとき、明智小五郎を一貫した主人公に使うつもりはなかったのであろう。この「D坂」が評判がよく、しかも、あとで探偵を出す場合、ちょうど彼が傾倒するポーのデュパンに倣い、一貫した探偵に設定したものと思う。それはとも角、人間の視覚の錯覚を巧みに使った障子の穴の視角などは、当初読んだ私に、作風の新鮮さを感銘させたものであった。このとき、明智小五郎は「私」に人間心理の解説をするが、この部分が拡大され、さらに緻密化されて一つの作品に結集したのが、有名な「心理試験」である。

乱歩は、恐らくこの「心理試験」に全力を傾倒したであろう。一つは、失業時代の彼が今までアルバイト的に書いていた作品を職業作家としてのものにするか、あるいは素人の余技的なものに顚落するか、その岐路に立っての試金石であった。されば、乱歩は、その頃私淑していた森下雨村や小酒井不木にその技能を問うべく、この作品に彼の全才能を投入したのである。

この「心理試験」の骨格となるものを乱歩は、ミュンスターベルヒの「心理学と犯罪」からヒントを取った。ミュンスターベルヒは、犯罪者の心理を或る連想テストによって反応を確かめる方法の効果を書いた。このまま応用するのならば平凡である。しかし、青年乱歩は、さらにその方法を裏返しし、しかも、巧みに人間心理の盲点を突いたのであった。ここに、ヒントはミュンスターベルヒから借りたとはいえ、乱歩の独創性があった。それに、ここでは老婆殺しを出している。若い時の乱歩は、ポーに傾倒する一方、しきりとドストエフスキーを読んでいる。この「心理試験」を読んで老婆殺しの場面に到ると、誰でもドストエフスキーの『罪と罰』のラスコリニコフの犯罪場面を想起するであろう。と云って、なにも乱歩がドストエフスキーの描写を真似たというのではない。いや、かえって彼は、日本人らしい感覚でこの殺しの場面を描いた。しかも、現在で云うならば、いわゆるアプレの大学生の性格を遺憾なく出し、重量感ある作品に仕上げた。

文章もまた緊密であり、乱歩の長所が最も遺憾なく現われている。これを読むと、作者の張切ったみずみずしい呼吸（いき）を感じるのである。事実、書いた乱歩にもこの作は自信があった。むべなるかな、この一作によって、彼はいわゆる探偵作家としての不動の地位を獲得したのであった。「心理試験」を書き上げた乱歩は、幸い、この作品の好評に気をよくして、次の作品に取りかかった。「心理試験」で非常に重厚緻密なものを書いた反動として、作者はここにオムニバス的なものを作った。一つの凝結した作品に取りかかったあとは、作者はえてしてほっとし、気分的にも楽になるものである。「赤い部屋」を理解するには、その前に「心理試験」のあったことを考えねばならない。「赤い部屋」には、或る趣味を持った人々が集まり、そこで一席の話を語り合うのだが、この構成は、恰もスチヴンソンの「自殺倶楽部」と似ている。

しかし、「赤い部屋」では「心理試験」で示した彼の心理的な犯罪が挿話的に幾つも集成されている。しかも、その一つ一つが決してお座なりでなく、その話のどれを取っても、一篇の好個の短篇小説になり得るものであった。これらの話を豊富にここに集めたものを読むと、いかにも惜しい感じがするのである。なぜ、それぞれを独立したプロットにして短篇なり、中篇なりに仕上げなかったのかという気がする。だが、これは優れた小品が集められているからこそ「赤い部屋」は価値があり、量感が出るのであり、つまらない小品ばかり集めては、これだけの充実感はとても生れない。

さらに、この作品の特徴は、いずれも人間のちょっとした錯覚を利用する犯罪で、何気ない方法は、現実的に日常に起りそうなところに一種の恐怖を感じさせる。誰かがこれを真似しないか、という危惧さえ起させるのである。「赤い部屋」を書き了えた乱歩は、次作「屋根裏の散歩者」にとりかかった。この作品は、乱歩が締切に迫られ、困って寝転びながら天井の節穴を眺めているうちに着想を得た。天井の節穴を見ていると、そこから毒薬を垂らすかピストルを射ち込むかしたらどうだろう、という考えが起きた。彼は、その着想で書いたが、その後半は、父の死床(しにどこ)の隣室で赤茶けた古畳の上に腹這いながらペンを走らせた。

この作中に出てくる妙な男というのは、彼自身をモデルにした。鳥羽造船所に勤めていて、会社勤めがいやになり、独身者合宿所の部屋の押入の中に隠れて真っ暗な中で寝転んでいた当時を思い出したのである。

着想は、その通りだが、この傾向は初期潤一郎の影響が見られる。それにつづく「人間椅子」などの文章はもっとそれが強くなる。「人間椅子」はあまりに生なテーマを強く出し過ぎたきらいがないでもないが、以後の「鏡地獄」を経て『陰獣』や「芋虫」となると、すでに潤一郎張りを離れ、着想、文章ともに乱歩独得の幻想耽美の世界となった。

このうち『陰獣』は乱歩のその傾向をも強く出したもので、その方面の代表作であろう。これが当時の頽廃的な世相に投じ、一挙にして乱歩は人気作家にのし上がった。

乱歩のいわゆる猟奇趣味は、「芋虫」に至って極限となった。戦争から帰った負傷兵が手足をもぎ取られ、芋虫のごとき肉体となりながらも、さらに人間本能の執拗さを失わないという描写は、彼の粘液的な文章と相俟って大いに注目された。しかし、これは当時の検閲にかかり、その描写の数ヵ所は伏字となってようやく発刊された。この悲惨な戦傷兵を扱ったことが、当時の進歩主義者に賞讃され、また一方、その理由で当局の忌むところとなった。

しかし、もとより、乱歩の意図はそのようなところにあるのではなく、彼はあくまでも自分の世界をその極限の姿に借りたまでであった。それを反戦主義に結びつけたのは読む方の都合であって、乱歩の本心ではなかった。

このころ、乱歩は、当時の左翼理論家でもあり作家でもあった前田河広一郎（まえだこうひろいちろう）と「新青年」誌上で論戦した。前田河が、探偵小説はブルジョア文学であると非難したのに対し、乱歩は、左翼文学者は何でも色眼鏡で眺め、遂に、探偵小説にまでそのイデオロギー的物差を用いるのか、と反駁した。私は、その当時のその論争の詳細を忘れたが、今でもそのときの印象だけは残っている。前田河としても気むずかしく乱歩の作品を論難したのではなく、ただ筆の余勢が思わずそこに行ったというにすぎなかったであろう。その証拠に、最後の論戦の幕には、これからも自分は乱歩の小説をパイプをくわえながら愛読するであろう、という意味のことを書いていたと思う。

さて、この集の中に「鏡地獄」というのがある。この思いつきは、「科学画報」という雑誌の巻末に付いていた質疑応答欄に「球体の内面を全部鏡にして、その中心に物を置いたら、どんな像が映るでしょうか」というところから乱歩はヒントを取った。この作品の文章などは、完全に乱歩の初期の特徴である。たびたび云うように、乱歩の文章は、潤一郎と浩二のそれから体得し、彼一流の工夫を加えたものであった。「鏡地獄」でも使ったように、乱歩は元々レンズや遠眼鏡とか幻燈機械といったものに幼少の頃から趣味を持っていた。「押絵と旅する男」などでも、この遠眼鏡が使われている。その文章の書き出し「この話が私の夢か私の一時的狂気の幻でなかったら、あの押絵と旅をしていた男こそ狂人であったに相違ない」は、ちょうどポーの短篇の冒頭にも似た文章である。「私がこの話をすると、時々、お前は魚津なんかへ行ったことはないじゃないかと、親しい友人に突っ込まれることがある。そう云われて見ると、私は何時の何日に魚津へ行ったのだと、ハッキリ証拠を示すことが出来ぬ。それではやっぱり夢であったのか」という一句は、心憎いまでに作品の雰囲気を冒頭に決定している。乱歩の文章による話術はいよいよ円熟してきていた。この「押絵と旅する男」の着想やテーマは、潤一郎の影響が強く現われた作品だが、芥川の短篇にもありそうな凝った文章である。
「石榴（ざくろ）」は、久しく本格ものを書かなかった彼が久し振りに出したもので、それは、この作中にも見えている通り、ベントリーの『トレント最後の事件』からヒントを取ったものと思う。この「石榴」は、どんでん返しを二重にも三重にも作り、完全に本格派の読者を堪能させたものであった。この結末のつけ方は、私にはあまり満足出来ないが、その中で、他人の女房の夫になりすまして一夜を共にするくだりなど、のちの乱歩の執拗な描写はまだ出ず、淡々として、かえって情趣をうかがわせている。

乱歩は、それまで大阪に居住していたが、三つも長篇を引き受けて上京した。『陰獣』によって彼は当時のマスコミのフットライトを一時にして浴びたのである。その長篇は「湖畔亭事件」と「闇に蠢く」と「空気男〔二人の探偵小説家〕」の三篇であった。

だが、「空気男」は完結に至らず、「湖畔亭事件」は好評だったが、「闇に蠢く」が完結したのは単行本になるときの手入れによった。乱歩は長篇小説に行詰りを感じ、次第に執筆生活に厭気をさすに至った。

大正十五年の終り、東西朝日新聞から連載小説を頼まれた。これが「一寸法師」である。例によって筆は渋滞し、しばしば休載することがあった。この作品は、乱歩自身にとって必ずしも快作とは云えず、彼はますます自己嫌悪に陥った。

翌年は昭和二年で、「一寸法師」『パノラマ島奇談』を書き終ると、自己倦怠、人間憎悪はいよいよ昂じ、妻子を東京に残して、当てもない旅に上った。小さなトランク一つを仮寝の枕として、信州のところどころ、新潟から魚津の辺り、志摩半島、伊勢から紀州にかけての海岸を放浪、京、大阪、名古屋の間を一年余り暮した。「新潟では菊池寛氏の一行や村山知義氏の一行と一緒だったのだけれど、停車場前の休茶屋で休んでいると、駅から黒い夏外套を着た青年紳士が出て来る。見たような人だなあと思っていると、近づくにしたがって、それが菅忠雄氏であって、次々と『文藝春秋』の人々の顔が現れ、最後に、悠然と菊池氏の短軀が歩いて来るのだ。私はわあっと云って休茶屋の便所へ駈け込んだものである」といった厭人病に陥った。

昭和四年になると彼は「虫」を雑誌「改造」に掲載したのを最後に、爾後、『蜘蛛男』『孤島の鬼』『吸血鬼』などの通俗性のある大衆小説に拡がった。

乱歩の声名は、いわゆる百万人の読者に喧伝されたが、彼の最初の作品にみる独自性や野心的なものは、残念ながらこの辺りから影を潜めた。乱歩自身の筆によると、「『陰獣』『芋虫』『押絵と旅する男』『虫』というように書いて来たが、たとえそれらが一部では好評であったとしても、作者自身はどうにも自信が持てなかった。第一、それらのものは本当の探偵小説ではなかったし、平林〔初之輔〕氏のいわゆる変格ものとしても、もはや時世遅れの気がした。いつまでも同じようなことを書いているのが憎悪された。陰気なことや心の隅っこをほじくることは、もう流行らなかった」ので、多少、自暴自棄的な気持があり、爾後、講談社ものを書くに至った。「講談社が私の小説に格段の提燈を持ってくれたせいもあり、これらの雑誌に書くようになってから、私は身辺に俄に有名になったような種々の反響を感じたものである。この虚名感は、昭和六年、平凡社から江戸川乱歩全集が出るに至って一応の頂点をなしたのである」と述べている。

爾後、乱歩はこの方面に大いに活躍し、また、押しも押されもせぬ大家にのし上がったが、彼自身の中に巣食っている作品に対する絶望感、虚無感は、いつまでも拭いきれず、作品価値的には遂に長い空白時代が続き、これが終戦後にまで亙ったのである。

しかし、乱歩が大衆探偵小説を書き始めた功罪はとも角として、初期の珠玉の短篇は、日本創作推理小説に不滅の価値を残した。それは推理文学史的な位置のみならず、その作品の持つ評価は、永久に不変のものである。それまで日本には、実際の意味の創作探偵小説はなかった。「新青年」がしきりと翻訳ものを載せ始めたあと、乱歩の出現から真に日本の探偵小説は始まったと云っていい。

乱歩は、その十数篇の短篇小説によって全生命を燃焼し尽したのである。まことに、その一連の短篇小説は永遠の光芒を放つ。

彼が後半期に通俗小説を執筆したことを非難する人もあり、私自身も賛成しかねるが、しかし、これを執筆するときの乱歩の苦渋、自己嫌悪は、以上述べた通りである。しかし、また、その一連の長篇小説自体を見ると、その面白さについてはそれなりに独自の領域を築き上げたものであり、爾後、輩出した彼の模倣者がとうてい及ばなかったことでも、彼の才能の非凡を示しているのである。

乱歩は、創作に希望を捨てると、内外の推理小説を読みあさり、その広汎な知識は、まさに推理小説的書誌学をなしたと云っていい。その『幻影城』の中に収められた「トリック集成」は、内外の探偵小説に現われたトリックを分析分類したもので、彼の該博な知識の集成でもあった。

戦後になって再び創作意欲が起り、本集に収められた「月と手袋」「化人幻戯（けにんげんぎ）」などを発表した。しかし、一たび燃焼し尽した才能は、昔日の新鮮さをもはや回復することは出来なかったように考える。

しかし、彼の初期の一連の作品群は、彼の後半期の諸作品がいかようにあれ、燦然として不滅の栄光を放っている。彼のような天才は、これからも当分は現われないであろう。少くとも、今後四半世紀は絶望のように私には思える。

偉大なる作家江戸川乱歩

1962.02

〔前略〕

「新青年」という雑誌は、私も十五、六歳のときから読んでいるが、博文館から発行されたこの雑誌は、初めは青年向けに開拓精神を鼓舞する雑誌だった（当時は日本もまだ景気がよくて、満洲、南米などに向けてしきりと開拓移民を送り出していた）。たまたま、増刊に外国推理小説の翻訳を載せたのが好評で、以来、探偵小説誌になった。そのほか松本泰（たい）主宰の「探偵文芸」があった。こういう雑誌に載る小説を見ても、若い乱歩の頭は、自分の組み立てたアイデアや小説の筋に極めて強い自信を持ったと思う。

この雑誌は主として森下雨村が編集をしていたが、一ばん大きな寄稿家は、名古屋に住んでいる病床の小酒井不木博士だった。小酒井は、外国の留学を終えて帰った途端、胸を患って静養していたのだが、そのつれづれに、自分の読んだ海外推理小説の紹介や、古い文献などを随筆風に書いて載せていた。彼の「犯罪文学史」は名篇である。

乱歩がこの碩学に親近の念を持ったことも想像に難くない。事実、乱歩を今日に仕立てた最初の功労者は、小酒井と、「新青年」編集長森下雨村とであった。彼の「二銭銅貨」は、まず雨村の絶賛を浴び、つづいて、「一枚の切符」「二廃人」「恐ろしき錯誤」「双生児」が生れる。「双生児」といえば、私の記憶によると、「新青年」に最初の創作が載ったのは、やはり双生児を扱った作品であった。筆者の名は忘れたが、おそらく誰かのペンネームであろう。日記風に書かれていたこの作品は、当時の私にはひどく新鮮に映った。しかし、筋の組立ては詰らない。とても乱歩の比ではなかった。「心理試験」を「新青年」で読んだときの私は、日本にもこういう本格的な（本格推理小説という意味ではない）探偵作家が現われたかと思って驚愕した。事実、この作品は、乱歩が職業作家として立ち得るか否かを不木に問うた渾身の力作であった。

こうして彼の初期の作品の履歴を私はひと通り述べてきたのだが、乱歩の着想、文章は潤一郎の影響が強かったということを今さらのように思うのである。殊に「二廃人」や「恐ろしき錯誤」は、全く潤一郎張りと言っていい。

次に指摘しなければならないのは、彼の文章だ。それは、潤一郎と宇野浩二との混淆から生れた乱歩独特のスタイルであった。潤一郎も、浩二も、いわば描写主義というよりも、説話風な、ねばっこい、嫋々（じょうじょう）とした情味を湛えた饒舌的な語り口である。この文章が乱歩の着想を生かし、その味を十分に出させる効果を果した。乱歩が潤一郎の文章に共感を覚えたのは、乱歩が三重県名張の生れであることに無縁ではあるまい。この地方も関西の影響圏にある。潤一郎は、関西に深く魅せられて、自ら芦屋あたりに住み、のちの『卍』『細雪』などを書き上げることになる。

以後、乱歩は「一寸法師」「鏡地獄」「人間椅子」などを経て、昭和二年、突然、「自己の作品に嫌悪を感じ」、当分休筆を宣言して放浪の旅に出る。

乱歩が、なぜ、自己の作品に嫌悪を感じたのかは分らないが、当時、東西朝日新聞に連載小説を書いたほどの人気作家が休筆を宣言するなどとは、今日では想像も出来ないことだ。しかも、彼はその放浪中にどこかの旅先で菊池寛の一行と遇い、彼らの眼を怖れてこそこそと逃げたと、自ら記してある。

当時の文壇では菊池寛は名実ともに大御所であった。今では考えられないことだが、菊池寛の機嫌を損じたら、文壇から葬られたものだ（中村武羅夫や今東光などの例）。その逆に、寛の知遇を受けていたら、昨日までの無力な新進作家が一躍花形作家になれた時代である。川端康成、横光利一、片岡鉄兵などはその典型である。それほどの存在だった菊池寛に面会することを嫌って逃げ出したという乱歩の反骨主義は、休筆宣言と共に遺憾なく発揮せられる。

つづいて、彼は短篇「芋虫」を発表した。後、戦争の進展に伴ない、この作品は反戦的というレッテルをはられ、終戦まで陽の目を見なかった。この頃の乱歩は、どういう心境からか、急に娯楽雑誌に「孤島の鬼」「蜘蛛男」などを発表して、今度は大衆的な意味でカムバックした。真に江戸川乱歩の名前が全国津々浦々に知れ渡ったのは、このようなポピュラー作品からである。

私は、乱歩が初期の作品の筆をこのようなかたちで曲げたのをいつも惜しんでいる。乱歩自身の答えによると、「もう書くことがなくなったんだよ」と言っているのだが、この心理状態は終戦後までつづき、まことに残念なことながら、昔日の乱歩に遂に帰ることはなかった。終戦後、「月と手袋」や『ぺてん師と空気男』などを発表したが、初期の作品に見られるあのみずみずしい筆つきと、奔放な空想力までには遂に復帰することが出来なかった。

その代り、乱歩の活動はそのジレッタニズムと結合して、『幻影城』『続・幻影城』を欧米推理小説渉猟の知識の宝庫とさせた。殊にそのトリック分類集は、外国にも例がないほどユニークなものである。

また、乱歩を大きく評価しなければならないのは、彼が推理小説勃興に絶えず全力を尽してきたことである。彼自身は、その創作力の「枯渇」を認識してか、自分の後継者を育成することに精力を傾注した。彼ほど後輩の面倒を見、新人の育つのを見て狂喜する人間はいまい。しかもそこにいささかの利害感も打算もないのである。たとえば、自分の派閥を作るとか、子分の数をふやすとかいうような、いわゆる「純」文壇にも見られるような現象は少しもないのである。この包容力をどのように評価しても称賛しすぎるということはない。従って彼には全くライバル意識もなければ、嫉妬、利己主義、排他主義が見られない。これはちょっと真似の出来ないことである。ときにはその包容が玉石混淆を抱え込む嫌いにならないでもないが。

推理小説専門雑誌である本誌〔『宝石』〕が、一時、経営困難に陥ったことがある。乱歩は私財を分割して当面の危急を救った。これとても、その金がいつ回収出来るものやら、また貸倒れになるやら分らなかったのだが、乱歩は自ら進んで長期的な金主になったのみならず、一時、自ら編集長の役目を引受けて、老体が次々と息子や孫のような作家を訪ねて寄稿の依頼に頭を下げて回ったものである。このようなことの出来る「純」文学の大家が今まで一人でもいたであろうか。文壇では相変らず下剋上の修羅場を繰返している。

乱歩のこの無欲な努力は、福永武彦、曽野綾子、戸板康二、有馬頼義（よりちか）、三浦朱門の諸氏を続々と推理小説戦線へ引出したのである。この現象は、遂に大岡昇平まで推理小説に手を出させるに至った。

乱歩の包容力の大きいことは、彼が会合を催すたびに集ってくる顔ぶれの多彩なことでも想像できる。そこには、推理小説作家、評論家、編集者はもとよりのこと、私などが意外と思われる顔ぶれがいつも集っている。

日本に本当の創作ものを作ったのは乱歩である。もし、乱歩が出なかったら、その出現は十年は遅れたであろう。甲賀三郎、夢野久作、木々高太郎、小栗虫太郎、久生十蘭などの、乱歩の言ういわゆる第一期新人群の輩出は、完全に乱歩からの影響乃至は刺戟である。この新人群の影響から、さらに戦後の第二期、第三期と新人輩出の反覆現象が生れたのを見ると、乱歩という一人の巨人がどのようにわが国推理小説史に偉大な存在であったかが分る。

彼が、紫綬褒章を貰ったのも故あるかなだが、乱歩の心理に立入って推理すれば、彼の反骨精神は、必ずしもこの官製行賞を手放しで喜んでいるのではあるまい。ただ、それを契機として推理小説が社会的に認められたということに大きな意義と喜びとを感じているに違いない。

乱歩も古稀に近づいて、いよいよ元気である。この上は円満なる大御所的存在から、後進の者を

「叱り置く」ような存在にちょっぴり変貌して貰いたいと希うのは私だけではあるまい。

江戸川乱歩を惜しむ

1965.07

日本の推理小説の鼻祖（びそ）といえば、江戸川乱歩である。

それまでの探偵ものは、明治時代の黒岩涙香をはじめ、翻案か翻訳ばかりだった。探偵小説は早くから日本に輸入されながら育たなかった。一つは、自然主義文学の隆盛がこの素地を枯らせたとも思えるのである。したがって、自然主義文学の流れの中に抗した谷崎潤一郎の出現を待たなければ、推理小説の創作ものは出なかった。

だから、乱歩の処女作「二銭銅貨」（大正十二年）にしても「心理試験」にしても、その載せた雑誌「新青年」は外国の翻訳ものばかりだった。また、乱歩自身もいうとおり、彼がはじめて探偵小説を書く気になったのは、谷崎の「柳湯の事件」（大正七年）「途上」（大正九年）などを読んで刺激されたといっている。

爾来、乱歩は脇目も振らず本格的な探偵小説を書きつづけてきた。その初期の作品群には英米の探偵小説の佳作を超えるものがある。また、彼によって見出された後輩は多く、彼くらい後輩の面倒や世話を焼いた人も少ない。若いとき、その創作活動にはさまざまな伝説がつきまとったものだが、戦後は好きなものだけを書くようになって、往年の人嫌いな一面もなくなって円満になった。

旧「宝石」の編集長として新人発掘につとめたのもよく知られている。茫洋たる表情で、少しも威張ったところがなく、誰でも気軽に近づけていた。一般文壇にも知己が多い。現在の四十代、五十代の人たちで少年時、乱歩の作品を読んでいないものは珍しいであろう。
推理小説界では、まさに巨星墜つの感じである。心から大乱歩の冥福を祈る。

弔辞

1965.08

江戸川乱歩先生

今年は六月から七月にかけて低い気温がつづきました。涼しい夏だという予報なので御病臥中の先生にとっては好都合でありそのうち御病状も回復に向われることであろうと、われわれ一同はみな喜んでいたのであります。ところがこの安心の虚をつかれたように先生逝去の不幸に接しました。まことに光を放って巨星の落下する音を聞く思いであります。

憶えば先生の名作「二銭銅貨」「心理試験」などに接したのはいつごろだったでしょうか。われわれの仲間は年齢がまちまちですから、時期的には違いがありましても、いずれも皆先生の作品群の卓抜に仰天し、日本にもこのような天才的な作家が存在するのかと驚嘆したのであります。われわれが推理小説を志すようになったのはいずれも先生の作品に魅せられ、大きな影響をうけたからであります。

事実、先生の下に戦前には一再ならず優秀な作家群が輩出し、戦後にも幾多の新人群が生れ推理小説は日本文学のなかに独特な分野を確立いたしました。

先生は、或いは海外作品の紹介に評論に研究に没頭され、われわれを指導して下さいましたが、その該博な知識と鋭い分析力にはただただ畏敬のほかはありません。また先生は進んで、大家の身でありながら自ら後輩の激励にも当られました。先生の作風と高い人格とを慕って集る者数知れず、先生の周辺には絶えず春の花園のように和やかさが咲いていていました。

今や先生の温容と馥郁たる謦咳に二度と接することが出来なくなりました。われわれの悲しみは肉親を失った以上であります。われわれは先生の御長命をもっともっと望んでおりました。

しかしながら先生は、世界推理小説の秀作の上にゆうに位する名作を数々残されました。先生は驚くほど夥しい愛読者を全国に持たれました。先生の御努力により後進も多く育ち、先生の創立された日本探偵作家クラブは社団法人日本推理作家協会に発展いたしました。先生の名を永久に記念する文学賞も設定されております。先生の御令息も社会的地位のある方であります。先生さぞかし生涯の幸福を思われていることと存じます。われわれのみならず、次の時代、その次の時代と先生の作品に啓発される新人が跡を絶たず、先生への憶いと憧れは長く長くつづくことと存じます。われわれは今さらながら世界のエドガー・アラン・ポーにも比すべき日本の推理小説の鼻祖大乱歩の偉大さに打たれております。ここに先生の霊を送るに日本推理作家協会葬とさせていただきました。

先生しずかにお眠り下さい。長い間本当に有難う存じました。

（昭和四十年八月一日　東京・青山葬儀所にて）

木々高太郎

木々先生のこと

1962.04

木々先生とはめったに顔を合わさないが、この間はまことにおめでたい席でお目にかかった。いつも青年のように赧い顔をしておられるが、あのときはさすがに照れ臭そうだった。

先生の声は若々しい。いつか私が初めて上京したとき、電話で文字通り「謦咳」に接したが、あの弾んだような、抑揚のある調子には、先生の性格が躍如としている。いつも張切って、絶えず前進の姿勢にある人の声だ。

日本の推理小説に本格的に詩を取入れたのは、先生が最初だと思う。殊に初期の「青色鞏膜(せいしょくきょうまく)」「永遠の女囚」などには、甲州の山村の叙情が流れている。「どうだ、あれは巧く書いてあるだろう」と、先生はいつか私に自慢なさったことがある。

『人生の阿呆』につづいて『折芦(おれあし)』を発表されたが、『人生の阿呆』におけるシベリヤ紀行も叙情味の横溢したもので、殊に巻中に挿入された一頁写真は新しい企画であった。この印象が強く私をとらえ、のちに私も自分の『点と線』でそのアイディアを勝手に継承した。

あまり人の口の端には出ないが、『エキゾチックな短篇』にいたると、先生の詩は北欧の暖炉の炎に、ヴェニスのゴンドラに、モスクワの雪の上にこめられている。

先生は初めて日本の推理小説に知性と文学性とを与えられた作家であり、推理小説における私の永遠の師匠である。

また、先生くらいエネルギッシュな人はいない。その本業である医学方面の権威として絶えず海外に旅行し、忙しく帰って来ては、ときにシムノンを日本に呼んで来るなどと、狭いところに屈みがちな推理文壇に活力と世界的視野とを与えておられる。

殊に魅力的なのはその文体で、淡々と書き流されたような文章には、私も一時真似をしてみたが、とても及ばないと兜を脱いだものである。

1970.02

追悼・木々高太郎

木々先生からはじめてハガキをもらったのは昭和二十五年の三月で、鉛筆書きの、忙しそうな、判りにくい字である。

雑誌お送り下すってありがとう。拝読いたしました。大そう立派なものです。そのあとこの種のもの矢つぎ早やに書くことをおすすめします。発表誌がなければ、小生が知人に話してよろし。木々高太郎雑誌は「週刊朝日」の別冊で、懸賞小説の佳作となった「西郷札」というのである。なぜ、この雑誌を先生に送りつけたかというと、当時先生は推理小説をきわめてひろく解釈し、たとえば鷗外の「かのように」というものまでその中に入れておられた。で、私の小説もその領域に入りませんか、という手紙を添えたのである。

私は推理小説を書くつもりはなかったが、先生の推理小説は好きであった。そのころはみずみずしい作品が多かった。ユニークな発想と詩があった。文章も簡潔だった。

さて、右のハガキだが、見ず知らずの無名の者に対してこういう激励はなかなか出来るものではなく、それは横着になったいまの自分の身にひきくらべてもよく分る。私は、そのあと先生から「三田文学」に何か書かないかといわれ、短篇を二つ送っている。これにはおほめの言葉をいただけなかったが、二度目のが先生によって直木賞の委員会に出され、それが芥川賞に横すべりしたのである。小倉に住んでいた私には事情が分らず、あとで聞かされたことだった。

九州から東京にくるたびに先生に電話したが、声は若々しく、明快であった。今から考えると、そのころが先生のもっとも充実した時期ではなかったかと思う。「三田文学」の編集を引きうけられる一方、作品は次々と発表されるし、本職の医学方面でも活躍されていたと思う。

先日、追悼会で医学界の人々から先生は医学でもロマンチストだったといった話を聞いたが、うなずける。文学と自然科学の間を往復された先生だが、鷗外のように両者を截然と区別するわけにはまいらず、先生のロマンチシズムが両方面を引率しているごとく、あるいはその間を彷徨せしごとくに見えた。してみると、先生の本来は、小説家の素質に大きな比重を与えるべきではなかろうか。しかも多才なる先生は、一点に定着しなかった憾みがあるが、これは好奇心の旺盛を語るものであろう。

先生の作品で代表的なのを二、三あげよといわれるなら、私は「青色鞏膜」など初期の短篇と、『エキゾチックな短篇』を入れたい。ことに後者は、いま読んでも新鮮なもので、先生の作品の特徴が最もよく表われている。

木々作品のロマン性

1970.10

木々高太郎先生に初めて手紙を出して、「週刊朝日」の入選作を見ていただいたのは昭和二十五年であった。当時先生は江戸川乱歩氏と有名な論争「探偵小説は文学か、娯楽小説か」のあと、母校の伝統ある文芸雑誌「三田文学」の編集に当られる一方、頑固に「探偵小説文学論」(実はその可能性)を主張され、たとえば鷗外の「かのように」のような作品まで探偵小説の範疇に入れておられた。私の入選作「西郷札」は探偵小説として書いたものではないが、多少それに近い趣がないでもないので、高評を乞うたのだが、それが縁で、勤め先の出張で上京の際、宿から朝お宅に電話した。

「ああ、松本君?」と、やや癇高い、張りのある声が受話器にひびいて「ああ、そう。じゃ、ねエ、すぐにいらっしゃい」と忙しそうに電話が切れた。先生の、「あの、ねエ」という語尾の尻上りにはとくべつな調子がある。

九州からのぽっと出が、電車で祐天寺に降りて途中で道を訊き訊き、ようやくお宅にたどりついた。お宅の前の白いペンキ塗りの木柵は初めての者には印象的で、その後、その白い木柵が見えるたびにやっと着いたという気がしたものである。

応接間ではじめてお目にかかった先生は、まる顔で、髪の毛がやや縮れ、細い眼に、白い歯ならびが特徴的だった。赧ら顔に微笑をうかべ、少しばかり早口で話されるが、歯切れがいいので、よく聞き取れる。声は、最初の電話で聞いた通り、最後にお目にかかるまで張りがあった。

「三田文学」に載せていただいた拙作が、僥倖にも芥川賞になったのだから、先生は私の文学上の恩人である。もともと、私は先生の作品を愛読し、その着想の妙、プロットのロマン性、文章の香気と直截に魅せられていた。大脳生理学者として権威だった先生に探偵小説（戦後、推理小説と呼ぶ）の執筆をすすめられたのは海野十三（うんのじゅうざ）氏ということだが、先生の才能を見抜いた海野氏の慧眼に敬意を表したい。

先生の代表作『人生の阿呆』『折芦』などは、もとより先生の構成力と詩情とを代表するものだが、私の好みからすると、先生の生地甲府付近を舞台にされたものと、外国旅行中の印象をもとにされたと思われる『エキゾチックな短篇』と、「網膜脈視症」「青色鞏膜」など初期の作品に敬慕を感じる。甲府の旧い農家が舞台になるとき、裏富士の見える田舎の土の匂いが抒情を伴ってつたわってくる。『エキゾチックな短篇』に収められたもののなかでは、「ヴェニスの計算狂」と「水車のある家」には三嘆したものである。古い水車にオー・ヘンリーがからむ着想、ヴェニスの運河を上下する舟の数をよむ偏執狂の計算から犯罪が暴露するなど、どうしてあのような着想が生まれるのかと頭が上らぬ思いだった。後者は精神分析学が導入され、これが「大心池（おおころち）先生」ものといわれる連作につながる。「網膜脈視症」「青色鞏膜」など一連の初期の作品のみずみずしさ、ロマン性、文学的香気は私のもっとも愛誦するところである。

木々先生の文章は天性のもので、格別に苦吟して書かれたものではない。この点、鷗外と同じである。私のように、原稿で書いたり消したり、ゲラ刷りでまた赤だらけにする不敏な小説書きには、まことに羨ましい次第だが、素質の相違は如何ともしがたい。

先生は、その作品のようにロマンティックな方であった。先生は絶えずロマンを夢見て人生をすごしておられたような気がするが、それでいてひそかに自己の観照にきびしかったのではないかと思っている。先生の作品における夢があまりに大きすぎ、その完成を期されるに急なあまり、後期の作品には構想が必ずしも十分に発酵しないままのものがあるが、その壮大な構成は、日本の作家として、非常に珍しく、むしろ西欧の作家に近い型であったと思う。この点は、私どもは十分に学ばなければならない。

半七とホームズ

1965.11

「半七捕物帳」と、シャーロック・ホームズと、どちらを先に読んだかといえば、半七のほうが先だった。私の十六、七のころだったと思う。「講談倶楽部」に連載されていて、こんな面白いものはないと思い、毎月、雑誌が出るのを待ちかねて本屋に行き、立ち読みをした。私の読んだのは「半鐘の怪」あたりからだったとおぼえている。

ホームズはわりと遅れて二十一、二歳のころだった。当時、春陽堂から黒表紙のポケット版が出ていて、これで病みつきとなった。ホームズものは、今から考えると単純だが、このトリックからは、いろいろ変形できると思う。その点では、現在読みかえしてみて、新しさを失わないと思う。長沼弘毅氏が懸命に支持するだけの理由はある。

のちになって、半七がホームズから換骨奪胎されたものだと知って、おどろいたが、いまだに私はそれが半信半疑なのである。それほど綺堂はドイルのトリックを形のないものにしている。

もっとも、綺堂はホームズ物をよく読んでいたというから、右の換骨奪胎も根も葉もないことではあるまい。私は、両者を比較して考えてみたが、ホームズのどの短篇が半七もののどれに当るか遂に分らなかった。

「半鐘の怪」は猿を使っているが、ホームズものには猿は無かったように記憶する。むしろ、このほうはポーの「モルグ街の殺人」を思い出す。「お化け師匠」「かむろ蛇」など半七には蛇がわりと出るが、これもホームズの「まだらの紐」とは似ても似つかぬようである。「蟹のお角」には犬が人間の女を姦する凄惨な話が出るが、これもホームズの『バスカーヴィル家の犬』とも全く違う。どうも見当がつかない。

しかし、半七ものはトリックよりも江戸の風物詩に面白さがあるので、このような比較考現学はあまり意味がないのかもしれない。「春の雪解」「津ノ国屋」などの雰囲気は絶品である。そういえば、ホームズものの冒頭の、煉瓦の舗道を二輪馬車の音が聞えて、事件の依頼者が階段を上ってくるあたりは、いつ読んでも惹き入れられる。

綺堂の江戸前の会話は堂に入ったものだが、普通、「その間、おめえはどこに行ってたかい?」と書くところを、綺堂は「……かえ?」と書く。一例だが、これは黙阿弥などが使っている会話の癖で、綺堂はセリフに黙阿弥のものをだいぶんとり入れている。傾倒のほどが知られる。

綺堂とドイルとに相似点があるとすれば、それは妖怪趣味だろう。ドイルと幽霊術(ファントマ)は有名だが、半七ものには怪談がかなり出てくる、それがまた江戸情緒を漂わせている。

私は、どなたかが技術的に半七とホームズの比較研究される日を待っている。

坂口安吾

1969.10

坂口安吾氏に私は一度も会わずじまいだった。昭和二十七年に私の「或る『小倉日記』伝」が芥川賞になったが、選後評で坂口氏がほめてくださった。お礼状をさし上げたら、はがきぐらいは頂いたかもしれないが、そういうことも失礼したので、私が東京に移り住んでからも縁がなかった。

ひとつは、坂口氏が私にはひどく怕(こわ)い作家にみえ、寄りつきがたく思われたからでもある。これは氏の作品よりも、新聞、雑誌などのゴシップによるところが大きい。私は生活的には小心者だから、氏のスケールの大きさを想像して畏怖していたのである。税金闘争や伊東競輪のインチキ判定論争、酒、ヒロポンの噂、いずれもすさまじいものばかりで、氏を別世界の巨人と思っていた。

今から五、六年前だったか、ある冬、新潟地方に旅行した際、海岸の砂丘に立っている安吾碑を見に行った。日本海の寒風に立ち向っている碑は、いかにも坂口氏らしく思われたが、また、寂しく一つだけ立っているその石を眺めているうちに、坂口氏があの時期に死んだのは何としても惜しい気がしてきた。早世によって文学的に仕合せな作家もあれば、長生きによって幸福な作家もある。坂口氏は後者のほうで、いま生きていたらその文学は当時とはかなり変って、しかも円熟したものになっていたにちがいない。

坂口氏の作品については私はあまりいい読者だったとはいえず、その数篇をよんでいただけである。今度の機会にその作品群の大半を読んだのだが、これまで坂口氏に与えられていた世の評価とはかなり差違のある読後感を得た。坂口氏を太宰治などと同じように「破滅型」の作家のように世間の一部では思っているようだし、また、私も何となくそう思っていたのだが、実際は健康な作家であり、常識人であると知った。終戦後の環境が氏の作風に影響しているのと、氏の個人的な行動の印象が強いのとで、二つが混同され「破滅型」作家にされたようである。だが、氏の社会批評などにみる視点は、石川達三氏に近いとさえ思われる。ただ石川氏のが硬質なのに対し、坂口氏のが八方破れの調子にみえるだけである。

坂口氏の領域は非常にひろい。これは氏の好奇心の旺盛さを示すものである。歴史小説、現代小説、推理小説、「巷談」小説まである。随筆も社会批評、歴史論、推理小説論、犯罪論があるかと思うと、競輪の判定論や税金闘争論など自己の体験ものもある。あとの二つは、いわゆる私小説ではなく、社会矛盾の告発論である。

このように好奇心が旺盛だと、眼は過去のほうにはあまりふりむかず、もっぱら前のほうに向う。いっときでも同じところに停止できない流動的な作家である。

まことの文学は、常に、眼が未来へ向けられ、むしろ未来に対してのみ、その眼が定着せられるべきものだ。〔略〕眼が未来に定着せられた文学には、過去的実人生の真実は必ずしも真実ではない。過去とは、すでに行なわれたるものであり、その意味において不変であることによってのみ、ウソをついておらぬだけで、かかる真実は未来に就ての真実の保証ではあり得ない。〔略〕過去的実人生の真実の如きは取るに足らぬ足跡にすぎぬ。（「未来のために」）

これは日本文学の伝統である私小説を、とくに志賀直哉、宇野浩二、徳田秋聲などを否定しての意見である。

「孤高の文学という。然し、真実の孤高の文学ほど万人を愛し万人の愛を求め愛に飢えているものはないのだ。」といい、スタンダールは余の小説は五十年後に理解せられるであろうと書いているが、それは彼の本心ではなく、彼はただちょっと口惜しまぎれにシャレてみただけだ、といい、「日本文学は貧困すぎる。小説家はロマンを書くことを考えるべきものだ。多くの人物、その関係、その関係をひろげて行く複雑な筋、そういう大きな構成の中におのずと自己を見出し、思想の全部を語るべきものだ。小説は、たかが商品ではないか。そして、商品に徹した魂のみが、又、小説は商品ではないと言いきることができるのである」（「大阪の反逆」）との断言は、過去の狭小な体験小説を否定する坂口氏には当然の帰結であろう。とくに、小説商品論は作家としてなかなか云えるものではない。商品に徹した魂のみが小説を商品でなくさせる、とは、おそらく氏の快心の論であろう。小説をあまりに芸術視し、自らも芸術だと思って書いている小説家には、芸術にもならず、商品にもならない作品が多いのである。

美術の世界でも、芸術家はアルチザンとの間に意識の上できびしく一線を画するが、アルチザンに徹した魂がその作品を平凡なる芸術家の上位に掲げられるのである。

したがって、坂口氏が文章の技巧を排斥することも当然の筋道である。

小説というものは、批評でも同じことだが、文章というものが、消えてなくなるような性質や仕組みが必要ではないかね。よく行き届いていて敬服すべき文章であるが、どこまで読んでも文章がつきまとってくる感じで、小説よりも文章が濃すぎるオモムキがありますよ。物語が浮き上って、文章は底へ沈んで失われる必要があるでしょう。〔略〕それも要するに、文章が濃すぎるということだ。文章というものは行き届くはずはないものです。行き届くということは、不要なものを捨てることですよ。すると他に行き届かないという畸型は現れません。

（「戦後文章論」）

「名文」が邪魔して読む者に、物語がじかに伝わってこないという奇妙な小説が、しばしば批評家にほめられるという傾向がある。坂口氏の作品の文体はこの意見の実践ともみられる。

ここに批評家としての坂口氏が存在している。おそらく氏も自身を一流の批評家と心得ていたであろう。もっとも、氏によると、一流か無流しかなく、二、三流は存在しないというのだ。二、三流と考えるのはコンプレックスの露呈だという。

氏には世評の高い「二流の人」という歴史小説がある。実力はありながら秀吉に阻まれて伸びえなかった黒田孝高（よしたか）〔官兵衛〕を描いたのだが、これも黒田官兵衛のコンプレックスがテーマになっている。自分のことをいって恐縮だが、私も歴史小説では「腹中の敵」（丹羽長秀）他、時代小説も『無宿人別帳』他、現代小説では「断碑」「装飾評伝」他いくつかの二、三流の人物を書いているので共感するところが多い。

歴史小説を書いていると、資料の欠如を推定で埋めたり、通説を否定する史眼が必要となってくる。史眼とは推理のことであるから、坂口氏が推理小説を書くのはこれまた当然の発動である。『不連続殺人事件』は、日本の推理小説史上不朽の名作で、共犯者二人の隠し方など欧米にもないトリックの創造である。人物の設定、背景、会話が巧妙をきわめ、それに氏の特異な文体が加わって、その全体がひとつのトリックだと気づくのは全部を読み終ったときである。

この小説は雑誌「日本小説」に連載されたが、社主兼編集長だった和田芳恵氏の話だと、これは坂口氏の持込み原稿であって、ある日突然、三百何十枚だかをいっぺんに持参したという。当時坂口氏はもちろん流行作家だったから、和田氏もおどろいた。その代り、坂口氏は原稿料をその場でみんな持って行ったという。私はこの話を聞いて、推理小説（何も推理小説とは限らない）はこれでなければいけないと思った。自発的に書くこと、全部をいっぺんに書くことが理想である。自発的とは、気に入ったアイデアやトリックが浮んで、頼まれないでも書かずにはいられないことであり、それを書下ろしでやることは、はじめから構成がきっちりときまっていることである。

雑誌社などに頼まれてから構想を考え、締切に追われて書く推理小説の出来のよくないことは私の経験でも分る。坂口氏に勝海舟を主人公にした『開化安吾捕物帖』があるが、これは正直いって『不連続』から数等落ちるようである。この海舟は探偵役だが自分で動くのではなく、難事件に手を焼いた捕方の話を聞き、居ながらにして解決してやるのである。オルツィ夫人の「隅の老人」からでもヒントをとったのだろうか。なお、氏が勝海舟を主人公にしたのは『氷川清話』あたりが着想となったかと思われる。

歴史の上で推理を働かすとなると、日本の古代史ほど恰好なものはない。ことに魏志倭人伝しか証拠のない邪馬台国の探索は坂口氏に絶好の食欲を与えた。「証拠をあげて史実を定める歴史というものはその推理の方法が、タンテイと完全に同一であるのが当然であるが、史実はその方法に於いて概ね狂っているし、狂った方法を疑うことも知らない」(「歴史探偵方法論」)からこの「事件」ととりくもうとする。いまでこそ邪馬台国ブームで倭人伝は珍しくないが、このころに日をつけた坂口氏は、『古代史疑』の著者としての私からも大先輩である。

かりに魏志というものがシナ第一に史料価値の高いものであっても、一異国人のたまたまの見聞記では論外で、魏志の史料価値とは無関係の問題だ。(同上)

というのは卓見で、史書としての価値が高いからといって同書の収録の外国地誌まで高いとはいえない。学者はこの玉石混淆の判断ができず、同等価に見ているところからいろいろ考証上の錯誤を犯していると氏はいうのである。全面的ではないが、私も賛同する。

その古代史をしらべてみようと思ったのは「天皇家中心の日本歴史のイツワリにツムジをまげたせい」で、その手がかりに「古代の満洲朝鮮と日本を結ぶモロモロのツナガリに関すること」をさぐろうと氏は思い立つ。これは定石である。また三島神社の祭神から海人(あま)族を手がかりにすすめようとする。この二つはいわば事件の初動捜査であるが、坂口探偵の重要参考人は松岡輝雄（註。民俗学の柳田國男の実弟。海軍士官。ポリネシア方面の民俗学から日本古代史にアプローチした）一人であるらしい。坂口探偵は大学者松岡参考人が「上宮聖徳法王帝説」一つを読み落していると叱責し、文中の「巷奇」は「蘇我」とよむから、物部二十五部人中の「巷宜物部」とは「蘇我物部」のことではないか、と「存じません」の松岡参考人のハナをあかしている。

この坂口氏の勉強ぶりは税金闘争「負ケラレマセン勝ツマデハ」の日記の中に出てくるのである。氏はこの古代史研究の六十冊だけは、差押えにくる税務署にどうしても渡せないと頑張る。先日、この小稿を書くために坂口氏宅を訪れ、未亡人の三千代さんに書棚を見せていただいたが、『朝鮮の姓名氏族に関する研究調査』『琉球神道記』『神祇志料』『遠江国風土記伝』ほか地方史や、太田亮、津田左右吉などの古代史研究書がならんでいた。幸い、税務署の拉致からはのがれられたとみえる。

税金闘争では、坂口氏は差押えにくる税務署員との問答を想定し、その問いと答えとを克明にノートに書いたように「負ケラレマセン勝ツマデハ」の中に出ている。私はフィクションではないかと思ったが、三千代さんにきくとみんな本当だということでおどろいた。坂口氏が、思ったほど別世界の巨人でないので安心した。

「孤立殺人事件」は実際にあった事件を坂口氏が新聞記事によって、まだ犯人の自供がない段階で、その犯行の再構成をしてみせたもの。その精緻な描写は、いわゆるノンフィクションの犯罪ものとして氏の才能をみせている。当今のものとくらべていただきたい。「子供が親を殺す場合も決してフシギではありません」は、現在もその傾向が強くなっている。この犯罪は戦後の「食生活の孤立化から生じた骨肉の孤立化」だったが、いまは環境の荒廃による孤立化のようである。

私は、坂口氏の領域が私の興味あるところと似ているのを見出し、何か自分に近い先輩に接したような気がした。もちろん、氏の才能には私など及びもつかないが、好奇心の方向は同じような気がする。むろん個人的な差違はあるし、とくに日常生活における氏の行動力は私に絶無のものである。しかし、それでもなお、そう考えるのである。

私の芥川賞受賞作「或る『小倉日記』伝」の坂口委員評を読んだ人のなかには、氏の批評がその後の私の仕事を洞察した、慧眼におどろくが、私自身もときどき坂口氏の言葉が巫女の呪術のように聞こえることがある。

もし坂口安吾氏が生存なれば、ありがたい先輩として指導してもらえたであろうと思う。

牧逸馬の「実話」手法

1969.11

私がはじめて雑誌「新青年」で谷譲次の「上海された男」をよんだのは少年期から成人にかかる時期だった。某社の「新青年掲載作品目録」を見ると、谷譲次のこの作品は大正十四年四月号となっている。してみると私の十七歳のころである。筋は外国船の日本人下級船員が人買いに売られる話だったように思うが、そうした人買い誘拐を陰語で「上海される」というとはじめて知った。たった三十枚の短篇を四十三年後の今日まで記憶しているのは谷譲次の作品が新鮮だったためであるが、同時に十七歳から二十一、二歳ころまでの人間の頭脳がフレッシュだったからでもあろう。「テキサス無宿」もそのころに読んだ。

雑誌「大衆文学研究」(一九六七・二)に載っている尾崎秀樹・中島河太郎編の林不忘・牧逸馬・谷譲次執筆年譜を見ると大正十四年一月号の「新青年」に「ところどころ」を初載として毎月同誌を主力にして、ほかに「探偵文芸」「探偵趣味」などにいわゆるメリケンもの、「釘抜藤吉(くぎぬきとうきち)捕物覚書」の時代もの、現代探偵趣味のものを発表している。昭和二年から「サンデー毎日」「女性」といった他雑誌に作品が出てくるが、「中央公論」には早くもこの年五月号から「もだん・でかめろん」を連載している。これはメリケンもののショート・ストーリイで、才気縦横なところを見せている。その年十月から東京日日新聞に「大岡政談」を連載しはじめたのは毎日の城戸元亮に眼をつけられたからだというが、同じく中央公論社長嶋中雄作も牧の才能を買い、谷譲次の発見者「新青年」の森下雨村編集長に最敬礼して谷の執筆を譲りうけたといわれる。

森下雨村は翻訳者としても一家をなし、私がフレッチャーを知ったのは雨村訳からである。「探偵文芸」の主宰者は松本泰で、自ら翻訳もし、創作もしたが、少し時期が早すぎたかこの雑誌は間もなくつぶれた。夫人はオルツィ夫人の『紅はこべ』などを訳している松本恵子だが、恵子さんが若いころ英語学習雑誌に連載していた「ロンドン風物詩」(?)を私は愛読したものだ。若いときのこんな枝葉のことを書くのは私が老境に入った証拠である。

さて、長谷川海太郎は昭和二年のデビュー期から谷譲次、林不忘、牧逸馬の三人名を駆使して多作を開始しているのだが、こんな流行作家は空前であり、おそらく絶後であろう。

『世界怪奇実話』は「中央公論」昭和四年十月号から八年二月号まで連載されたが、これは牧逸馬作品の代表作である。いまでいうノン・フィクションの領域だが、これはおそらく牧の着想になるものであろう。「めりけんじゃっぷ」ものを書いてきた牧は、自分の体験の範囲内にあきたらず、もっと怪奇なもの、さらに異常な現実をノン・フィクションの世界に構築したかったのであろう。牧にその才能の下地があったからでもあるが、『大岡政談』や「念力女敵討」(「サンデー毎日」)のようなつくりごとを書いていると、事実の量感にあこがれるものである。

牧逸馬は「中央公論」を自分の檜舞台と考えていたのであろう。デビュー以来わずか三年足らずで大新聞に小説を連載し、しかもそれが好評というのはたいへんな幸運だ。が、やはり新進作家にとって新聞小説は本望ではない。牧が当時文壇のメッカの観のあった「中央公論」の嶋中社長からじきじきに連載を懇望されたときの歓びは十分に想像できる。嶋中は『もだん・でかめろん』の才筆で感心したというが、昭和三年の三月号の「中央公論」には牧の「さようなら――新世界巡礼予告」が出ている。

この予告からすると、牧逸馬は各国の見聞記を読物にした『踊る地平線』など一連のものを旅行目的としたようにもとれる。そして、ロンドンで材料あさりに古本屋に通ううちに『世界怪奇実話』の構想を得たようでもある。それとも、このほうが本来の目的で、『踊る地平線』などが付録だったのだろうか。まあ、そんな穿鑿(せんさく)はどうでもよい。とにかく帰国後にはじめた『踊る地平線』の連載が終るとすぐに『世界怪奇実話』の連載が開始されるという意欲ぶりである。もっとも前者は回顧的な意味はあっても今日からみると世界の事情が違うので色褪せている。しかし、後者は現在でも新鮮な生命をもっているのである。

さて、ロンドンに着いた牧逸馬夫妻は早速、古本屋漁りをはじめた。もともと牧はロンドンが好きだったが、彼が降っても照っても毎日通う本屋が一軒あった。それはロンドンでいちばん大きな古書店で、外国人がよく訪ねてくる。神田あたりと同じように、店の中は仄暗く、両側に本がぎっしり詰ったり積み上げられたりして、奥はたいそう深い。店主は白髪の老人だった。牧はそこで、殺人事件とか、行方不明人とか、牢破りとかいった本、しかも高価な本をどんどん買った。その金は嶋中社長が出したのだが、古本代が足りなくなると、牧の電報一本で嶋中は要求するだけ送金してきた。うらやましい話だが、それだけ嶋中は牧に賭けていたのであろう。

そのうち古書店のおやじがこんな犯罪ものばかり漁っている牧を日本から特派されてきた警察官だと思いこみ、奥から貴重な犯罪記録ものを次々と出すようになった（イギリス人は警視庁（スコットランド・ヤード）を自慢にし、警官を尊敬している）。牧はまた金が足りなくなると嶋中にお伺いの電報を打つ。翌日には嶋中から「全部買っておけ」という返電がきたりする。牧の感激や想うべしである。いよいよロンドンをはなれるとき、古書店の白髪主人が牧に古びた本を贈った。「あなたは犯罪の研究書をたくさん買ってくれた。しかし、一冊だけ落している。犯罪を根本的に解決する決め手になる本だ。これは永遠のベストセラーである」。呉れたのはぼろぼろになった革表紙の聖書だった（牧逸馬夫人の談話）。

さて、帰国した牧は資料の整理が終ると早速に執筆にとりかかった。発表は檜舞台、社長の全面的応援、新しい分野への意欲、年齢の若さと健康の好調子——これでいい作品ができなければ嘘だ、というのは素人の考えで、あまりに張り切りすぎたり、檜舞台の前にたじろいだりして、ノイローゼになる。それで駄目になった新進作家もないではない。いや、それほどでなくとも、作品というやつは資料の豊富や気分の充実とは関係なく出来不出来があるから、第一作が不評だと新人にとってスタートでの大きなつまずきとなる。

牧逸馬はそういうことはなかった。第一作から好評だった。嶋中雄作の知遇に応える意味もあって、牧も全力をこれに投入している。発表される作品ごとに読者の人気も高くなった。それまでの犯罪実話は低俗なものが多く、せいぜい新聞記事を安っぽく色づけしたような読みものだったが、牧はそのレベルをいっぺんに引きあげた。「中央公論」の読者層を意識してのことだが、また資料を外国の犯罪捜査や裁判の記録などに正確に拠ったこともインテリ読者層に迎えられたのである。といって、牧のは記録ものが陥りがちな、科学的だが退屈きわまりない内容にはけっしてなってなく、いずれも興味深い展開である。たとえば「運命のＳＯＳ」を見るとよく分る。これはタイタニック号のいろいろな関係海難記録を突き合わせ、その中から採るものは採って、「モザイック式に」（牧の言葉）構成している。時間の進行を輪切にし、あるいはタイタニック号の客室から、ロビーから、船長室から、無電室から、船底から、また、この豪華な巨船とすれ違う老朽貨物船の甲板から、その無電室から、というふうに作者は全知全能の神の如くあらゆる角度から筆をすすめ、刻一刻危機感をもりあげている。この世界一（当時）の巨大な客船が沈むとは信じなかったサロンの紳士が、船が氷山にふれたと聞いて「おい、給仕（スチュワード）、（氷を）ひとかけらぶっかいて来てくれ、此酒（こいつ）へ入れるんだ」と冗談をいっている場面は作者の機智だろうが、このユーモアが「ナイフが乾酪（チイズ）を切るように」氷山に船底を裂かれた船の恐怖をよけいに出している。貨物船のオペレーターとの喧嘩交信が「生と死を紙一重」の運命にしたという日常性のこわさが牧の描写で異常な効果をあげている。

それにしても厖大な資料をよくここまでまとめて駆使したものである。「浴槽の花嫁」も牧は裁判記録からとっているらしいが、それを枚数制約で原稿用紙ほぼ五十枚に仕上げている。三年前（昭四一・一一）に日本評論新社から『フェーマス・トライアルズ』という外国刑事裁判記録ものが出て、この「浴槽の花嫁」（G・スミス事件）をE・ワトソンという法廷弁護士が書いたものの翻訳が載っているが、訳文は約百二十枚である。読みくらべると、牧のは資料的にも内容に手を抜いていないからたいしたものだ。こういうものになると牧逸馬は一層生彩を放つ。

試みに、その両方の冒頭文章を見よう。

パーマー以後、英国における最も凶悪な犯罪者、ジョージ・ジョセフ・スミスは、一八七二年一月一一日、ペスナル・グリーン（ロンドン北東部）のローマン街九二番地に生れた。父はジョージ・トーマス・スミスといい、保険代理業者であった。母は、ルイザ・スミス、旧姓をギブスンといった。息子のスミスは、幼いときから犯罪癖を示し、僅か九歳の年に、グレイヴセンド感化院へ送られたようである。そこに、彼は十六歳までいた。

（「ジョージ・ジョセフ・スミス事件」古賀正義訳）

英国ブラックプウルの町を、新婚の夫婦らしい若い男女が、貸間を探して歩いていた。彼らが初めに見にはいった家は、部屋は気に入ったようすで、ことに女の方は大分気が動いたようだったが、風呂が付いていないと聞くと、男は、てんで問題にしないで、細君を促してさっさと出て行った。

（牧逸馬）

執筆の態度が違うから比較するのは無理だというのは当らない。前者も後者も物語（テールズ）ではないか。

なお、牧夫人から見せられた彼の蔵書のなかにL. C. Douthwaite "Mass Murder"（大量殺人）1928. というのが一冊あって、その中にスミス事件が入っている。牧が鉛筆で題名の上に印をつけているから、これが「浴槽の花嫁」の資料の一つになっているのはたしかだ。〔牧の〕文中の「When they're dead they're dead〔「死んだやつは、死んだやつさ」〕」は、この本の文句から抜いているが、書出しはまるでちがっている。興味を持たれる読者もあろうから、ついでにこの本から冒頭の十数行を引用する。

"Of the mass murderers of recent times, Smith is the one against whom a charge of mental derangement is most difficult to sustain. Beyond the egomania common to all habitual criminals, and the usual purblind confidence in immunity, he displayed none of the characteristics of his type."

（近時の大量殺人者たちの中で、スミスを精神錯乱者として立証することはたいへん困難である。あらゆる犯罪常習者に共通する狂的なエゴ、つまり自己だけが警察の逮捕から除外されるという盲信以外、彼はその型(タイプ)に、これといった特徴を目立たせなかった。）

私の直訳も拙いが、原文も硬い文章である。

牧逸馬の才能は題名のつけ方にもあらわれている。たとえば「新妻保険殺人事件」とするとミもフタもないが「浴槽の花嫁」とするとスマートで、エロチックでさえある。「戦雲を駆る女怪」「ロウモン街の自殺ホテル」「斧を持った夫人の像」「街を陰る死翼」など、現在もこれだけのユニークな題名をつける作家は少ない。「戦雲を駆る女怪」は、"War, Wine, Woman"というスパイものの本から材料をとっている。この原書に挟まれた牧の鉛筆書のメモによるとはじめ「三つのW」としたいらしかったが、これも悪い題ではない。一九六三年、私がロンドンに行ったとき、新聞広告で老嬢や未亡人をアパートに誘い寄せては「結婚」して殺し、その死体を壁の中に塗りこめる。ちょうど「浴槽の花嫁」とポーの「黒猫」といっしょにしたような犯罪が起っていた。私はそのアパートを見物に行ったが、牧逸馬が生きていたらこれを書くだろうになあ、と思ったものだ。惜しい人が早く死んだものである。

私が犯罪ドキュメントのようなものに興味をもち、旧作では「日光中宮祠事件」、最近では『アムステルダム運河殺人事件』のようなものを手がけるようになったのは牧逸馬の実話犯罪ものの影響である。

この巻は牧逸馬の代表作のみならず、林不忘、谷譲次を通じての代表作であり、『一人三人全集』の中から一つを択べといえば、私は躊躇なくこれを採る。

平野 謙

活字と肉声

1978.06

平野謙さんと伊藤整さんとを直接に知ったのは、文壇関係の交際の少ないわたしには普通からみて遅いほうである。なぜお二人の名をならべてここに出すかといえば伊藤さんの『純』文学は存在し得るか」(「群像」昭和三十六・十一)と、伊藤さん、平野さん、それに山本健吉さんを加えた座談会「純文学と大衆文学」(同 昭和三十六・十二)にわたしの小説について論じられているからである。

だが、それだけではなく、平野さんも伊藤さんも共通して謙遜な方で、非常に紳士であったということである。その紳士的な態度でも伊藤さんは洗練されていていわば都会的、平野さんは飾り気がなく、むしろぎごちないくらいの野人的という感じ(わたしの接した印象)をうけた。伊藤さんと会ったのが平野さんよりも早く、文藝春秋社の講演旅行ではいっしょに北陸地方を回った昭和三十五年の初夏だった。講演先の旅館で会場となった町の町長が酒に酔って長尻になったが、伊藤さんはあの柔和な笑顔で、いや、町長さん、それはですね、などと言って最後まで相手をつとめられた。わたしはその伊藤さんの様子に敬服していたから、あとで平野さんを知るようになって、それを思い出し、平野さんではとても伊藤さんのような世馴れた態度はできないだろうと考えた。立とうかどうしようかと眉に翳をつくりながらためらったのち、結局、我慢できずに失礼しますとぷいと立たれるのではなかろうか。

こう書くのは平野さんに対して実はわたしに申し訳ない経験があるからである。私事になるけれど、わたしの娘が成城大学に在学していたころ、近代文学について当時たしか時間講師だった平野さんの講義を受けていた。娘の話に平野先生は女子学生にたいへん人気があり、娘も先生のファンだという。新聞や雑誌などの写真で見る平野さんは苦味走った好男子で、女子学生の人気も名講義の上にそのことがプラスされているように思われた。その後、なにかの会合でお会いして、すでに卒業した娘のことをお話しすると、ああそうでしたかというようなことだった。そこまではいいのだが、娘の結婚式に、いなかもののわたしは平野さんに招待状を出してしまった。平野さんはさぞ迷惑だったと思うが出席してくださった。そうして三十分ばかりもすると、居づらそうに身体をもじもじされておられた（それが席を隔てたわたしによく見えたのは、平野さんの様子を遠くからじっと注視していたようである）が、やがて、平野さんはついと椅子を立つとわたしのところに来られて、用事があるのでこれで失礼しますと小さな声で言われて出て行かれた。平野さんに対してまったく心づかないことをしたとわたしは自分のうかつさを後悔したが、そのお詫びをしようと考えてはいたが、その後平野さんに何度も会っていながらつい言いそびれてしまった。伊藤さんとくらべた平野さんの人がらにたいする如上の想像の理由が長くなってしまったが、そういうしだいである。

　それも平野さんが照れ屋だからである。年齢こそ同じぐらいだが、ずっと後輩のわたしに平野さんはいつも丁寧な言葉で応じてくださった。ふつうは、そうですね、というところを平野さんは、そうでございますね、というふうに言われた。平野さんのふだんからの口調らしいが、こちらは恐縮する。

　恐縮といえば、わたしのまずい短篇集や推理小説のような本の解説を平野さんはよくひきうけてくださった。これはひとえに出版社を通じてわたしがお願いしたからで、それも平野さんが推理小説を読んでおられると聞いたためである。荒正人さんなど「近代文学」の人たちは戦時中書くこともないので探偵小説を読んでいたというのは知られすぎた話である。

　さて、その推理小説に縁のあることで、冒頭に出しかけた伊藤さんの『純』文学は存在し得るか」と平野さんと伊藤さんの座談会だが、いわゆる純文学変質論議のきっかけとなったこの「群像」所載のものをじつは当時わたしは読んでなく（わたしのことが言われているのは人から聞いていたが）こんどこの稿を書くについてゼロックスしてもらい、はじめて読んだのである。そうしてたいへんに興味深かった。ここはそれについてのわたしの意見でも感想でもないので、平野さんの活字での発言が座談会などで聞いた氏の肉声と重なってなつかしかったことだけをいう。

「純」文学と大衆小説の区別論議は今後もなお新しい形でつづくだろうが、平野さんの評論「純文学更生のために」の中に「大衆文学や中間小説などと対立的につかわれてきた純文学という概念が、一般に考えられているほど確固不動のものではなく、いわば歴史的なものにすぎない、という指摘を最初にしたのは、この私である。その提言は意外に物議をかもして、〔略〕なかでも高見順はいちばん強硬な反対論者としてたちあらわれ、純文学の攻撃者としての平野謙は文学史上もっとも悪質なデマゴーグだときめつけている」とあるのを読むと妙な気がする。高見さんの一オクターブ高い声（肉声もそうだったが）にもかかわらず、高見さん自身が残した「純」文学作品のほとんどなきにひとしいのを思い合わさないわけにはゆかないからである。この傾向はいまも他の一部の人についても変らないようにみえる。

「文芸批評家などという人種は、西欧文学の新手法の紹介と私小説の悪口だけでメシを食ってきたようなものだ」（「文芸雑誌の役割」）と平野さんは書いている。たしかに平野さんは文学理論では私小説のきびしい批判者だったが、それが文芸時評などになると、賞めるのは多く私小説であった。

平野さんとわたしとの座談会で、その疑問に対する平野さんの返事（「群像」昭和五十・二）。

平野　私自身のことにして話すとはばかり多いことになるから、たとえば中村光夫を例にとるとはっきりする。彼は私小説の否定論者です。しかし中村光夫が文芸時評をすると私小説を褒めざるを得ないということがある。

松本　それはどういうわけですか。

平野　さっきいったように文学は切り花や造花じゃない。根も葉もあるものとして文学はできあがらねばならぬとすれば、切り花みたいな、造花みたいなものよりこっちがましだということになる、その月々の文芸時評をする限りでは……。

その「根も葉も」の実体は何かと問うところまでゆかずに話は明治の文学のほうへ移ってしまっている。平野さんの「根も葉もあるもの」の意見は高見さんの「ヘソの緒のある小説」と同一線上のものだが、ヘソの緒でつながっている実体こそが問題なのである。

「こっちがましだということになる」ことから私小説、あるいはその衣裳を着せたものを書いていれば批評家にほめられる、悪い出来でも少くとも平均点はもらえるという一部作家の依頼心が「内向の世代」などという衰弱現象をつくり出して、批評家自身を困惑させているのではなかろうか、とつい余計なことまで思いが走るのである。

「文学がある転換期や危機に直面したとき、まず立ちかえらねばならぬのは母なる大地、アクチュアルな現実以外にない、というのが私の仮説の根拠にほかならない」(「純文学更生のために」)という平野さんの意見にはわたしもだいたい同感である。

と、こんなことを書いていては思わぬ長文になりそうなので、このへんでやめる。平野さんが病床に臥せられてから、二人きりでフリートーキングして平野さんの教示をもっと受けたかった。いちどお見舞を申し出たが身体の調子がよくないということでご遠慮した。その後、体調を復されたとき、講談社の中島和夫さんがわたしを呼んだらと氏におうかがいすると、氏は調子がよくなったからといって今度は来てくれとそんな勝手なことがいえるかと言われたそうである。平野さんの礼儀正しさが、最後にわたしには残念だった。

J・S・フレッチャー／E・C・ベントリー

1962.09

第一次大戦のあと二十年間は、推理小説の黄金時代といわれている。一九一四年に勃発し、一九一八年に終結した第一次世界大戦は、ホームズの系統を伝承するロマンティシズムの香りの高い旧式の探偵小説が、近代的なものに脱皮するためのひとつの大きな役割を果したともいえるのである。アメリカでは、事実上、一九二六年のヴァン・ダインの登場まで待たねばならなかったが、イギリスにおいては、一九一八年から一九二〇年代の初期にかけて、クロフツ、クリスティー、フィルポッツ、セイヤーズ、コール夫妻、バークリー、マクドナルド、ミルンなど、推理小説史上特筆すべき大家が輩出している。しかし、真に、この黄金時代の口火を切った作家は、本書におさめられた『ミドル・テンプルの殺人』のJ・S・フレッチャーと、『トレント最後の事件』のE・C・ベントリーの二人だといえると思う。この二人は、非常に対蹠的な存在ではあったが、それまでの古い型の推理小説を近代的なものに仕立てあげるため、大きな貢献を為しているのである。

どちらかといえば、フレッチャーの作風は、ホームズ時代の精神をそっくりそのままひきついだものであった。彼の作品の魅力は、幾重にもつつまれた謎のヴェールが、主人公の地味な捜査で次第にはがされて行く過程の面白さにあったが、これは、どこまでもロマンティシズムの時代の影響を多分に受けたものである。しかし、彼の場合、それまでの探偵小説によく現われたエキセントリックな人物を排除し、架空の絵そらごとであった推理小説に、現実感を吹きこんだ功績を買わねばならない。彼はシリーズものの主役探偵をあまり作らなかったけれど、それぞれの作中で活躍する主人公は、いずれも、非凡という形容詞を冠するにはほど遠い、ごくありふれた人間ばかりだった。『ミドル・テンプルの殺人』のスパーゴはもとより、『カートライト事件』の新聞記者や『チャリングクロス事件』の青年弁護士など、たいていの作品に出てくる主人公が、読者が往来でよく行き会うようなただの人間で、実在の刑事にくらべれば、問題にならない素人ばかりである、経験はもちろん、名探偵らしい推理眼も分析的頭脳も持ちあわせていない。ただただ、その事件に対する興味と正義感から、熱意と努力を持って、ひたすらに事件の核心を追及する。そこが、超人探偵の活躍する推理小説よりは、読者に親しみ深く感じさせる所以であろう。また、彼は、小説を書き出す以前に新聞記者をしていたこともあり、歴史や土俗方面の研究家でもあったところから、背景には、彼自身よく知っている場所をとりあげ、綿密な描写をしていることも、彼の作品の実在性を強める原因ともなっているのである。

フレッチャーの作風は、江戸川乱歩氏の分類に従えば、「非ゲーム派推理小説」ということになる。これは、推理小説を、犯人あてのできるゲーム派とそうでないものとにわけた場合の話だが、江戸川氏はフレッチャーに触れて、つぎのように書いている。

非ゲーム派推理小説の有力なものには、大ざっぱに云って二つの種類がある。その一つは、推理の資料となるデータ（手掛り）、殊に犯人を確定するに足る重要なデータが小説の半ばごろまでに提出されないで、ごく終りのほうになってはじめて出るために、出たかと思うとすぐ解決になり、挑戦の面白さを味わう余裕のないもの、また、探偵をわざと凡人にするために、データの思い違いなどが多く、読者は提出されたデータを不動のものとして信用し得ず、随ってゲーム興味の起り得ないもので、この型の推理小説は「ゲーム」「挑戦」「フェアー・プレイ」などをほとんど問題にしていないのである。

この型の代表的な作家はフレッチャーとクロフツであろう。ゲーム派の探偵は多く天才型であるのに反し、この非ゲーム派の探偵は凡人型である。（中略）また、この型の作品は、一概には云えないけれども、トリックの独創よりは、プロットの構成の面白さで優れたものが多い。クロフツはトリックにも独創があるが、フレッチャーなどは主としてプロットの曲折の妙味によって読ませる作風である。ここから、私は探偵小説をトリック型とプロット型に二大別することが出来るように考えている。トリック型の祖先はポーであるが、プロット型の方は、ディケンズ、コリンズ、グリーンなどの系統を受けついでいる。チェスタートンの作風はほとんど悉くトリック型に属し、ドイルの作風は半分以上がプロット型に属する、ドイルの作品の多くに犯罪の動機として過去の因縁話が出て来るのは、プロット型たる所以であろう。トリック型は謎解き小説の条件に最もよくかなっているが、手品の不自然さと子供らしさを免れず、プロット型は不目然が少く大人の読者の好みに合う代りに、謎解きの論理的興味は乏しいのである。

江戸川氏の文章の引用が長くなったが、これはまさに当を得た評言である。第二次大戦後、トリック型からプロット型に推理小説が移行している今日、この型の先駆者ともいうべきフレッチャーの最高傑作といわれる『ミドル・テンプルの殺人』は、再評価されてしかるべき作品といえる。

なお、フレッチャーの略歴だが、『二十世紀著述家辞典』ではつぎのように書いている。

Joseph Smith Fletcher（1863〜1935）

フレッチャーはイギリスの古代研究家、推理作家。ヨークシャー州ハリファクスの非国教派の僧侶の子として生れたが、八カ月にして孤児となり、同州ダーリントンに住む祖母に引きとられて育った。十八歳のときロンドンに出て、ジャーナリストを志し、はじめ薄給の編集助手を勤めたが、やがてフリーランスの文筆家となった。一八九〇年から一九〇〇年まで、Leads Mercuryという雑誌に匿名で、田園生活のスケッチの寄稿をつづけた。一八九二年、二十九歳のとき、「チャールス一世の王政時代」という歴史小説を出版したが、これは一九世紀イギリスの風習であったとても長い小説の、最後のひとつであった。

フレッチャーは詩、神学、伝記、地誌、歴史小説、ロマン小説、田園喜劇、短篇小説、そして推理小説と、非常に広い分野にわたって仕事をした。それらのうちで、世間には、推理小説家として最もよく知られている。彼は故郷ヨークシャー固有の詩を書き、ヨークシャーの歴史を書き、同地方の考古学、古代研究的な著述を数多く残した。全部で百冊以上の著書がある。

彼が探偵小説を書きはじめたとき、その古代研究の知識が非常に役に立った。そして、数年間は彼の探偵小説には大した反響もなかったが、一九一八年、アメリカ大統領ウッドロウ・ウィルスンがイギリス版の『ミドル・テンプルの殺人』を読んでほめたたえたので、それ以来、アメリカでもアルフレッド・A・ノップ社が、フレッチャーの作品のアメリカ版をつづけざまに出すようになった。彼の作品では、他に『チャリングクロス事件』がよく知られている。

当時、フレッチャーの多作ぶりはエドガー・ウォーレスに次ぐものであった。また、彼の作品はヨーロッパの十五カ国に訳され、中国語版まで出版されている。彼は非常に多作だったので、作品に出来不出来のあるのはまぬがれなかったが、探偵小説の発達にひとつの貢献をなしたことはたしかである。

しかし、フレッチャーの人気は、彼の死後、急速におとろえていった。彼の作り出した探偵たちはあまり印象的ではなかった。彼らには天才的、超人的なところがなく、事件解決の手口がイギリス風に克明なだけで常套をまぬがれなかった。フレッチャーは人物像を如実に描くということより、プロットの構成や小道具の使い方が巧みであったが、多作家だけに散歩していてひとつの長篇の筋を作ってしまうようなこともしばしばあったらしく、即興的な思いつきで書かれているような感じを読者に与える欠点もあった。彼は同時代の読者には大いに愛読されたが、より新しく、より優れた作家の出現によって、影が薄くなっていった。

以上が『二十世紀著述家辞典』のほとんど全文である。どうも後半が、ずいぶんフレッチャーに対して批判的であるが、それは、この文章を書いたと思われる推理小説の評論家、ハワード・ヘイクラフトがアメリカ人だからではないだろうか。元来、アメリカ人はイギリス風のセンテンスの長い文章を好まず、フレッチャーの作品も、ウィルスン大統領が『ミドル・テンプルの殺人』を激賞するまでは、アメリカ版は出版されていなかったくらいである。

しかし、わが国では、フレッチャーの作品はわりに歓迎されている。まず、大正十年から昭和二年にかけて刊行された博文館の探偵傑作叢書に、『ミドル・テンプルの殺人』が『謎の函』という題名で、加えられた。この翻訳は、後に（昭和四年）、博文館の世界探偵小説全集の一冊として『スパルゴの冒険』と改題されている。その際の森下雨村氏の後書に、同書が紹介されたころのいきさつが書かれているので、その一部をつぎに抜萃してみよう。

彼（フレッチャー）の名がはじめて日本に紹介されたのも、やはり『スパルゴの冒険』によってである。たしか大正十年の秋であったと思う。故井上十吉先生（英語学者）が、まだ英和大辞典の編纂に没頭しておられたころ、一日お訪ねすると、英国で大した評判だから取寄せてみたが、成程面白い小説だ、読んでみたまえと貸して下さったのが『スパルゴの冒険』（原名ミドル・テンプルの殺人）であった。さっそく読んでみると、たしかに面白い。それも今まで読みつけた推理や分析ずくめで少々肩のこる部類の作とはちがって、いかにも楽々と読めて、しかもどこまでも本格的な探偵小説であるのが嬉しくて、それから急にロンドンの古本屋へ註文してその作品を蒐めにかかるというほどフレッチャー贔屓になったものである。私ばかりでなく、故人となった小酒井博士も、私の翻訳を読んでこれまたフレッチャーが好きになり、私の手許にあったフ氏の作品を大半読んだばかりか、探偵小説に志す者は、その手法をよろしくフレッチャーに学ばなければならぬと云っていたほどである。

森下雨村氏は、このように、フレッチャーにほれこんでおられたので、その後も、改造社の世界大衆文学全集に、『ダイヤモンド』と『カートライト事件』の二作を訳されている。前者は、北インド産の六十三個のダイヤをめぐって、我慾につかれた人たちの身にふりかかった運命のいたずらをオムニバス風に書いたもので、フレッチャーの佳作のひとつである。

このほかに、わが国に訳されたものには、『チャリングクロス事件』(和気律次郎訳)、『ライチェスター事件』(森下雨村訳)、『戦慄の都』(朝倉英彦訳)、『弁護士町の怪事件』(高橋誠之訳)などがある。

なお、フレッチャーには、一九〇九年に発行された『アーチャー・ドウの冒険』や『犯罪研究家、ポール・キャンペンヘイ』(一九一八)、『バービカンの秘密』(一九二四)などの短篇集があり、その中のいくつかが「新青年」などに訳載されたけれども、フレッチャーは元来が長篇作家であったせいか、短篇にはあまり優れた作がないようだ。

ところで、わが国におけるフレッチャーの評価だが、戦前は前記のように、いくつもの佳作が紹介されたため、じっくりした味わいのある推理小説を好む人たちには相当にもてはやされていた。しかし、戦後は、戦時中のブランクをとり戻すため、新しい推理作家の作品を紹介するのに追われ、フレッチャーはほとんどかえりみられなかった。わずかに、『戦慄の都』というスリラーが再刊されただけである。それだけに、今回の『ミドル・テンプルの殺人』の新訳刊行は大いに有意義な仕事といえるだろう。

いっぽう、『トレント最後の事件』のほうは、ロマンティシズムの時代に書かれながら、近代派という新しい形容詞を付すにふさわしい最初の推理小説としての栄誉をになっている。

エドマンド・クレリヒュー・ベントリーは一八七五年七月十日、ロンドン郊外にあるシェファード・ブッシュの中流家庭の子として生れた。彼の父は大法官に所属する官吏だった。この大法官という官職は、他のヨーロッパ諸国では法務大臣に相当するものだという。彼の父方の先祖は完全なイングランド系であり、母方の先祖はすべてスコットランド系なので、その間に生れたベントリーはいわば生粋のイギリス人なのである。

中学校は聖パウル学院に入学した。同校はヘンリー八世の治世に聖パウル寺院の副監督をしていたコレットが創立したもので、ロンドンでも由緒ある伝統的な学校である。ここでベントリーは年来の親友となったG・K・チェスタートンとはじめて交りを結んだ。この時のことはチェスタートンの自叙伝"Autobiography"やベントリーの"Those Days"(一九四〇)などにくわしく描かれている。

一八九四年、ベントリーはオックスフォードのマートン・カレッジで歴史学の給費生になった。彼は「大学ではできる限りのことをやってみた」と書いている。いわば「大学とはいったいなんであるか?」ということが当時のベントリーの命題でもあったわけなのであろう。オックスフォードに在学中、ベントリーは競艇に興味を持っており、一年間ほど大学ボート・クラブのキャプテンを勤めていたが、とうとう大学クルーのメンバーにはなりそこねてしまったという。また、彼は雑誌を創刊したり、オックスフォード・ユニオン（オックスフォード在学生で組織された討論会で、後に国会に臨んだ場合の修練の場ともされている）の会長となったり、在学中は八面六臂の活躍をした。

オックスフォードを卒業後、法律の勉強をつづけ、一九一〇年、法学院から弁護士の資格を授与されたが、法律の仕事はわずか一年間しかつづかなかった。その時、誘いの手をのばして来たジャーナリズムの世界に走ったのである。まず、ベントリーは「デイリイ・ニューズ」紙編集スタッフの一員となった。なぜ彼が「デイリイ・ニューズ」を選んだかというと、同紙が当時のイギリス紙の中でも、南阿戦争に反対する急先鋒だったからだという。彼は自叙伝の中で、「私は自由と平和を熱愛していた――いや、現在でも熱愛しているのだ」と書いている。

一九一二年から一九三四年に隠退するまでの二十二年間、彼は保守派の「デイリイ・テレグラフ」紙の記者を勤め、外国政事記事を執筆していた（もっとも、一九三四年に隠退したとはいうものの、対独戦が酣わになってきた一九四〇年には前文芸主筆ハロルド・ニコルスンの後を受けて、現役に駆り出されている）。ベントリーの文筆生活は大学時代の同人雑誌に雑文や詩などを発表したことからはじまるのだが、彼は新聞記者時代にも、「パンチ」誌などのユーモア雑誌に諧謔詩や戯文などを寄稿していた。そして、一九〇五年に“Biography for Beginners”という諧謔詩集を初出版したが、親友のG・K・チェスタートンが挿絵を書いてくれたことと相俟って非常な好評を博した。同書はベントリーの洗礼名をとってE・クレリヒューという署名で出されたのだが、由来、同様の無定形の四行詩は一様にクレリヒュー〔有名人の名を必ず織り込む諷刺詩〕と呼ばれるようになったほどである。

ベントリーの自叙伝によれば、彼が推理小説の腹案を練りはじめたのは一九一〇年のことで、その動機は従来のものがおち込んでいる無味乾燥さと馬鹿馬鹿しさに対する意識的な反撥からだったという。また、ベントリーは自叙伝の中で、『トレント最後の事件』及びチェスタートンの『木曜日の男』にそれぞれ付されているデディケイションから、この『トレント最後の事件』がチェスタートンとの賭の結果執筆されたと思っている読者があるようだが、それは間違いであって、チェスタートンに激励されはしたものの、そのような賭はいっさいしたことがなかったと書いている。

ベントリーの数少い推理小説の中で最高の傑作といわれる『トレント最後の事件』は一九一三年三月、英米両国で同時出版されたが、それについては、つぎのようなエピソードが伝えられている。はじめ、ベントリーは主人公の名をフィリップ・ガスケットとし、その表題も『フィリップ・ガスケット最後の事件』とされていた。そして、その作品を書きあげると、ちょうどロンドンのある出版社で懸賞募集をしていた長篇小説コンテストに応募したのだが、みごとに落選してしまった。そこで、彼はこの失敗に落胆し、ほとんど発表を断念していたところ、一九一二年、ロンドンのある晩餐会の席上、たまたまアメリカの出版社センチュリー社の代表者と席を隣合せた機会に、『ガスケット最後の事件』のことを話してみると、それでは一度原稿を拝見しましょうということになり、結局、同社の手でニューヨークで出版されることになった。しかし、それには二つの註文がついていた。そのひとつは、主人公の名がガスケットでは読みにくいから、もっと短くやさしい名にしてほしいということで、ベントリーはさっそく現在のようなトレントという名に改めた。いまひとつの注文は、表題をもっと面白味のあるものにしてくれということだったので、結局『黒衣の女』"The Woman in Black"に改題したのである。

このように、アメリカでの出版の話がきまると、ベントリーは、これに力を得て自国での出版をも企て、友人の文学者ジョン・バッカンに原稿を見せたところ、バッカンは大いに感心して、出版の世話をすることになり、アメリカ版と同じ一九一三年にイギリス版も出版されることになった。イギリス版の表題は、最初から、『トレント最後の事件』であった。そして、アメリカの出版社も、やはり、『トレント最後の事件』のほうが題名としてよいと思ったのか、再版以後は、アメリカでも、この魅力ある題名で版を重ねている。

ところで、この「最後の」という形容詞だが、作者ベントリーは、なぜ、最初の作品にこのような題名をつけたのかときかれて、つぎのように答えている。「いそがしい新聞記者生活の合間に小説を書くのが、いかにむずかしいことであるかがわかったのだ。だから、もう二度と推理小説を書こうなどという気を起すまいという意味で『最後の』という形容詞を使った」という。なるほど、そういわれてみれば、第一作を発表してから、彼は新聞の仕事を隠退した後の一九三六年にワーナー・アレンと合作で、『トレント自身の事件』を発表するまで、短篇をいくつか書いているだけである。

この後、彼は一九三八年に短篇集『トレント乗り出す』を発刊し、それから長い間筆を休め、一九五〇年にトレントの登場しないスリラー長篇『象の仕事』を発表した。この長篇は、アメリカでは「恐怖」と改題されて出版されたが、いずれの国でもあまり問題にされなかったようである。やはり、最初の作『トレント最後の事件』の光彩があまりにも強すぎるため、それから後の作は色あせて見えるのだろう。

この作品について、作者であるベントリーは「『トレント最後の事件』は、推理小説というよりは推理小説を皮肉ったものだということに気づいた読者は少いようだ」と書いているが、作者の意図がどうあろうと、これが推理小説の歴史に残る佳作のひとつであることは誰もが認めるところである。その上、この作品には、ひとつの特色がある。それは、多くの本格ものに欠けている感情的要素がこの作には豊富にとり入れられ、恋愛推理小説とでもいうような構成になっていることである。由来、本格ものには恋愛問題を導入することがタブーとされている。現に、ヴァン・ダインの推理小説の二十則には「物語に恋愛的な興味を加うべきではない。恋愛の導入は、純粋な知的操作を不必要な情緒によって混乱せしめる。当面の問題は、兇悪犯人を裁きの庭へ送りこむことにあって、失恋に泣く男女に結婚式場への道をひらくことにあるのではない」とはっきりいいきっているし、リン・ブロックの『ゴア大佐の推理』にしても、「時おり探偵の介入する恋愛小説」と銘打ったセイヤーズの『バスマンズ・ハニムーン』にしても、恋愛問題をからませたことで成功しているとはいいがたい。ところが、この『トレント最後の事件』は、主人公探偵の恋という難問題を扱って、これをうまく処理している。いや、それればかりでなく、トレントのマンダーソン夫人への恋心が描かれていてこそ、この一篇での意表外な解決への道が開かれるともいえる。恋愛問題が謎と論理の邪魔になるどころか、かえってそれを一層面白くしている点で、フィルポッツの『赤毛のレドメイン家』と共に稀有の作品ということができるのである。
なお、アメリカの推理小説評論家ハワード・ヘイクラフトはこの一篇をつぎのように評している。

『トレント最後事件』のプロットは非凡であり、とても巧妙に構成されている。探偵の推理過程は卓越したものだが、その結果下した結論が真実とはまったくかけはなれたものであったり、探偵に被疑者の女と恋をさせたりして、従来の推理小説の規則を完全に打ち破っている。そして、最後に判明する犯人の正体も、クリスティーの『アクロイド殺し』の場合と同じようにまったく意外なものだが、決してあのように論議の対象となるほどの奇策ではない。性格描写も、コリンズの『月長石』以来のすばらしいものである。

しかし、一言書いておかねばならぬことがある。それは、この作品の正確な価値判断を為す場合、ほかのすべての劃期的な作品と同じように、その歴史的観点に立ってしなければならないということだ。もちろん、この作品は、今日の非常に発達したものにくらべて決して遜色はありはしないのだが、そうかといって、華々しい才智あふれたものともいえないからである。だが、毒々しさが犯罪小説の表看板であった当時としては、かえって、この地味なところが、この作の特色でもあったわけなのだ。その時代の誇大な描写とは対蹠的な上品さや控えめなユーモアなどは、まさに霧中の燈火であったといえよう。このように判断してみてはじめていえることだが、『トレント最後の事件』こそ、近代的探偵小説の嚆矢(こうし)であり、探偵小説の偉大な里程標のひとつなのである。

右がヘイクラフトの批評の一部だが、この作は、一九一三年の発表以来、推理小説のベスト・テンとして、たいていの人が上位にあげている。わが国に紹介されたのは昭和七年のことで、延原謙氏が、当時英米の傑作長篇を毎号読みきりで掲載していた「探偵小説」という雑誌に『生ける死美人』という題名で訳載した。この雑誌は、昭和六年の九月から翌年の八月までわずか一年しかつづかなかったが、後半期に入ってから、エラリイ・クイーンのはじめての紹介である『和蘭陀靴の秘密』やA・E・W・メイスンの『矢の家』、ベントリーの『生ける死美人（トレント最後の事件）』、ミルンの『赤屋敷殺人事件』など、いずれもベスト・テン・クラスの傑作をつぎつぎと訳載して、当時の推理小説マニアには喜ばれたものである。

『トレント最後の事件』は、このあと、昭和十年に黒白書房から単行本として発刊されたが、それにひきつづいて、『トレント自身の事件』も春秋社から、昭和十二年に発行されている。しかし、このほうは、H・W・アレンという人との共著で、ベントリーとしても最初の作品に見せた情熱と覇気はもはやおとろえていたため、わが国でもあまり問題にされなかった。

いっぽう、彼の短篇は、戦前の「新青年」やその他の雑誌に大部分が訳載されている。本書におさめられた三篇はいずれも、短篇集『トレント乗り出す』の中の作品だが、「利口なおうむ」は、一九一四年に「ストランド」誌に発表されたトレントの短篇第一作として意義深いものである。「ほんものの陣羽織」は、一九四九年、エラリイ・クイーンが推理小説の識者十二人に、古今の推理小説のベスト十二を選んでもらった際、多くの評を獲得した佳作であり、「失踪した弁護士」も、いろいろの傑作集に何度も収録されている一篇で、この三つがベントリーの短篇の代表作といえよう。

なお、ベントリーは一九〇二年、N・E・ボアロー将軍の娘ヴァイオレットと結婚し、二人の息子をもうけたが一九五六年三月三十日、イギリスにおいて、八十歳の高齢で死んだ。年少の息子ニコラス・ベントリーは父の血を受けついでユーモア作家としても挿絵画家としても有名だが、現在では推理小説もいくつか書いている。

自叙伝の中で、彼E・C・ベントリーは、推理作家としてよりも、ユーモア作家として名を残したかった意向をもらしているが、その名は死後も、やはり、推理作家として人々の記憶に残りそうである。だが、これも名作『トレント最後の事件』の筆者としては止むを得ないことといえよう。イギリスの批評家ジョン・カーターの言葉を借りれば、彼こそ、たしかに、「近代推理小説の父」なのである。

ジョルジュ・シムノン

メグレ文学散歩

1986.01

いまのパリと「メグレのパリ」と大きく変わっている。街がきれいになりすぎたとメグレ・ファンの案内人も言った。小説で得たわたしのイメージとも違う。昼間歩いたせいもあるが、シムノンの描く暗い、じめじめした、人生の疲労と淫猥とチンピラどもがハエのように動きまわる汚濁の中のメランコリーはどこにも見られない。

去年は北ノルマンディを回った。シムノンは自分が一時住んだこともあって、カーンのあたりをよく舞台にするが（『霧の港』）、いまのカーンは近代工業都市で貨物船の代わりにタンカーが入港する。変わらないのはドーヴィルのカジノあたりくらいだろう（『メグレと賭博師の死』）。メグレに出てくるフェカンはいまでも港町である（『怪盗レトン』、『港の酒場で』）。周知のようにここはモーパッサンの生まれたところで、『メーゾン・テリエ〔テリエ館(かん)〕』の舞台となった面影は山側に残っている。

パリ警視庁のあるシテ島（メグレの言う「シマ」）から北へ二キロばかりのサン・マルタン運河

(『メグレと首無し死体』)は、いまは水が澄んでいて、ヘドロの下に首無し死体が沈んでいる設定とは年代の隔たりを思わせる。

水門はいまでもあってなつかしい。すぐ前が映画でも有名になった「北ホテル」。ここから北駅へ。メグレの事件お好みの場所の一つ(『怪盗レトン』)。北駅からモンマルトル麓のムーラン・ルージュに出る高架線のある通りは「金の雫(グット・ドール)」と名は優雅だが、モロッコなど北アフリカ系移民の街。フランス人の男でも裏通りをひとりでは歩けないという物騒な区域だが、メグレものにはあまり出てこないようだ。モンマルトルのサクレ・クール寺院へ行く坂道(ケーブルカーや石段の道のないほう)の区域(『モンマルトルのメグレ』)はわたしも好きで、「三人の修道士(トルワ・フレール)」通りは拙作にも使っている。それから北裏はブドウ畑の坂道(ユトリロの画で周知)とピカソなどが屯(たむろ)した「ラパン・アジル」がある。

メグレに出る通りはあっても、小説の舞台はたいてい路地の飲み屋だったり安アパートだったりするので、よそ者の「一日文学散歩」でそれらしい場所を求めることは不可能だ。

初老の伯爵がピストル自殺を遂げた。永年仕えた忠実な老メイドがいる。メグレが調べてみると、伯爵は自殺を企て瀕死の重傷でいるところをメイドに射殺されたとわかる。メイドの嫉妬か。そうではなかった。これなどはカトリックに通じていない読者には動機がわからない。外交官を辞めた伯爵は立派な邸宅に住んでいる(『メグレと老外交官の死』)。うらぶれた生活を描く作品の多い中では珍しいほうだろう。

メグレ夫人の生まれ故郷の訛りや地名が役立って事件解決に手がかりを与えることがしばしばで

ある。この夫婦の仲むつまじさが一部のファンに愛好され、一部には「人情話」のようにうけとられ、本格の味を稀薄にするという不満を呼ぶ。初期の作品はなべて秀作、あとになるほど平均点が下がるのは、多作の推理小説作家には宿命のようである。

シムノンは一九七〇年ごろに一度筆を折って、レマン湖畔のローザンヌで静養していた。わたしは七三年の五月、ここを通りがかりに同行の朝日新聞の秋山康男君に電話してもらった。アポイントメントをとってないこともあったが、「私は執筆をやめて普通の人間になったのでお話しすることは何もありません」と面会を断られた。その後ふたたび筆を執っているが、「メグレ」の名誉のために「再起」しないほうがよかったように思う。

パリ北駅

レトンは国際的な詐欺師。クラカウ〔ポーランド〕からブレーメン、アムステルダム、ブリュッセルを経て、パリの北駅十一番ホームへ着くが、その時すでに殺されていた。にもかかわらず以後パリでレトンの暗躍がつづき、この謎の究明がメグレの課題となる（『怪盗レトン』）。

北駅はその後背地の関係から、東京ならば上野駅を思わせ、多くの庶民に哀歓のドラマの舞台を提供している。メグレものの事件のほとんどがパリ北半部で起こっているのは理由のないことではない。

パリ・モンパルナス～ヴァンセンヌ

『男の首』は、殺人が起こるのは郊外のサン・クルーだが、デュヴィヴィエの映画『モンパルナスの夜』でよく知られているように、ここが舞台となる。極貧の医学生ラデックは、知力には恃むところがあり、メグレを翻弄しようとして結局その人生経験に屈する。気どり屋のラデックはキャヴィアのサンドウィッチが好物で、そのため無銭飲食まであえてするが、「クーポール」〔カフェ〕にあらわれたときには百フラン札の束を持っていた。ここでラデックはメグレから痛棒をくらう。
ヴァンセンヌの森にある競馬場へも行ってみた。『メグレと殺人者たち』に、ここでまちがって捨てられた当たり馬券を物色する癖を出したばかりに殺される男が出てくる。競馬場は森閑としていた。これはシーズンでなかった故で、今昔とは関係がない。スタンドへは入れなかったので、特に請うて繫駕(けいが)のさまを演じてもらった。ここで行なわれるのは繫駕レースなのである。

モンテカルロ～ドーヴィル

メグレのすべてを読んだわけではないが、特に初期の作品には夜霧のように立ちこめる哀愁の雰囲気を透してあきらかな推理小説の骨格が見られる。それをあらわにはしないのがシムノンの作風なのではないか。『メグレと賭博師の死』に出てくる賭博師は、あちこちのカジノでルーレットのデータを集め確率によって勝ち目を予想する天才となっているが、わたしがモンテカルロで会ったカジノの幹部は、そんなことは考えられない、ある程度の「確率」はあっても、それはどこまでも「偶然」で、確率主義で賭博師渡世はできぬといっていた。

1986.05

愛欲を包む霧

シムノンの推理小説には奇想天外なトリックもなければ、「密室」も「時刻表のアリバイ」も出てこない。その点、アガサ・クリスティー作品のような「本格派」ではない。

犯罪の動機にしても、遺産争いとか、組織内の権力闘争とか、それに伴う復讐といったものはない。サスペンスでも心理的なものである。

彼が好む犯罪の動機は、ほとんどが男女の愛慾に発している。それも富裕階級のものは少なく、多くは小市民である。そこには追い詰められた者のやりきれない虚無感、絶望感が漂う。

その舞台はパリの裏通り、安酒場、アイマイ宿、貧民窟、安アパートなどである。登場人物も下級船員、うらぶれた下積みの老朽勤め人、店員、娼婦、売春宿のおかみ、路地奥のいかがわしいバーのマダムなどといったところだ。

パリの石だたみの裏通りも、陋巷（ろうこう）も、安ホテルも、運河も、シムノンは霧の詩情に包んで描く。マロニエの枯れ葉が道路に落ちて、その上を小雨が降りそそいでいるといった詩情である。この哀愁は、愛慾に身を落としてゆく登場人物の心理に注がれている。

北ノルマンディ地方は英仏海峡に臨んで霧の深いところ。夜霧の中を港に入ってくる貨物船の描写などは、その赤い信号灯が水路を進んでいるのが眼に見えるようである。シムノンはこの地方が好きで、しばらくカーンで暮らしたことがあるという。この地方のフェカンはシムノンも小説に使っているが、周知のようにモーパッサンが生まれたところで、彼はここを舞台に『テリエ館（かん）』などを書いている。モーパッサンの描く愛慾群像からシムノンは影響を受けたかもしれない。

メグレ警視は愛妻と二人でアパート暮らし。この妻が日本人のように世話女房。が、ひとたびメグレの言う「シマ」（〔セーヌ川の中洲〕シテ島。パリ警視庁があるので、転じて警視庁の意味）から事件発生の電話がかかると彼は現場へ飛び出して行き、夕食準備のメグレ夫人はかなしげな顔をする。その現場も貴族や富豪の邸ではない。ヘドロが溜まる水底から浮き上がる男の首なし死体のサン・マルタン運河だったり、アイマイ宿の前で射殺された男客死体が横たわる路上だったりである。

それらの犯罪は、環境からしても市井の「痴情」として片づけられそうなものばかりだが、シムノン描くところのものは女の性の業である。とりあげるのは、中年女が多く、若い女性は少ない。ひと口にいって、シムノン作品の特徴は、絶望的な女の性を、暗鬱なパリの叙情にくるんで見せるところにあると思う。

わたしは彼の初期の作品『黄色い犬』いらいの愛読者である。先年、わたしは北ノルマンディ地方へ行った機会に、ドーヴィルの町（『メグレと賭博師の死』）やカーン市（『霧の港』）やフェカンの町（『港の酒場で』）を歩きまわった。

パリにそうたびたび行くわけではないが、街を通るときに、小説の舞台が近いとそこへ立ち寄ることがある。パリの街もメグレが活躍していたころとはすっかり変わって、きれいになっている。だが、たとえサン・マルタン運河が公園化されようと、「北ホテル」のある付近の猥雑な裏通りにうごめく人生の疲労といった小説からのイメージは消えない。

これは「北駅」が近代建築になっていようと、そこを舞台とした犯罪（『怪盗レトン』）が蒼然とあぶり出されてくるのと同じである。またモンマルトルに観光バスが入ろうと、メグレの姿（『モンマルトルのメグレ』）がチンピラどもの集まるカッフェの中にまじっていることに変わりはないのである。

たいていの推理小説は、とくにトリックを主体としたものは、再読に堪えない。シムノン作品が例外なのは、風物詩があるからであろう。

III

新しい推理小説——生まれよ本格派

1966.12

推理小説といっても、現在は二つの型に分けられる。一つは、いわゆる謎ときを中心とするものと、あとの一つは必ずしも謎ときが本意ではなく、小説の構成上、推理小説的な手法を使っているものとである。

前者は昔ながらの探偵小説の性格を頑固にうけついでゆこうとする、いわゆる本格派である。後者は、その規則（本格ものには規則がある）の窮屈から脱して、自由な手法を求めたもので、戦前、江戸川乱歩などはこれを「変格」派と呼んでいた。謎ときよりも、ミステリー・スリラーの味である。そして、現在の推理小説はこのほうが圧倒的に多い。

むろん、乱歩のいった「変格派」のころとはその内容も質も今は異なっている。戦後、従来の本格ものが、動機、生活、心理などの描写が現実からはなれすぎていることに不満が起こり、新しい性格がつくられた。推理小説に今までなかった「社会性」が付与され、文章などもよくなったように思う。これが読書界に迎えられて、推理小説ブームといわれた時期も出現した。

すでに「社会性」を与えられたとなると、そのテーマは、社会の矛盾、政治の腐敗といった組織面や、現実の個人生活にある暗い部分、悪徳やセックスといった風俗面にひろがってゆく。こうなると、題材に重点がかかって、謎ときの味はもとより、スリラー性もミステリー性も稀薄になってくる。推理小説がつまらなくなった、という声は、こういうところから生じた。

だが、一方では〝社会小説〟や〝風俗小説〟などの分野に推理小説が食い込んだかたちで、逆にいえば、普通の小説作家でも推理小説の手法をどこかに使用せざるを得ないような現象にもなった。何となく物語がはじまり、何となく終わるといった調子の、平板で、退屈で、わがままな作品では読者が満足しなくなったのである。このような意味で、一時のころの〝推理小説ブーム〟はなくなったかもしれないが、いまだに推理小説は中間小説雑誌に例月のように大きなスペースを得ている。一時のブームの半分は、ジャーナリズムがつくりあげたアダ花であった。

しかし、このへんで推理小説も本来の性格をとり返さなければならない。探偵小説の本題だったポーやドイル以来の本格にかえったものが要求される。それにこたえるものが出なければならぬ。推理小説的に味つけされた社会的なものや、風俗的な「推理小説」はこのへんで分離し、独立してもらい、推理小説といえば、本格ものという観念にしたいものである。

本格ものといっても、戦前の探偵小説に戻れというのではない。また、戻れるものでもない。戦後の作風の長所を矛盾とした、新しい発展が考えられよう。作品技術の水準も全体的に上がってきたことだし、ユニークな感覚による視点や着想もあるはずである。

とはいっても、「本格」は書くのにむずかしい。現在、海外の本格推理小説が低調なのを見てもわかる。トリックも、着想もほとんど先人によって出し尽くされた感がある。

だが、困難にひるんではならない。困難だから、やりがいがあるともいえる。先人のトリックにしても前に見本があったわけではない。各人が創造したことなのである。今は、十九世紀末から二十世紀前半の時代とはくらべものにならないくらい複雑な世の中となり、組織と個人生活とがからみ合っている。科学や応用化学の発達で、文明の利器が次々と開発され、われわれの生活になだれこんできている。本格ものの創造には、こと欠かさぬはずである。そうすると、これは適当な言葉ではないが、「ネオ・本格」といったものが今後出現すると思うのである。私はこれを若い作家に期待したい。

今度、読売新聞社が「新本格推理小説」という書きおろしものを各作家に依頼した。最近、その第一回の作品が世に問われたが、こうしたことも現在の第一線作家の意欲を反映しているのである。

新本格推理小説全集に寄せて

1966.12

推理小説は昭和三十四、五年から爆発的な流行をみせた。これは、その少し前から海外の推理小説の翻訳ものが読者に迎えられていたことも下地になっていたのだが、それまでの普通の小説が、とかく、単調、難渋、平板に陥っていたことにもいくらか関係があるのであろう。読者は面白い小説に飢えていたともいえる。以前から推理小説の読者は知識人だったが、今度は同時に、新しく婦人層をも加えた。

その期の推理小説を考えると、傾向的には社会派、風俗派に分けられ、社会派を細分すれば、組織を主体とした、たとえば政、財界の内幕的なものや、汚職事件などがとりあげられ、また個人生活と組織とのつながりも題材となった。これは、文壇で組織と人間とが論じられたころに大体一致する。

風俗派のそれは当然に市井の暗黒面や恋愛、愛欲の姿が材料になった。アメリカのハードボイルドを下敷にしたものは街の暗黒面を描くのに役立ったし、男女の愛を描写するにも推理小説的手法が在来の平板な小説より新鮮味を与えた。

こうしてみると、推理小説はあらゆる小説の題材分野を吸収していたことになる。その一分野によって個別化していたそれまでの普通の小説題材を推理小説は綜合結集したともいえる。それから、その描写にしても、何となくはじまって何となく終るというような普通の小説と違って、とにかく設計された構成が存在していた。普通の小説だと、書きながら途中でいくらでも構想が変えられるが、推理小説ではそうはゆかない。伏線を縦横に引き、その伏線を最後に全部生かして一つの焦点に方向集中しなければならないからである。推理小説の読者は、伏線を絶えず気にしているのだ。

ジャーナリズムは読者の傾向に常に敏感である。当時の推理小説ブームの半分はジャーナリズムがつくったようなものである。雑誌「宝石」を編集していた江戸川乱歩が普通の小説作家に推理小説を依頼して回ったことなどもあって、途中からこの分野に参加する作家、新人群の出現など、推理小説は満開のお花畑の観を呈した。文壇小説さえ推理小説的手法を用いるのが流行した。

しかし、正直にいって、この時期に推理小説はその本来のあるべき性格を失いつつあった。その理由の一つは題材主義に倚りかかりすぎたためであり、一つはジャーナリズムが多作品を要求したため不適格な作品が推理小説の名において横行したことであり、もう一つは、その結果、推理作家自体の衰弱を来したことである。これは反省すべきことであった。推理小説本来の興味は、アラン・ポーのデュパンもの以来、「謎」が伝統であった。「知恵の闘い」（木々高太郎説）なのである。その意味では佳作がそうむやみと出るはずはなく、昭和三十四、五年から数年までのブームは空洞だったともいえる。あれは当時のジャーナリズムが半分ふくらました幻のブームで、現在の状態が普通である。いまさらジャーナリズムが「ブームの衰退」を云うのはおかしい。今や推理小説は本来の性格に還らなければならない。社会派、風俗派はその得た場所に独立すべきである。本格は本格に還れ、である。

しかし、ここまできた推理小説の形式・内容が、戦前のそれにもどるべくもない。社会派・風俗派の通過は、ある意味において推理小説の視野をひろげ、対象を掘り下げ、程度を高めた。技術も前進させたと思っている。現時点から本格ものに還るということは、以上の基礎に立ったものであり、それからの新しい発展である。その意味で、わたしはさきに「ネオ・本格」という言葉を口走ったけれど、このシリーズでは「新本格推理小説」となっている。

およそ文学上の一つの発展には、作家によるグループ的な活動が必要である。それには有能な作家の参加が不可欠なことはいうまでもない。

幸いに読売新聞社がこの趣旨に副って新企画を打出した。いくら文学運動だといっても与えられる場がなければ手も足も出ない。わたしたちは欣然としてこの企画に参加することになった。執筆陣はこの書下しに異常な情熱を燃やしている。推理小説本来の姿は、雑誌に輪切りにして発表される連載ものではなく、書下しの封切版にある。本格物はそうでなければならぬ。読者は、雑誌の上では一字もお目にかからなかった書下し小説を、心ゆくまで愉しまれるに違いない。

わたしは、執筆者諸氏より年齢的にいささか先輩である故に、監修という役目をつとめることになった。その選択はわたしの責任による。顔ぶれにおいて、間違いない作家ばかりである。しかし、もちろん、ほかにすぐれた作家もあることだし、もし、第二の企画があればぜひ次の陣列に加ってもらうことにする。

なにしろ、封切版だからわたしもゲラ刷をよむのがたのしみである。ただ、監修の責任上、各作品については前もって大体の構想について作家から聞いて意見も出している。ゲラを読んでも不審な点はダメを出して、読者への責を果すつもりである。

推理小説と旅

1967.04

小説の多くは東京が舞台となっている。これは多数の作家が東京に居住しているので自然とそうなるのだろうが、これでは新鮮さに欠ける。といって、小説の設定自体の制約でむやみと地方にひろげるわけにはゆかない。推理小説の場合、簡単に割切っていえば、犯人と探偵との追っかけっこである。犯人が地方に逃げたり、地方に犯罪が発生したりすると、それが東京と関連があれば、登場人物の行動範囲は全国的にいくらでもひろがる。必然性があれば海外にも舞台を伸ばすことができる。ここに、推理小説と旅との関連が生れてくる。

旅の魅力は未知の土地を踏むことである。あくせくした現実生活から一時的に避難して、まだ見ぬ土地や、知らぬ人々に接するよろこびである。自身がストレンジャーとなって、小さな孤独感と、小さな冒険への期待にひたるたのしみである。芭蕉が『野ざらし紀行』や『奥の細道』の序文に書いたスリリングな気持は現代人の心にも残っている。これが推理小説の雰囲気とどこか融け合うところがある。

私が雑誌「旅」に『点と線』を書くとき、舞台を博多近くの香椎と東京とに結んだ。べつに香椎でなくてもよかったのだが、私がその土地をよく知っていたのと、そこが『万葉集』にうたわれているので出してみたかったのである。その限りでは北九州は私にとって旅ではない。大体、旅とは東京の人間からいって地方と同意語の場合が多いが、地方在住の人にとっては東京が旅先であろう。作家でいえば火野葦平氏は北九州が「中央」で東京は旅先だった。

『点と線』はクロフツを読んだことが影響している。アリバイ崩しは、犯人が犯罪現場にいなかったという不可能事の工作に重点がおかれるから、現場と犯人の位置の距離は遠いほどよい。この距離の遠さが旅になるのである。クロフツの魅力はそのトリックよりも背景にあることが多い。『樽』ではドーバー海峡を隔ててイギリスとフランスが舞台となり、『マギル卿最後の旅』ではイギリス北部の寂しい地方が背景となっている。古いところでは、シャーロック・ホームズは依頼者の要求でロンドンから英国の田舎にたびたび出かける。もっとも、ホームズによると、絵心の無い者でも思わず絵を描きたくなるような田舎の風景に接しても、その人家の少ないことがかえって犯罪の露見を困難にするといった感想を述べるのだが。

先年、私もロンドンに数日滞在して田舎に出かけたが、小説の上でなじんだ地名をいたるところに見てなつかしかった。日本の小説の場合も、読者はそういう機会を各地で持つ。しかし、小説の旅の魅力はやはり読む者が実際にそこを訪れる機会がなく、その文章から土地の風景を想像するところにある。たとえば、時刻表の駅名を見ただけでも、その未知の土地の風景に空想を走らせる人もあろう。

私の場合、早くから能登半島があこがれの土地であった。これは九州に育ったせいで、北方に惹かれるのである。『ゼロの焦点』は、はじめからそういう気持で書いた。また海から遠い山国という理由で信州や甲州も好きで、この辺も私は小説によく書いた。

旅はそのイメージが大切である。印象が強烈なのは最初の旅で二回目に同じ土地を訪れるとがっかりすることが多い。印象も全く異なったものになってくる。それで、私はこの場所を小説の中に取入れるとしても、いわゆる実地調査には行かないことにしている。はじめの印象がこわされるのをおそれるからだ。第一印象から作品の雰囲気がつくられ、プロットが決定するとなると、二回目の訪問による失望が書く意欲さえ失わせてしまうのである。この失望の経験は旅行者の誰もが持合わせていることだろう。

それで、後で実際に小説を書く場合、地形などは地図によってたしかめるが、その際、五万分の一の地図は最も有益である。だが、再度の実地調査をしないために細部で多少のズレが起る。しかし、それでも、私は最初のイメージを大切にするため二度目の取材訪問はしないようにしている。

旅行の愉しみの一つはその地方の風習や方言に接することだろう。ことに昔から伝わっている祭事や習俗は郷土色を強く出している。私は自作の『時間の習俗』では九州門司の和布刈（めかり）の神事を取入れた。これは謡曲にもあるが、毎年旧暦元旦の未明に神官が海底からワカメを刈って神前に供える行事で、この神がワダツミ系であることが分る。しかし、ワカメを刈るというのは後世の変遷で、実際は仙台の塩竈（しおがま）神社のように、海水を煮て塩を採っていたのがもとの意味に違いない。こうした祭礼は月日がきまっているので、アリバイ工作には使いやすいのである。また、方言としては出雲地方の一部が東北弁と似ていることから東京を中心にして東西の錯覚を起させる『砂の器』も書いた。この舞台は出雲の亀嵩（かめだけ）地方である。近ごろは方言が世間の関心をひいて、NHK出版の『全国方言資料』もかなり売れていると聞くが、これなども従来の民俗学の立場だけでなく、旅ブームと無関係ではない。

しかし、交通の発達とスピード化は急速に日本から旅を失わせつつある。どんな僻地でもバスが走り、新幹線で東京・大阪間が日帰り出来、列車の本数がやたらと増え、東京・北海道、東京・福岡間はジェット機でそれぞれ一時間半、また、八丈島、佐渡、隠岐、五島列島、奄美大島などの離島には本土から三、四十分くらいで飛行機が行く。そうなれば、もはや、旅の感覚、たとえば、はるかにも来つるものかな、といった感慨は無くなってしまう。長い時日と不便とを忍んで行ってこそ旅の哀歓が生れるのである。推理小説の中の旅もそれだけ感興が少なくなったといえるだろう。列車のダイヤによるアリバイつくりにしても、こう本数が増えては不可能事の幅が次第にせばまってくる。日本の推理小説の旅も、今後は海外ものが次第に多くなってくるに違いない。

推理小説の凝集を

1970.04

推理小説も以前からみると、ずいぶん多様化した。この多様化が拡散状況になったのは残念である。やはり推理小説としての純粋性は確保したい。この純粋性とは、独創性なしには考えられない。だが、推理小説は、そのアイデア、とくに同じトリックを二度と使えないといううきびしさをもっている。それゆえに読まれるのである。作家はどんなに苦しくとも、この冷酷性に耐えなければならない。純粋性を保つには、この苦行も仕方がない。

それからすると、普通の小説はその制約がないから気楽にみえる。同じテーマを繰返すことによって、それが「深化」のように一部にはうけとられる（ことに私小説はそうである）。推理小説でそんなことをやったら、たちまち破滅するだろう。これは小説の性格や成立が違うのだからやむを得ない。推理小説を書くとき、ときとして右の苦しさに負けて普通の小説の「気楽な」手法に逃亡しようとすることがある。それは自壊作用にほかならない。一度や二度はごまかせるが、三度目からは用をなさないだろう。

その苦しさのあまりか、最近、ヴァン・ダインなどの、いわゆる「十則」を時代おくれのものとして否定しようとする声も聞く。しかし、あれらの規則は、最少限の制約であって、あれをはずしたら推理小説の純粋性はなくなる。多少の修正は認めるけれど、大きな変更はできない。どんなに時代がすすんでも、根本の法則に変りはない。もともと推理小説は、きびしいルールのもとに書かれているから意味があり、面白いのである。

これまでの推理小説は拡散の時代だった。これからは凝集の時代であろう。いうまでもなく凝集というのは内容のことであって、題材の萎縮を意味しない。それどころか題材は社会のひろがりと共に広範囲にある。表面的ではなく、そこに今までにない新発見がありそうである。

外国を舞台にする小説がだんだんふえてきた。それほど妙でもなく、不自然でもない。情報化時代で、外国のことがよく分るようになったのと、海外旅行が多くなったせいもある。しかし、まだまだ国内を舞台にするようなわけには参らぬ。現在はまだその過渡期であろうが、やがて日本の僻地を書くような親しさがもてるようになるかもしれない。

推理小説を江戸時代にもってゆくと、必ずといっていいほど「捕物帳」になってくる。これを現代ふうな書き方でもできるような気がする。べつに岡っ引を主人公に出す必要はなさそうだ。新風が生れるとすれば、時代ものに可能性がありそうである。それも、荒唐無稽な背景ではなく、ある程度の事実性（史実のことではない）をもったほうがいい。『日本随筆大成』の中には、リアリティのある背景がいっぱいある。

推理小説年鑑序文

一九六四

戦後とみに活況を呈した日本の推理小説は、いちじるしく水準を高めた。しかも在来の推理小説の概念にとらわれず、いずれの作家も視野を拡げ、手法をこらして、新らしい領域の開拓につとめている。

戦後間もなく創立された日本探偵作家クラブは、昨年社団法人組織に改められ、日本推理作家協会と名づけられた。わが国のミステリーに関心を寄せるものがうって一丸となり、さらに一層の斯界の向上発展を意図したからに他ならない。

協会の事業としては従来のものを継承する他、新鮮な企画を練っている。本書はその継承事業の一であるが、一九四八年版の刊行以来すでに十五年、二十一巻を数えている。その間推理小説界の隆替はあったが、本書が不断の支持を得ているのは、毎年斯界の情況を通覧するのに便利であるばかりでなく、その精選された内容への信頼にもよるのであろう。

世上には各種の年鑑があり、また文芸の各分野において傑作集が編まれている。本書は年間の各種記録を収めるとともに、短篇の秀作を掲げ、いわば年鑑と傑作集を兼ねた点に特色がある。本書が正確な題名を「推理小説年鑑」といい、カバーに「推理小説ベスト24」とうたって、故意に統一をはからなかったのは、この事情に基づいている。いうまでもなく推理小説界の趨勢を察しようとすれば、長篇単行本と併読しなければならないが、諸雑誌におびただしく掲載された短篇を渉猟することは容易でない。

いまここに一九六三年の業績を収録するに当って、例年のことながら苦心した。年々新作家が登場し、豊富な作風を加えつつある現在、ある数に限定することはなかなか困難であった。しかしこの二巻に収められた二十数篇は、昨年度活躍した作家のいわば短篇代表作ともいうべきものである。

推理小説界が曲り角にさしかかったという声が聞かれないでもないが、推理小説的技法は他の分野に浸潤し、ジャーナリズムに強固な地歩を築いている。果してある局面に直面しているかどうか、この代表作集と長篇とについて、昨年度の成果を検討してほしい。

一九七〇

この年鑑を出すたびに思うことだが、推理小説の技術はたしかに向上している。一時期、いわゆるブームがあったときは、だれでもかれでも、というのは言いすぎかもしれないが、とにかくそれを得意としない人までも推理小説を手がけていた。そのための玉石混淆が相当にあったことは否めない。いま、それらは洗い出されて真にその素質のある作家だけが残った感じである。その上に新進作家群の擡頭がある。

私は、日本の推理小説は外国ものに決してヒケはとらないと思っている。ことに現在は外国でもいい作家が生れなくなった。これをトリックの欠乏だとか、アィデアの貧弱だとかに帰していう人があるが、必しもそれだけでなく、素質ある作家の減少によることが主因だと思う。作家にその素質さえあれば、トリックは独創されるものである。すでにトリックが尽きたというのは外からの性急な観察であって、既製の着想やトリックがそのすべてではない。才能があればいくらでも創造ができる。

推理小説の風俗小説化がいわれて久しいが、アクチュアルなものを扱う以上、「風俗」はやむを得ないが、本末顚倒のあった点は率直に反省の要がある。推理小説の純粋性を維持するには作家は苦しみにも耐えなければならない。それは普通の小説の作家よりもずっと苦業を強いられるが、そこにはまた苦難のよろこびもあろうというものだ。普通の小説を書いている作家のイージーさを見習ってはならぬ。作品性格の成立が根本的に違うのだということを自覚して、自己を凝視することである。

以上は仲間むけの言葉になったが、読者にむかってはわれわれの態度を語ったことになる。この集に収められた作品群は、少くともこの態度に沿ったものである。

一九七一

日本の推理小説は、世界の、とくに英米のものと比較して遜色がないばかりか、それよりもすぐれているという評を聞く。これはほめすぎかもしれないが、まんざらお世辞だけでもないような気もする。日本の推理小説は芸がこまかい。取材範囲もバラエティに富んでいる。こういう年鑑にして作品をならべてみると、それがよく分る。

推理小説の場合は、とくに言葉の障害を感じる。もし、日本語が、英語なみとはいえないまでも、せめてフランス語かドイツ語のように世界の読みやすい言葉だったら、あるいは欧米の読書界にもブームをまき起しているかもしれない。読者は自由に日本の著作の選択ができるからである。現在だと、まず外国語版に翻訳・出版という狭き門をくぐらねばならない。それがきわめて稀な機会なのである。日本語の不自由さという点で、推理小説はもっとも不運な目に遇っているといえる。

推理小説が読書界に定着した、堅実なブームであることに今年も変りはない。ジャーナリズムには推理小説の需要が欠かせぬものとなっている。そこから新人輩出の最近の傾向が見られる。作家は飽くまでも個の作業だが、ふしぎなもので、有力な新人が出ると、必ずといってもいいほど同僚の随伴があるようである。それが外からは一種の文学運動にもなって見える。そこに新しい波の興隆と活況が生じる。

推理小説の現象面では流行の変化はあっても、根本的にはあまり変らぬようである。それこそ意匠はさまざまあってよいので、今後も新しいものが出てくるだろう。が、日本人の好みとしては、やはり英国型のケレン味のないものが根底にあるのが迎えられるようである。これはわたしの感想だが。

『最新ミステリー選集』まえがき　1971.07

推理小説の題材が、あらゆる分野のものを吸収し得るために、逆に推理小説としての内容がそれらの分野の中に拡散して行ったかのような現象が一時期つづいた。それを見て、推理小説の崩壊とか衰微とかを言う気早な人たちもあった。だが、その現象はそれぞれの作家が多才のためであり、また一方ではマスコミからの要望のためでもあった。推理小説作家としての才能が枯渇しているどころか、ますます健在であることを、私を除いて、この選集が証明していると思う。

だが、右の一時期の状況は、推理小説の本道を守るものには歓迎すべきことではなかったのもたしかである。個々の作家の体質はともかくとして、推理小説と普通の小説とのボーダーラインが曖昧になるのはやはり反省を要しよう。私は前に推理小説はどんな書き方をしてもいいと言ったことがあるが、それはもちろん推理小説としての基本的な約束ごとの中でのことである。この約束ごととは、たとえば以前からいわれている「××十則」といった古典的な法則(ルール)(禁制的な拘束)のたぐいが含まれる。これは読者のためである。それを旧いといって不満に思う人があるかもしれないが、推理小説の法則とはもともと古典的なものなのである。その上に現代や未来のさまざまな世界が構築されてこそ生命があると思う。

推理小説は長編で読まなければ承知しない人があるが、それは偏見に近い考えであろう。推理小説は構成の巧妙つまり焦点の設定、伏線の効果的な配備、意図の明確さを、短編で、もっともよく特徴を発揮する。短いだけに緊密なのである。これもこの選集がよく証明しているであろう。

最近、有望な新人群の輩出があるが、こぞって推理小説の本格的な機能を活かそうと試みているのはよろこばしいことである。

推理小説の題材

1970.12

推理小説の題材といいましても、各人各様の特徴があると思います。ですから私は自分の場合についてお話ししたいと思います。

推理小説にはトリックがなくてはいけません。このトリックというものはその発明した人の独占物であって、他の人が真似をしたら独創性がないと非難を受ける。また本人も、一度発明したトリックを二度と使うことが許されないのです。普通の小説ですと、同じテーマを何回繰り返してもいいし、またそれがひとつの特徴になることもございますが、推理小説の場合はそれが絶対にできないわけです。推理小説を書く場合は、一作毎に新しいトリック、あるいはアイデアの独創性が要求されるわけです。ところが現状では、推理小説の原稿料は普通の小説よりも高いという状態にはなってはいないのです。そこで私はアイデア料というか、考案料とかいうものが要求されてもいいんじゃないかと思います。

このアイデアを考えるのが並大抵のことではないのです。殊に雑誌には締切りというものがある。締切りが二カ月も三カ月も先だと、まあそのうちになんとか案が浮ぶであろうと思って安請合いをいたしますと、とんでもないことになります。締切り間際になっても、いいアイデアが浮ばない、トリックが作れないという時の作者の苦しみというものは、もう耳から血が出るくらいに苦しいのであります。そういうことをお考えになって、みなさんも畳の上で寝転がって推理小説をお読みにならないで、姿勢を正してお読み下さるようお願いしたいと思います(笑)。

さて、推理小説には二通りの形式がございます。一つは、たとえば殺人事件がおこります。犯人は誰だろうということで、名探偵が現われまして、犯人の遺していった遺留品だとか、足取りだとかを蒐集する。そして、幾つかの手掛かりを拾い出し、つなぎ合わせて、推理を働かして、ついに犯人を発見するというパターンであります。もう一つは、犯人ははじめからわかっている。けれども、いかにして自分の犯跡をくらまそうかと犯人はいろいろなトリックを考える。アリバイを作ったり、他人に真犯人の濡れ衣を着せたり、または捜査員がヘマなことをやるように、とんでもない方向に犯人の姿を求めさせるようにする。犯人は罪を逃れるために苦心惨憺する。それを捜査陣がつき崩していくという筋道の面白さがあるわけです。これは普通の探偵小説とは逆に、犯人を最初に出してからさかさまに書いていくことから「倒叙」と呼ばれています。

いずれがいいか悪いかは一概に申せませんが、人間性を書く上においては、倒叙の方が合っているのではないかと思います。と申しますのも、普通の推理小説の場合はどうしても謎を解明する道順に興味をとられ、人間性の描写が弱くなる。倒叙の場合は、犯人がはじめからわかっておりますので、犯行の動機とか、あるいはその逃れていく中に、心理描写ができます。

さて、私はどちらかと申しますと、近頃では倒叙の方を好んでおります。といっても倒叙ばかり書いている訳ではない。そのテーマによっては不向きです。

そのテーマを、ではどこからとるかと申しますと、私の場合は、やはり他の人から聞いた話、新聞で読んだこと、あるいは本から得た知識などから多くとっております。一般の文芸作品のように自分で体験したものからストーリーやテーマを取り上げるということはできません。なにしろ推理小説といえば、犯罪では殺人事件を多く扱いますから、体験をもとにして書くということになれば、死刑になる前に刑務所の中で小説を書かなければならなくなります(笑)。ですから想像で書いているわけですが、ではどこに迫真性やリアリティがあるかというと、やはり部分部分の描写の中に自分の経験が入って、それがリアリティを感じさせるのだと思います。

私は以前、新聞で心中が捜査の対象から外されているということを知り、この心中が実際は心中ではなくて殺人事件だったらどうだろうと考えまして、『点と線』という小説を書きました。その時に使った例の東京駅の十三番線ホームから十五番線の九州行きの長距離列車が見通せるということは、やはり経験でないとわかりません。私は当時朝日新聞に勤めており、下宿が荻窪でございましたので、夕方五時半頃にはよく一、二番の中央線ホームに立つわけです。そうしますと、九州行きの列車が見える日と見えない日がある。私は九州の人間ですから、九州行きの列車が非常に懐しいので、よく眺めていたものですが、その列車が間のホームの列車に妨げられて見えないときがある。それは日によってではなく、実は時間によって見えたり見えなかったりすることがわかりました。横須賀線の十三番線からは午後五時五十七分から六時一分の間、約四分間ほどの間だけ間に他の列車が入ってなく、向こうの九州行急行が見えるのであります。それを『点と線』の一つのデータとして入れたわけですが、これはいくら時間表をひっくり返して見ても、余程のベテランでない限り発見はできません。これもひとつの経験であります。

それから「共犯者」という小説がございますが、この中で犯人の一人が行商をしながら京都や奈良などを転々とする生活を書いた訳です。これも実は私の経験でございまして、私も終戦後間もなく、サイド・ワークとして箒を売って回る行商をしておりました。そのときの経験が「共犯者」の部分描写にリアリティを加えているのではないかと思います。

その行商をしていた頃、奈良の旅館に、それも旅費を安く上げようと安宿に泊まることがありました。この安宿に泊まっていると、インフレで金を儲けた人たちが、近所の一流旅館でドンチャン騒ぎをやっているわけですね。贅沢をしているらしい。こっちはみじめなところに泊まっている訳ですから、どうしてもお互いの環境の差を見ます。情なさ、むなしさを覚える。似たテーマでは江戸時代から芝居になっております「鋳掛松（いかけまつ）」がそれです。

鋳掛屋松五郎が両国橋を通りかかっているとき、隅田川の屋形船に乗ったお大尽が多くの女どもを連れてドンチャン騒ぎをしながら川下りをしている。鋳掛松はそれを橋の上から見まして、あれも一生、これも一生、同じ一生なら太く短くというわけで、商売道具を川の中へ叩き込んで悪人志願をするわけですが、これは心得違いといえば心得違いですけれども、心理的にわからなくはない。この「心理的にわからなくはない」というのが、実は推理小説を支えている一つの要素だと思います。いくら悪人を描いたところで、我々と縁もゆかりもないタイプの悪人だと、これは現実感を呼びません。悪いことをしているけれども、われわれとどこか共感する心理があるんだ。いいかえると、その心理は自分たちの中にもひそんでいる。これが推理小説構成の重要な要素になっていると思います。

もうひとつ、私は裁判に関係した推理小説を書いておりますが、これは人の話ではなく、裁判や法律関係の本を読んでヒントを得たのであります。刑法では「一事不再理」といいまして、一度確定した判決は、被告に有利なものでない限り、あとから新しい証拠が出てきても、もう裁判をやり直すことはないという規定がございます。この一事不再理の法則を応用いたしますと、こういうトリックが可能になります。つまり犯人が予め罪を軽くしてもらう条件をこしらえてから、わざと裁判にかかるわけです。そうしますと、どうせ逃れっこない刑罰ですから、刑罰は受けるけれども、不起訴にしてもらうとか、十年の懲役のところを二、三年にしてもらうとかいうことになる。あとで、たとえそれがトリックだとわかっても、もうそれは裁判のやり直しはしないということになる。ここに知恵のある犯人を登場させたわけであります。

私のその小説の女主人公は夫殺しなのですが、夫を殺すとこれは大分刑罰がひどい。しかしながら、夫を殺す動機が非常に同情に値いするものであれば罪は軽くなる。ですから事実はそうではないけれども、誰が聞いても夫を殺すのはもっともだという条件をわざとつくっておく。世間の同情がよせられ減刑運動まで起って、その犯人は執行猶予を獲得した。それまでに裁判が一年半はかかるだろうという見込で、夫以外の愛人に同棲するまでに一年半待てといって、犯罪を行ったから、題名も「一年半待て」としたのであります。

私の題名は、このようにはっきりテーマからとったものは、そうございません。だいたい抽象的なものが多いので、なかには題名のつけ方が巧いと褒めてくれる人もいます。こういう抽象的な題名をつけるのは、実は締切りと関係があるのです。ずっと先だと思っていた締切りにだんだん近づいてくる。ことに連載ものとなりますと、締切り前に予告というものが出ますので、題名を一応作らなければいけない。しかし筋はまだできておりませんので、どんな小説になってもいいような題名をつけておく。中身がないのだから、題名はつい抽象的になってしまう。それがすばらしいと褒めてくれるのであります。

話が前後しますが、犯人にとって一番イヤなのは、警察に捕まることです。ですから、古今の探偵小説でも犯罪実話でも読んでみますと、犯人が犯罪から逃れるべくどれだけ苦労しているか分らない。たとえば人を殺したときに一番困るのは死体の始末です。人間というものは、案外重いもので、これをどこかに持っていって捨てるのには、相当な労力がいる。とても一人では運べませんから、運ぶ方法を考える。人間はのびてしまうと案外長いものですから、手足や胴を切りまして、バラバラに棄てるのがおりますし、また炉にくべて燃やすのがいる。

それから死体があっても、自分が犯人でない、つまりその時間に犯行現場にいないようなトリックをつくる、つまりアリバイです。このアリバイつくりにも苦心惨憺している。

要するに自分は犯罪をしたい、邪魔になる奴、憎い奴を殺したいけれども、自分が捕まってはつまらないということから、そういう苦労が起るわけです。大体殺人動機というものは、いたるところに転がっている。みなさんも、自分の周囲や職場に憎い奴が一人は必ずいるでしょう。あいつがいなかったら、世の中はどんなに明るく幸福だろう。会社に行くのが楽しいだろう。あいつがいるばかりに、とお考えになったら、これは立派に殺人の動機であります。そこに心理的であろうと物的であろうと一つの衝撃が与えられたならば犯行にいたるかもわかりません。引金をひくかひかないかです。万一、引金をひいた場合、次はいかに警察の追及から逃れるかという苦労を味わわなければなりません。それがイヤだから普通の人は殺人をしないわけですが、その逃げる苦労を考えると、いっそ捕まった方がいい、捕まって裁判で無罪になった方がいいという考え方も生まれてきます。

それでわざと警察に協力いたしまして、ベラベラと喋ってしまう。その場合に証拠物件がございますから、それについてもベラベラ喋るんですが、余り犯人の方が協力的に喋ってくれると、警察の方も有頂天になりまして、つい証拠物件の調べもおろそかになるんじゃないかと思うのです。三億円事件を例にとりましても、あれは明らかに初動捜査のミスであります。なぜミスが起きたかと申しますと、あの事件では、犯人は実に沢山な遺留品を遺しております。ですから捜査本部では、もうこんな甘っちょろい犯罪ならすぐに挙げられるといって、少し油断ができたんじゃないか。その油断のために、もっとしっかり行わなければならない基本捜査がつい甘くなって、もう迷宮入りに近いような取り返しのつかない結果になってしまったのではないかと思います。

この例を見ても、あんまり犯人が協力的だと、警察の証拠調べがおろそかになってしまうことがある。そのために今度は裁判所に行ってその矛盾といいますか、証拠がためをおろそかにしたことによる落とし穴に、警察あるいは検察が陥ってしまう。それによってまんまと無罪を獲得する話を書いたことがあります。これは「奇妙な被告」という題ですが、ただその場合、小説のつくり方としては、一体その犯人はそんなに巧いことを、作者と同じように、頭がよくて巧妙なトリックを考えつくだろうかという疑問が読者に起ってくると思います。そこで私は犯人を古本屋の店員ということにいたしまして、その古本屋にたまたまイギリスのジェームス・ハインドという判事が書いた証拠不十分によって無罪になった事件の研究書があり、それを店員が読んで思いついた犯行ということにいたしました。このジェームス・ハインドというのは私が勝手につくった架空の人物で、当然そういう本も私がつくったわけですが、この設定がないと、犯人の頭が緻密すぎるという非難も受けます。

なにかの批評に、あの小説はイギリスのジェームス・ハインド判事のそういう文献から思いついたと書いてありましたが、そういう本は実在しません。古本屋をお探しになってもムダですから念のために申し上げておきます。

それからアリバイをつくるかわりに、死後経過時間の測定について、犯人が監察医あるいは法医学者の目をごまかす事もあるわけです。法医学者というと非常に科学的に、死後経過時間をピタリと言い当てるように思えますが、実際にはかなりカンに頼るところもあるようです。私の知っているある法医学者は、いつも他殺死体を解剖して、係官にこれは死後何日であるとか、あるいは死後何時間であるといって帰るけれども、あとで、その時間は正しかったか、果してあれで間違いなかっただろうかと、たえず不安に襲われる、と話していました。したがって、この死亡時間については大幅にいう鑑定医と、その逆をとる人とあるようです。

一例をいいますと、ある身寄りのない一人暮らしのお婆さんの他殺死体が発見されました。それは初夏のことだったんですが、お婆さんは冬の支度をして、チャンチャンコを着ておったんですね。ですから警察医は、死亡時期は冬か、あるいはまだ寒い早春であるという鑑定をしたんです。ところが後でわかったのですが、実際は五月頃に殺されていたんです。というのは、ちょうど五月頃に寒冷前線が通りまして、その日だけ非常に寒かった。そこでお婆さんはしまっていた行李からチャンチャンコを取り出して着ていたところを不幸な目に遇ったというわけで、この場合は着ているものによって監察医が見誤ったという例であります。

硝酸液の大きなツボのなかに人間を落とす。すると肉は溶けてしまって白骨に近い状態になるわけです。それを乾かして山の中に棄てる。それが発見される。白骨に近い状態だと死後一年近くたっている筈です。警察医は一年という死後時間を推定します。そうしますと犯人は一年も誤差があるから、十分にアリバイがつくれるというわけであります。

それから以前書いた小説で、現代の殺人事件の白骨が、中世の古戦場の地下に埋まっていた古い白骨の中にまぎれこんでしまうという筋をつくったことがあります。そうしますと古戦場から出てきた白骨だというので、現代の骨も中世の合戦の白骨だろうという事になってしまいます。その場合、最近殺した死体の白骨と、戦国時代の白骨との古さが、鑑定の場合に見分けがつかないだろうかという疑問が当然起るだろうと思います。ところがこれは素人考えでございまして、熟練の監察医とか人類学者が見たならばどうかわかりませんけれど、普通の警察医では見分けがつかないのです。警察医の人を悪くいうのではなく、殺人事件という前提がなかったら、ただの発掘だけでは分りません。ずうっと古代の旧石器時代の骨だと化石化して、骨が重とうございますし、色も違いますけれども、五、六百年くらい前の骨だと、現代の白骨とまず見分けはつきません。

そういうわけで、私どもは現代社会の現象のみならず、古代にいたるまでを、なんとかリアリティのある文学にしたいために、いろいろと苦労しております。その苦労は部分的なものだけでなく、トリックの面においても、アイデアの面においても、日夜血の出るような辛酸をなめております。少しオーバーな表現かもしれませんが、寝転がっていて考えているようだが、頭の中は修羅場です。しかしその着想の前提には、その作家の蓄積が当然なくてはならない。蓄積があってこそ、お風呂の中でもトイレの中でも電車の中でも、あるいは寝ていても、バーでいい気持ちで飲んでいても着想が浮ぶのであって、そういうために、私どもはまた勉強しているわけであります。けれども、先ほどお話ししたように、せっかく得たトリックも、アイデアも、一度で捨て去らなければならない。私が今お話ししたことは、全部一度書いてしまったんで、これからもう書けませんから、みなさんにタネ明しをできるわけであります。

このように推理小説というものは非常にきびしい条件のもとで書かれているということを分っていただけたら有難いと思います。

どうも失礼をいたしました。（拍手）

小説と取材

1971.07

ご紹介にあずかった松本でございます。私は、小倉の者ですが、この唐津市に来たのは初めてであります。唐津にまいりまして、たいへん嬉しいことが一つあるが、それはあとで申しあげたいと思います。「小説と取材」と一応題をつけましたけれども、どういうことを話すべきか、題名を文藝春秋に出した時はまだ考えがつかなかったので、一応「小説と取材」という広い題にすればどんなことを話してもいいという考えで、まあ、当座をしのいだわけであります。

今東光さんは、どこの講演会でも、題名は「文学と人生」。これだけハバが広ければ何をしゃべっても大丈夫……。で、私も連載小説を頼まれまして半年ぐらい前、あるいは一年ぐらい前はまだ筋ができていない、しかしだんだん締切りが切迫いたしまして、あと一カ月でいよいよ連載が始まる、という頃になりますと、予告といいますか、次号からいよいよ松本清張氏の連載が始まる、という予告を編集部でぶちますが、その時、題名を出さなければならない。しかしながらまだ筋ができておりませんから、題名を渡せるはずがありません。そこで私は抽象的な、アブストラクトといいますか、題名をまず出して一カ月程命を延ばすことがございます。

これは、ほかの場所でも話したことですが、たとえば、『波の塔』だとか、『水の炎』だとかいうような題を出しておけば、内容が推理小説であろうが、ロマン小説であろうがあるいは時代小説であろうが、あと一ヵ月のほんとうの締切りまで時間がかせげるわけであります。

中には、そういう題がたいへんよいと……中身よりも題名をほめてくださる批評家もございます。私は、いろいろ小説を書いていて、たとえば歴史小説、時代小説、あるいは推理小説、普通の現代小説、その現代小説の中にはロマン小説もございますし、また、いわゆる社会を告発するテーマの小説もございます。ロマン小説の中では『波の塔』とか、『砂漠の塩』とか――今、テレビで『愛と死の砂漠』という妙な題をテレビ局で付けて放映しておりますが――こういうものは、まず純愛小説といいますか、そういう部類に属すると思います。で、『ゼロの焦点』の最後はヒロインが能登半島の西海岸から舟に乗ってひとりで沖へ沖へと漕いで行く。それをヒロインの夫が見送る、その舟が小さな点になるまで見送る。そこで筆を擱(お)けば、当然その女性の自殺を暗示することになるわけですが、それは読者のイマジネーションに任せたほうが小説として余韻がございます。

しかるに、合理的な読者は、ヒロインの最後を書いてないので、能登半島の沖合を北へ北へと漕いでいったならばシベリヤの沿海州に着くのではないか、あるいは北朝鮮の沿岸に着くのではないか、という疑問をもつ。けれども、そういう投書が一通もないところをみれば、小説は理屈ではよまれてないようです。

白骨がゴロゴロしている富士の樹海

事実、ある女性は私の書いた、『ゼロの焦点』の場所から投身自殺をしております。私は、取材のためにわざわざ現地を訪れるということはめったにない。なんとなく旅をして、その時の印象が別のストーリーの時にそこを舞台に、頭に浮かぶ。その記憶をたどって書くものですから、『ゼロの焦点』を書いた時も、実際に旅行した時からすでに三年か四年たっている。投身自殺をした現場と、私が前に行った時の終着駅とは二里ぐらい離れております。その後線路が延びてヒロインが自殺のために船出した海岸、今、能登金剛と申しておりますがその近くまで鉄道がいってるわけです。自殺した女性は私の小説をテキストのように信じていたとみえ、新しい終着駅まで行かないで、私の書いた駅でわざわざ途中下車をして冷たい雨の中を歩いて行ったわけですね。そして、巌頭(がんとう)に立って『ゼロの焦点』を片手に抱き、まあ抱いたかどうか保証はできませんが、気の毒にも、とにかくそこで亡くなったのであります。

土地の人は私を自殺幇助とは思いませんけれども、あと投身自殺者が出てきては困るというので、何かそれを止めるような碑を建ててくれないかということを私に申込まれましたが、うっかり碑を建てると、熱海じゃないが流行になっては困るというので、恥ずかしい短歌の如きものを作って、今、現在そこに歌碑がございます〔雲たれて　ひとりたけれる荒波を　かなしと思へり　能登の初旅〕。

私はヒロインを自殺させても、その死体を他人の目に触れさせたくありません。死体が行政解剖にふされて監察医の残酷無残なメスで割かれたり、衆人の眼の前に置くのは、私にとってしのびがたい。それで、自殺でも、死体がでてこない場所を選んだわけであります。たとえば『波の塔』の場合も、富士山の北側に当る樹海に主人公を入らせた。このジャングルは、原生林でありまして、溶岩の上に生い繁っておる。この樹海の中に入りますと、土地の者でも一度入ったら出てこられなくなる。ですから、そういう場所に女性が入れば当然これは自殺ということを暗示するわけですから、林の中に彼女が入ったというだけで、あと余計なことを書く必要はないと思ってそこで終らせたのです。ところが、それを読んだ女性が私の小説のとおりにジャングルの入口から入って行ったんです。入って行ったのはいいけれども、私は密林の入口のところまでしか書いてなかったので、それから奥の道はその女性が勘にたよってどんどん中へ入って行った。林の中は、実際に現在でも白骨死体がごろごろしております。それらの白骨は事故死か、自殺死か、あるいは殺人の死体か区別はつかない。白骨死体は土地の消防団の人に聞くと、三十体か四十体ぐらいは奥のほうで発見されるということです。さて、その女性もそうして樹海の中に入った。ところが方向が分らない。たとえ磁石があっても溶岩ですから磁石が狂うのです。その女性は、どんどん奥に入ったつもりでいたんですが、実はジャングルを斜めにつっきって、国道に出ちゃったんです。そこに車が通りかかりまして死に瀕せんばかりの女性を救ったのですが、その女性は、その後密林中のあまりの怪奇な経験で記憶喪失症にかかり、浅草あたりを彷徨していたところを救われました。

『ゼロの焦点』の能登半島は、私が行った時はもう、実に荒涼としたもので家一つなく、空には鉛色の雲が垂れこめ、荒海でございますから黒っぽい海が白い波頭を立てて吠えておる。そこに私は一抹のロマン性を感じたわけですが、『ゼロの焦点』の場所には現在年間百万人に近い観光客が押しよせているそうです。

国木田独歩の『武蔵野』で知られている東京の西郊外、深大寺のあたりは私が東京に移った十七年前には、まだ門前にはソバ屋が二軒ぐらいしかなかった。日曜日でもあまり訪れる人はなかった。『波の塔』以後の現在では家族連れやアベック、さてはマイカー族が押しよせ、ソバ屋が二、三十軒ぐらいできておる。これは私の小説のためではなく、テレビや映画の影響なんです。テレビなどで深大寺をごらんになった皆さんが、ああ、いい所だ、原作以上にきれいなところだということで訪れるわけです。

テレビといえば、連続ドラマというのがあって、私の原作でもたとえば現在『砂漠の塩』というのを放映しています。ほかの作家の原作による連続ドラマもそうですが、これをやられるととたんにその原作の本が売れだす。まあ、テレビでゆっくりと結末を楽しんでごらんになれば、そこに先々の楽しみがあっていいと思うんですが、どういう心理か、本を先に読んでしまう。読んでしまったら結末がわかりますから、もうテレビを見る興味はうすくなると思われるのに、近頃の読者心理というのはまた一種特別のようであります。幸いにも本が売れるということは、私どもの印税がふえるということで、印税がふえると、それだけ国税庁に納める税金も多いということで、国家の財政のため、まことに慶賀の至りに堪えないわけであります。

良妻もつ作家に文豪なし

さきほど佐藤愛子さんが、芯の強い女のことを話されました。女房というものは、我々作家にとってあんまり良妻型だとちょっと困る場合がございます。というのは、文学史的に見まして、良妻をもつ作家はあんまり偉くなっておりません。文豪といわれる人の奥さんはほとんどが悪妻でございます。

たとえば、森鷗外の奥さんも「悪妻」といわれた型でございます。くわしい話をしますと時間をとりますけれども、そのために鷗外の憤懣はあったと思われる。しかし、夫婦げんかになると、私どもと違い、鷗外の場合、その理性なり教養なりがじゃまをいたしますから、内心の憤りを押えていたでしょう。第一夫婦げんかばかりしていては気持が乱れますから原稿が書けない。鷗外の奥さんは、夜中の二時、三時頃に二階の書斎に上ってきて鷗外先生になんだかんだと文句を言う。その奥さんを鷗外先生はなだめすかして階下にひきとってもらう。そうしてまた原稿を書きつづける。翌日は早く起きて馬に乗って軍医部か何かに行く。のちには宮内省図書寮に出勤する。そういう超人的な活動を鷗外先生はされていたわけです。奥さんに対する内心の怒りがあれだけの著作になったのではないかと私は心理的に解剖しております。また夏目漱石の奥さん、これも悪妻だったといわれている。洋の東西を問わずで、トルストイも例外ではない。トルストイが八十をすぎてヤースナヤ・ポリャーナという山荘を家出したのも、ソフィアという妻のせいらしい。評伝には、トルストイの原稿の清書もする家庭的な夫人とあるが、賢妻は必ずしも良妻ではない。トルストイの家出の別な一面には女房が悪妻だったことがあるのではないか。トルストイは雪のふる小さな駅で息を引きとっておる。イタリアのノーベル賞作家ピランデルロというのは、十五年間も女房に苦しめられ、ただ劇作や小説を書くだけが唯一の愉しみだったという。だからノーベル文学賞をもらえたのです。だから、みんな文豪になった。

それじゃお前はどうかというと、私の場合は中途半端です。私の女房はこの県の生まれでございます。日頃は標準語で何とかやっておりますが、私に腹をたて文句をいうときは佐賀弁なんです。佐賀弁でないと、怒りの感情が出ないらしい。「佐賀弁デ云ワンバ、気持ノ出ランモン」といいます。私は佐賀モンではありませんが、「フウケモン、ニャアゴトイヨラスカイ（馬鹿者、何を言っているんだ）」と答えます。まあこのような程度で、したがいまして私は「文豪」になる資格はないようでございます。

歴史小説を書いても、やはり現代とのつながりがなければなりません。私はかつて、『三河物語』という歴史小説を書きました。講談にでてくる大久保彦左衛門が主人公ですが、ほんとうの大久保彦左衛門というのは、あんなユーモアのある楽天的なおやじではない。彼自身の書いたものに、『三河物語』というのがございます。それには自分が家康の家来として若い時からの苦労が述べてある。講談によれば十六歳の時、鳶の巣文殊山の初陣から云々という自慢話になっておりますが、実は辛酸をなめている。戦争となると暖かい蒲団の中に寝たことがない。野に伏し山に寝ね、そして乾飯を、当時の携帯兵糧は乾飯ですが、そういうものをかじりながら徳川家のために尽くしてきた。しかるに天下をとった徳川家が自分に報いているのは何だ、わずか五千石程度の旗本ではないか。まあ五千石というとたいへんな大身ですが、彦左衛門にとってはそうは思えなかった。同僚が万石以上の大名になっておる。徳川譜代で野戦の辛苦を共にした自分を、わずか五千石で冷遇するということは何事か、というその恨みつらみをめんめんと書き連ねたのがこの『三河物語』なんです。

その彦左衛門の気持を私は私なりに理解した。それは現代にも通じる。それを小説に書いたわけです。彦左衛門が愚痴をこぼすのはこれはまあ同情できるんですが、すでに世の中は天下泰平で合戦の時代ではない。やあやあ遠からん者は音にも聞け、という時代は過ぎて、幕府の中央集権的な秩序体制は固まりつつあった。徳川幕府に必要なのは戦闘の侍大将ではなくて行政に長じたシビリアン、文官なんです。ですから彦左衛門に如何に野戦の功労があろうと、戦後になると旗本という閑職に押しこめられてしまったのです。これは時世の流れでいたし方がない。彦左衛門自身には時代の推移が分らなかった。そのことを私は小説に書いたのですが、文芸評論家の批評を雑誌で読んでみますと、松本は彦左衛門に托して原稿料の安い愚痴をこぼしているんだというのです。それにある女流作家が、そうですね、とか何とかいってうなずいているんです。これには驚きました。

批評家というのは時として、深読みといいますか、作者が思いもかけないところを拾い上げてそこを強調する。非常にほめることもあるし、また逆にけなすこともあります。批評家というものは単に他人の書いた小説を印象的に批評するだけではなしに、そこに自己の主張といいますか、それを出さなければならないので、その作品から受けとる印象以上のことを云うことになる。批評家の一種の自己顕示といいますか、対象となっている小説を材料に、自己の文学主張が展開されるのです。ところが若い作家は、思いもかけない箇所をほめられるものですから、自分にはそういう自覚しない才能があったのか、批評家がその才能を見出してくれたのかというんで、非常な感激を覚える。そうして次からは無理をしてでも批評家にほめられた点を強調する小説を書くようになります。もともとそういう素質の作家ではございませんから、次から書いたものは目もあてられない作品になってしまう。今度は批評家によって完膚なきまでにやっつけられてしまう。そういうようなことで私の知ってるだけでも、有能な新進作家がずいぶんと消えております。これなんか批評家に殺された作家群だろうと思います。そうでなかったならば、まったく別のコースに簡単に変えて、俗悪な小説に流れていく作家もおるようです。

フィクションを支えるのは現実感（リアリティ）

とにかく、そういうふうに歴史小説というものも、私は現代小説として書いて参りました。推理小説の場合ですが、これは従来はタンテイ小説としてちょっと現実には考えられないような事件がテーマになっていました。そういうものも娯楽読物として悪くはないが、それよりも、我々の日常の中にひそんでいる危機、いつそういうものがだれの身にもおこるかわからないという危機感を設定したほうがはるかに普遍性があるのではないか。殺人事件にしても、異常性格者でない限りむやみと人を殺すわけはありませんから、人を殺すにはそれだけ理由がある。その心理は、いうところの極限の状況といいますか、ぎりぎりの状態にあるわけです。したがって殺人事件、他の犯罪にいたしましてもその動機をもっと大切にしなければならない。それまでの探偵小説といいますか、推理小説は動機の点はほんのちょっぴりしかないが、動機を追及することが人間追及にもなり得る。近代小説の成立が心理描写にあるとするならば、動機を描くことによって心理描写を取り入れる推理小説もまた現代の小説に到達するのではないか、という考えをもって私は書きはじめたわけであります。

たとえば、ドストエフスキーの『罪と罰』をみましても、大学生のラスコーリニコフは金貸しの老婆を殺しに行く。この時の心理も検察官との問答による心理的な闘いも胸を沸かせる。それから、如何にありうべからざる事件でも最後にそのディテールにリアリティを持たせなければいけないということです。アメリカのエドガー・アラン・ポーという短篇作家は荒唐無稽な話を作りましたけれども、それを読んでる限りは現実感があって恐しい。それは部分部分に心理的なものや現実的な描写があるからです。フィクションを支えるのはこういう現実感といってよい。日本でも江戸時代に上田秋成（あきなり）という短篇作家を我々は持っております。やはり同じリアリティ方法を用いている。私の推理小説は普通の家庭でいつでも起りうるような性質のものを書いてまいりました。これもリアリティをもたせたいからです。当然、住んでいるわれわれの社会、その社会の中に自分がおかれているということを知らねばならない。人間は野中の一軒家に住んでいるわけではございませんから、どうしても社会機能の関連の中にはさまれている。その社会はさらに政治的なものに結びついている。政治に社会状況がつくられているといってもいいわけです。そうして我々はその政治なり社会の組織の中に、意識すると否(いな)とにかかわらず、その支配をうけて住まわされているわけであります。そういうことから私の関心は社会状況や政治への追及に移っていったわけでございます。『日本の黒い霧』を書きましたのは、米軍占領中に生じた不思議な事件……現在まだ解決されていない、解決されたようにみえているけれどすっきりしない、そして占領政策が講和条約によって一応なくなると不思議な政治的な事件もまったくおこらなくなったという奇体な現象があるが、そういう奇怪な占領時の事件を書いたのが、『日本の黒い霧』でございます。「黒い霧」というのは、今ではまあ普通名詞になっておりますけれども、実はこの題名から発しているわけです。

それからすすみまして『現代官僚論』というのを書きました。戦前と違いまして、現在は官僚政治であります。それならば官僚とはいったい何なのかという問いの追及に移った。その中で防衛官僚論というのがありまして、その防衛官僚論では特にその頃ひそかに作られていた演習計画、いうところの「三矢(みつや)作戦」、これをとり上げたわけであります。ところが雑誌が出たならさぞかし衝撃を与えるであろうと思っていたところ、反響一つない。「文藝春秋」だから大騒ぎになると思ったところ、一つも世論が沸かない。私も作家としての力の限界をこの時程知ったことはなかったんですが、その翌年の国会で社会党の岡田春夫代議士がどこで手に入れたか分りませんが、同じ材料で質問した。かくて佐藤首相を大いに狼狽させ大問題となったいわゆる三矢作戦の爆弾質問騒ぎとなったのです。しかし私は、反応がないと思ったのは誤りで、あの文章が文春に載った時には、防衛庁内は大騒ぎだったということは後で聞いた。とにかく、このように『現代官僚論』というのをやりました後は、今度は『昭和史発掘』にとりかかったわけであります。『昭和史発掘』は、陸軍にファッシズムがすすんで二・二六事件に至るまで書き続けた。初めはそんなに長くするつもりはなかったんですが、思わず七年近くかかってしまいました。原稿枚数にして七、八千枚になっております。わたしが特に二・二六事件に重点をおいたのは、ああいう武力クーデターは今後もまた起るかもしれない、現在は軍隊と同じものがあるから同じことがいつくりかえされるかわからないという懸念からです。アメリカの占領政策の初期には、日本に民主主義を非常に鼓吹した。これは軍国主義を日本から徹底的に拭い去るための対症療法として民主主義を持込んだわけですが、この療法の薬があんまり効きすぎて、日本では民主主義が急速に伸びた。たとえば共産党がたくさんの議席を国会で占めるとか、官公労や民間の労働組合が先鋭化するとか、激しいストライキが起るとか、まあいろいろな現象になった。アメリカでは非常にあわてまして、これをもう一度元の形に戻さなければならないと考えた。けれども、すでにあれほど民主主義を宣伝してきた以上理論の上では元通りにならないから、そこで起ったのが下山事件だとわたしは考えております。その下山事件が起るやいなや国鉄の労組の首切り反対闘争も同時に闘争をやっておった東芝の争議もぴったりとやんだ。そして今度は第二組合、つまり民同〔民主化同盟〕色というものが官公労や民間労組に強くなる。日本の伝統として労働組合運動は官公労がまずリーダーシップをとりますから、民間労組は右へならえという現象になる。かくて、その翌年には朝鮮戦争が起る、こういうプロセスでございました。現在、日本では防衛予算というものは、年々ふえている。ちょうど二・二六事件の前にも軍事予算が膨大にふえ、時の高橋是清蔵相はこれを押えるのに非常に苦労した、それとどこか似ている。ただ違うのは、現在の高度成長下で国際収支による米ドルがだぶついているが、当時のは苦しかった。が、インフレの点は似ておる。

今後もありうる二・二六事件

当時は徴兵制で、今は徴兵制ではない。高度成長のおかげで、若い人を民間企業にとられ、自衛官が足りない。常に定員に不足している。いかに予算をとって軍艦を造り、航空機をふやし、近代兵器を造ってもそれに要するところの人員がいないということになりますと、これはどうするか。やっぱり将来徴兵制にふみきらざるを得ないのではないかという気がする。高度経済成長で大企業が青田刈りといって在学中からどんどん雇用の契約をしておりますが、こういう状況では自衛官が不足するのは当り前であります。それならば、日本の国防のため、国家の安危のためにはどうしても自衛官の増大する定員は確保しなければならないという考えから徴兵制度ということになるのではないか。しかし徴兵制度をいきなり布くとなるとこれは大問題であります。大騒動になります。だから、徴兵制度になってもやむをえないと国民が考えるような状況を作る、つまり謀略というものが行なわれるかもわかりません。そういう可能性をわれわれは考えておかなければなりません。そのために私は二・二六事件というものはけっして過去のものではないと思っております。

そういう意味で、わたしの書いた二・二六事件では従来出ていなかった資料をふんだんに使ったのであります。その資料の発見というか発掘、それから、それをこちらのほうにもらうことについてはずいぶん多くの協力者を得ております。この二・二六事件は、私の仕事のうちでもまあ大事なものの一つになっているのではないかと思っております。なぜそんなに力を入れたかと申しますと、今申しあげたようにこれからの日本の行く道に一つの大きな警告の意味をもって書いたつもりであります。将来のことですが、ある日突然、大きな事件が起るかもしれない、そうして徴兵制ということになるかもしれません。私は、これは若い皆さんに何も恐怖を与えるために申しあげているのではございません。現実的にそういうふうになるかもしれないということはよく考えていただいて、イデオロギーとか、主義だとかそういうようなことは抜きにしても、最低限の民主主義的な気持は守っていただきたいということは申しあげたいのであります。

さて今度は、現在「文學界」あるいは「芸術新潮」で古代史と取組むようになりました。前に私は『古代史疑』というのを「中央公論」に連載いたしましたが、私がこの唐津市に来まして非常に嬉しいと前に申上げたのは、実は『魏志倭人伝』に載っている邪馬台国に行くのに、朝鮮から最初の上陸地がここだということからです。三世紀半ばに中国に魏という国があって、そこの使いが朝鮮経由で日本と交通していた。この唐津は当時の名前で末盧国です。現にこの市内の桜馬場からは、中国の古い鏡である漢鏡や当時の遺物がでておりますが、そういう意味で一度はこの曽ての末盧(まつろ)国を訪れたいと思っておりました。邪馬台国が九州にあったのか、あるいは現在の奈良県の大和のことであったのかという疑問は明治時代から論争が重ねられておりまして、未だに決定的な結論は出ておりません。もっと考古学が進歩して有力な遺物が出るとか、あるいはよほど決定的な学説が現れる以外は、今のところ両説はまだどちらとも云いかねる。

私は九州説でございますが、九州のどこにあるかということにはあまり興味はない。というのは『魏志倭人伝』に書かれた倭国の各土地間の距離は、里数と日数で書き分けられておりますが、これに関する限りこの三国志を書いた陳寿という男の創作だと思うからです。この話だけでも一時間くらい聞いていただけると皆さんにも興味があると信じますが、残念なことにあとの時間がないのでくわしいお話はできません。

要するに、あの倭人伝は実見を元にしたところもあるし、あるいは想像だけで書いているところもあるし、明らかに創作であるところもあるということです。たとえば具体的に一例を申しますと、今の京城付近をその時代には帯方郡といいましたが、その帯方郡からたぶん今の釜山近くでしょうが狗邪(くや)韓国までは七千里、その狗邪韓国から対馬国までが千里、対馬国から一支国までが千里、一支国から末盧国つまりこの唐津までが千里、末盧国から伊都国、現在の福岡県前原(まえばる)町附近までが五百里、伊都国から奴(な)国、今の博多でございますが、そこに行くのに百里、奴国から今度は不弥(ふみ)国、現在の宇美町かもしれない、学説によってはほかの地名に当てていますがそこに行くのに百里です。それから先は里数になってなく水行、つまり航行です。投馬国に行くには水行二十日、投馬国から邪馬台国に行くには水行十日、陸行一ヵ月、と、こういうふうに書かれております。

これを全部計算して、分解してしまいますと、三・五・七つまり陰陽五行説で好まれる数字になります。儒教の影響が非常に強いわけですね。そういうことをこれまでの学者はぜんぜん気付かないでカンカンガクガクと論じているのはナンセンスであると私はいっております。この私の説については、学界でも今になってようやく注意してくれているようであります。たとえば藤間生大(とうませいた)、井上光貞、それから上田正昭といった諸氏は、私の説を容認もしくは著書に紹介されている。そういう意味でこの唐津は私にとってぜひ来たかった土地であります。今後もまた取材や遊びで訪れるかもわかりません。きょうの昼間は名護屋城跡や呼子（よぶこ）附近を見物して廻ったんですが、風光まことに明媚な所で、こういうところなら必ず美しい気持の人ばかりであろうと想像いたします。私は、この呼子なり唐津をいつの日にか小説の舞台にしたいと思っております〔『渡された場面』一九七六年刊〕。

もっとお話ししたいことはございますが、時間がちょっと過ぎておりますので、またの日にお目にかかることにいたします。

コーヒーと推理小説と古代史と

1976.01

（聞き手・権田萬治）

1　現代作家ナンバー・ワン

前記——権田　戦後の推理文壇の代表的存在といえば、何といっても松本清張である。氏の『点と線』や『砂の器』をはじめとする推理小説は、最近、カッパ・ノベルスに収録されている分だけで発行部数二千万部の大台を越したという。一口に二千万部というが、世界のマンモス都市東京の総人口の約二倍という驚異的な数字である。

また、今年四月に東京放送が実施した、東京地区の十八歳から六十歳までの男女の「総合嗜好調査」によると、「あなたの好きな作家」の項目では、松本清張は、夏目漱石、芥川龍之介、森鷗外、島崎藤村という四大文豪に続いて、第五位を占めている。漱石ら上位四人はすでに故人だから、松本清張は現代作家では第一位であり、文字どおり、当代人気作家ナンバー・ワンというわけである。

それだけに日常生活は、多忙を極め、〝土曜も日曜もない。国鉄なみ〟の時間との闘いを続けている。その殺人的なスケジュールの合い間を縫って、十月のある日曜日の午後、私と島崎編集長ら四人のスタッフは浜田山の氏のお宅を訪問した。

どんより曇って、今にも降り出しそうな空を眺めながら、門をくぐると、小石を敷きつめた道に無造作にお孫さんのものらしい自転車が倒れたまま置かれている。右側が緑の芝生を敷きつめた広い庭。左側はさらに凝った日本庭園になっている。

昭和三十六年に建てられた松本邸は、井之頭線の浜田山駅から歩いて、五、六分のところにある。線路ぞいの閑静な邸宅街の一画で、時折り通る電車の音以外にはほとんど物音がしない静けさに包まれている。

やがて、応接室に姿を現わした着物姿の氏は、とても六十六歳とは思えない、精力的な感じである。昨年末、余りにも過密な仕事に追われ、胆囊炎で入院されたことがあるので、心配していたが、これならまた、どんどん推理小説の新作が期待できそうだと、喜び勇んでこの辺からお聞きして見た。

今後の執筆予定

——今、日本経済新聞に『網』という推理小説の連作、「週刊文春」に『西海道談綺』、「小説現代」に『熱い絹』などを連載されていますが、これからのご予定は？

推理小説は、来年三月か四月ごろから「週刊朝日」に〝黒のシリーズ〟の連載を始めます。それから「週刊文春」の連載が終わるので、「週刊新潮」にも推理小説の短篇シリーズを載せる予定。日経も引き続いて二年くらい続けます。

推理小説じゃないけど、新聞連載としては、中日新聞、北海道新聞、西日本新聞のいわゆる三社連合に、新年号から、日本の通史を連載することになっています〔『清張通史』〕。これは古代から現代までの日本歴史だけれども、教科書でもなければ学者の通史でもないんで、編年体でなく、必ずしも時間的順序を追わないで書いて行く。何ていうの、そう、倒叙的に新しいところから始めてまた、古い時代に戻ることも考えて見たいと思ってます。

ああ、それから、もっとあった。「中央公論」に奈良時代を舞台にした小説〔『眩人(げんじん)』〕、「太陽」に風土記〔『私説古風土記』〕を連載します。風土記は古代風土記で出雲風土記から始めて各地をやるんで、もちろん現地にも行くし、史料も調べますよ。これまでの説にとらわれずに自由に書いて見たい。

——大変ですね。殺人的なスケジュールがさらに殺人的になりそうで、お体は大丈夫ですか。お元気そうだから大丈夫でしょうけどね。

殺人的でもないけど、少しくたびれて来てるんでね。まあ、斎藤実盛(さねもり)じゃないが(笑)、何ていうのかな、最後の壁を越えようというわけですよ。

2　多忙なる日常

執筆時間

——今も連載に追われておられるわけですが、お仕事は夜なさるんですか。

昼も夜もしなきゃ間に合わない。でも、これは決めてないんです。行き当たりばったりで。もっともそれには事情もある。昼は人に会わなくちゃいけないとか、どこかに行かなくちゃならないとか、そういう時はどうしても夜になりますよね。

睡眠時間

——おやすみになる時間も決まっていないわけですね。

決まりはないけどね。ちょくちょく昼寝するんですよ。八時間睡眠をとらないと、睡眠不足で頭が痛くてね。結局仕事ができないんでね。

散歩とパチンコ

——前にもお聞きしたことがありますけど、余り、外にお出にならないとか。

会合には出ますけどね。それと散歩しますよ。この近所ね。歩いて浜田山までが、六、七分あるかな。それから電車に乗って渋谷に行ったり、吉祥寺に出掛けたり、新宿で紀伊国屋をのぞいたりね。

ちょっとパチンコをやるんだよ。パチンコが一番いい。いつやめてもいいし、友達は必要としないし、ゴルフのように会員権はいらんしね（笑）。大体人づき合いがきらいだからね。ゴルフのようにああいう仲間でやるのはぼくの性に合わないんですよ。

コーヒーとタバコ

——コーヒーがずいぶんお好きのようですが。

もうカフェイン中毒になってると思うんだ。一日にどうしても五、六杯は飲みますね。まず、朝起きて飲まなきゃ駄目だ。食後また飲むし、お客さんが来たらまた一杯。とくに夜が多いですね。徹夜や半徹夜するときはどうしてもコーヒーの助けを借りないとね。家の者はみな寝てますから、夜はひとりで入れるんですよ。サイフォンでね。コーヒーはミックスしたものを近くで買ってます。タバコは普通二箱、夜通し仕事をするとき三箱は吸いますね。

速記は使わない

――昔は手が痛くなったとかで、速記者をお使いになっておられたようですが。

あのころは原稿が間に合わなかったしね。書痙（しょけい）にかかって手がしびれて動かなくなったので、速記を使ったんだけれど、色々誤解されたり、悪口をいわれたんで、今はやめてます。それに手も治ったしね。

天文学的数字の税金

――松本さんは去年もことしも文壇の長者番付け第一位で、所得が昨年が二億千四百四万円、ことしが三億九百九万円という数字ですけど、税金もさぞかし高いのでしょうね。

新聞に出る所得金額というのは課税対象ですからね。ほとんどすべてが税金だと思っていい。課税対象の七割が国税で、二割が地方税つまり都民税ね。だから、この金額の九十パーセントぐらいは税金ですよ。

したがってぼくはね。この長者番付けなるものを新聞に発表するのなら、この金額の内どれぐらい税金を払ったかを併記すべきだと思うんですよ。知らない人はあれが全部収入だと思っちゃうんですね（笑）。ええと、そうすると要するに三億円弱くらいが税金ですよ。三億円弱の税金というと一日いくらになるかな。
——土曜、日曜日を休日として残りのウィークデー約二百六十日で割ると、一日ざっと百万円払っておられるわけですね。驚きました。

3　現代推理小説の問題

いわゆる探偵小説の復活について

——松本さんは戦後いわゆる社会派推理小説の創始者として活躍されるようになってから二十年近くたちましたが、最近探偵小説の復活ということがしきりにいわれるようになりました。この点について。

ぼくが、いうところの社会性を推理小説に導入する試みを企てたわけだけど、社会小説というとどうしても風俗小説と紙一重になってしまう面が出て来る。現代の社会風俗を描くから。そうすると、若い作家たちが間違えて、風俗小説化の方向をどんどん推し進めて行ってしまう。そうするとポルノというような色々な方向のバイブレーションが出て来て、本来の推理小説の妙味というか中核的なものが失われてしまう傾向が出て来た。これが昔から探偵小説好きな人にはあきたらなくなってきた。そのために戦前のね、いわゆる探偵小説が見直されて若い人々にも歓迎されるようになったのだと思う。

この現象は、やはり社会性と風俗性を混同し、風俗性にこのごろの愛欲みたいなものを投入して、これを果たして推理小説と呼ぶべきかどうかと疑わせる作品を続出させたことに原因がある。これがいうなれば、一つの探偵小説ルネッサンスの原因じゃないかな。

——昔の優れた探偵小説が見直されるということと、これからの推理小説がどういう方向に向かうかという問題とは微妙な違いがあるように思いますが。

ぼくは、昔の本格的な探偵小説が人気を得たというのは、今の若い人がそういうものを読んで来なかった。それで、こういうものもあったのかというある種の新鮮さ、ある種の驚きで読まれているという面があると思う。

だけれども、戦後、新しい推理小説の性格という洗礼を受けているのでね。洗礼というのはちょっといい過ぎだが、そういう時代的経過を経ない前の戦前の探偵小説が万人に読まれて行くという永続性があるか疑問だと思います。これはやはり一時的な現象じゃないか。だから、ジャーナリズムがことさらに目新しく書き立てている面もあるね。売れていること、読まれていることは確かだが、それが今後の推理小説の主流になって行くかというと私は大きな疑問だと思う。

新人作家への期待

——最近、山村美紗さんみたいな新人がどんどん現われて、松本さんもかなりバックアップされておられるようですが。

ぼくは新人作家に風俗小説的などっちつかずのものから脱皮して行く試みが見られるのをいいことだと思ってます。技術的な面でも楽しみを持たせるものがあるわけですね。今挙げられた山村美紗さんの場合でも、彼女はトリッキーな小説を書く。これが今の推理小説と呼べるかどうか躊躇するようなあきたらない所を改革して行く要素がある。これが戦前の本格的な探偵小説への回帰といえば回帰だけれども、そうじゃなくて、今の推理小説というものの稀薄さを本格的なものによって回復して行くという試みが新人の中に現われて来ていることはいいことだと思う。

これは、自分自身のことをいって恐縮だけれども、ぼくは動機を重視しなければいけないとか、もっと心理描写を書き込まなければ、近代小説の中に伍して多くの読者を得ることはできないといっているわけだけど、それはそれとして、やはり推理小説なんだから、推理小説としての機能は薄めちゃいかんと自分も自戒してきたわけだ。下手くそだけど、推理小説の通則というものを踏みはずさないように書いてはきたつもりです。

――松本さんの場合、『点と線』や『時間の習俗』にしても、また多くの短篇にしてもトリックを踏まえたものばかりですよね。それなのに、松本さんの後から出て来た人がどうしてこんなことになったのか、わからないんですけどね。

それは考えるのが面倒くさいのと、もう一つは雑誌編集者の責任があると思うんだ。つまり多少事件に色づけられているとか、犯罪がからんでるとかいうとすぐ推理小説という名前を付けるでしょう。そういう所が新人をイージーにさせて、それが今のような推理小説の堕落というか、低俗化につながっていると思う。だから、その点は戦前の本格的な探偵小説を読んでいないという不勉強さもあるかも知れない。

4　創造の密室

創作ノート

――昔、創作ノートを発表されたことがありますが、ああいうものは今もお作りになっていますか。

今でも、あんなふうにきちんとしたものではないけど、メモを付けています。ちょっとしたヒントが浮かんだら書き付けて置くとか、ほかの本を読んで参考になるものをメモして置くとか。このごろは古代史をやってるもんだから、その関係の本だとか、中国の史記だとか、そういう原典で役に立ちそうなものとか今はメモばかり書いてるんですよ。

――それで、長編なんかお書きになるときにはくわしい構成ノートをお作りですか。

いやくわしく書くと、それに拘束されるんで、ぼんやりとしか書かない。三島由紀夫は詳細なメモを付けてますね。ほとんど小説の内容と変わらないようなものをね。ああいう真似は私にはできないな。それに拘束されて人間像の発展がないですよ。大まかにしたほうが、考え方が色々変わってきますからね。それだけの余地を置くほうですよ。

たとえば、一つの小説を書くときには具体的なことを知らなきゃならないから、知らないことは専門家に聞くなり、よその人に調べてもらったり、そういうメモは作っています。

――『セント・アンドリュースの殺人』でゴルフの話が出てますね。松本さんはゴルフは全然おやりにならないわけですが。

あれは専門家にね。くわしいメモを書いてもらった。ぼくは全然やらないからね。間違ってないそうですよ。

(創作ノートを広げながら)こんなふうに外字紙の記事を何かヒントになると思ってはりつけたり、こんなふうに来た人の手紙の内容をメモしたりするわけ。この手紙は悪徳弁護士に関するものでね。そうすると、この点についてまた、弁護士にも話を聞いてまとめて置く。また講演旅行に行ったときに聞いた話も帰ってからメモを書いて置く。

たとえばアルバイトで着付け教室に行った話を聞いたら、呉服屋にも取材してそれをメモにして小説化に役立てる。こんなふうに主人公の名前だけ書いてありますけどね。「式場の微笑」というのはこんなふうにできたわけです。粗っぽい筋になってますよ。こういう創作ノートがもう六、七冊たまってますね。

——文章についてはどうお考えですか。昔森鷗外の文章に影響を受けたとおっしゃっておられましたが。

森鷗外的な文章が近いかも知れませんね。要するに文章が簡潔で短いもの。いいとか悪いとかいうことじゃなくて自分の性に合ってるということですね。だから、これは小島政二郎がいってるんだけども、文章の感情が読んでる内にこちらに移入されて、〝活字が立って来る〟ぐらいに引き込まれてしまう。〝活字が立って来る〟という表現を使ってるんだけど、文章というのは、そこに飾られている字句にとらわれるんじゃなくて、〝活字が立って来る〟くらいに引き込まれるのがほんとうの名文だという意味のことをいってますがね。

そうなると、果たして芥川龍之介のものや三島由紀夫のようなもの、これが名文なのだろうかとも思うんだ。飾り立てられた、よくもこんなヴォキャブラリーを豊富に駆使できたものかと感心する。文章にはひかれるけれども、文章に引きずられて感情が直接読者に移入されない弊があるんじゃないかと思いますね。

といって、余りにもありきたりの文章を平気で使っている作家もよく見かけるが、これまた駄目ですよ。これなどは論外。やはり文章は感情を持っているから、使い古されたものじゃ役に立たない。自分で工夫しなくちゃいけない。といって、苦労が行き過ぎて、芥川の短篇や三島のあの絢爛たる文章になっても問題じゃないかと思う。

——批評についてはどういうご意見ですか。

あなたの前だけれどね。批評というのは作品のあとからついて来る。ある作品が悪評を受けようが、あとよい作品を書けば、批評も変わって来る。作品の対象があっての批評だからね。対象もよくなれば批評もよくなる。だから、けなされてもしょげないように。といって無視しちゃいかん。やられた、というような所が必ずあるに違いない。その批評には。そのやられたという点を大切にしなければいけない。反省ですね。批評を邪悪視して遠ざけたり、その批評に余りに気を配られ過ぎて駄目になる弱気の人がいないでもない。そういうことでもいけない。

批評には作品の弱点を衝かれて、作者自身が参りましたと頭をかかえる所を学ぶべきだと思います。中には作者が思いもよらない所をほめられたり、作者からいえば、一部を歪められてけなされたりすることもありますがね。それは、あの人の考えと違うということでいいんじゃないか。

5 古代への情熱

古代史への関心

——最近は、推理小説より古代史に力を入れておられるような印象を受けますが。

ぼくはもともと歴史が好きだったんですがね。古代史は史料が少ないでしょう。だから、どのようにでも解釈できる余地があるわけですね。専門の学者のいっておられる説も必ずしも正しいともいえないようなことが色々出て来る。それを追求して行くと、自分の説も間違っているかも知れないけど、別の解釈が成立するという興味ですね。これも勝手に考えて、気ままなことをいうのでは意味がないわけで、やはり一通り古代史の文献を読んでみて、その上で、いうなれば学問の手続きを踏んで自分の説を出すのでなければならない。

思いつきだけで、先人の説も知らないで、発表するのでは、これはいい加減な勝手な意見で、発表する以上、専門学者にも納得でき一般読者にも積極性があるものでなければならないと思うんですよ。

——松本さんの『古代史疑』とか『古代探求』とか『遊古疑考』とかの著書を読んで膨大な史料、文献を消化されているんで、あれだけでも大分、お時間を取られるんじゃないかと思ったんですけどね。

ぼくは古代史のそういう本を読んで、どこでどう書いてあったか忘れますからね。ノートにメモを取ってあるわけだ。古代史だけでも大学ノートに五、六冊、また史記だとかからもメモを取ってますから、メモを取るだけでも時間つぶれますよ。それでね。小説の締め切りが遅れてしようがないんだ。ゆうべもぎりぎりのやつをこなして、けさ取りにきてもらって、すぐ初校校了ですよ。そんなふうに遅れてくるんだ。

――そうするとやはり古代史の研究のほうがお好きなわけですね。

いや好きなほうがどうしても先になるんだね（笑）。今度「中央公論」に連載するのも、予告をいうようだけど、唐の時代に向こうから奈良に住みついたペルシャ人がいるんです。胡人です。日本に来て、権力の闘争を目のあたりに見るという、いうなれば、外国人の目を通して見た奈良朝ということになる。そうなると胡人のことをね、かれらは長安とか洛陽とかに住んでいたんで、その生活や都の実態を調べなくちゃならない。その本もないのもあるし、ないのは学者にでも聞かなきゃならない。ところが学者でもわからないのもある。そこまでをだれも具体的にやってるわけじゃない。学者は小説書くわけじゃないんだから。しかし、小説にもリアリティーを持たせなきゃならないんで、そういう史料もあさらなきゃならない。そういうように手が拡がる一方ですよ。

――史料の収集というのはどなたかいらっしゃらないとお困りじゃないですか。

いや悪いけどね。ぼくのほうが見付けるのは早いや（笑）。だからたとえば、一誠堂に頼んだり、専門学者に聞いたりして、求める。書庫見てもらえばわかるように、各大学の紀要まで集めてますよ。著書だけでなく、小さな雑誌の論文ね、ああいうものも丹念に目を通して、そこに参考文献も挙げてあるからそういうものをさがすわけです。どうしても古本屋にないときは、国会図書館にだれかに行ってもらわなければならない。しかし、書名はわかってるから、それをコピーしてもらえばいいわけだ。そういう方法を取ってます。

——文献や本がかなり増えたと思いますが、お探しになるときに、すぐ出てまいりますか。

それで今ね。専門家にカードを作ってもらってるんだ。自分ではあそこにあると思ってもないことがあるからね。カードを作って整理しないといけませんね。年をとって忘れっぽいから必ずメモを取って置かなきゃならない。自分でもカードにメモをつけてますがね。

——本は冊数ではどのくらいあるんですか。

この間整理したけど、一万五千くらいあるんじゃないかな。小説は一冊もない。小説は詰まんないから。

——そうすると小説は一冊もおうちに置かれないわけですか。

一冊もない。みんな一誠堂に売っ払った。読みたい本がないもの（笑）。筑摩の文学全集一そろいあれば、見当つくわ。

——本に書き込みはなさるんですか。

本に書き込みをするのは好きでないんだ。古本を売るときに値打ちがさがるからね（笑）。それでぼくは書き込みをしないんだよ。そうしたら、大林太良（たりょう）が笑うわけだ。そんなことまで考えてるのかというんだね。大体書き込みは汚らしくなるからね。だから、鉛筆で筋を引いて、その上に、書き込みをする。そしてそれをノートに写す。そして、一々そこを開けなくても、手びかえでわかるように内容を写してるわけです。これがヒマが要るんだよ。

（ノートを見ながら）これは北一輝のこと書いたもの。かれの国体論が上段に書いてある。その種本が『二千五百年史』。これは竹越与三郎の書いたもので、ノートは北が種本をもとにどうやって国体論を書いたかを対照表にしたものですよ。こうやって、両方読まなければいけないんだ。

これから出雲風土記を書くんだが、こういうふうにノートに地図をはりつけて置く。いちいち地図を広げるのは大変ですからね。いっしょに行った考古学者が、こりゃ便利だ、松本式にやろうといってましたね。現地でもパンフレットをもらったらこれもこんなふうにはりつけて置く。

考古学

――古代史だけじゃなくて、考古学の分野のお仕事もありますね。自伝の『半生の記』でも、触れておられましたが、考古学者は、作品のモデルにも使っておられますよね。

考古学者のいっていることは間違いが多いとぼくは思うんだよ。かれらはわからないことは書かないからね。前方後円墳が並んでなぜこういうふうになっているのかというふうに、われわれ素人は素朴な疑問を提出するんだけれども、それ答えられないんだ。答えられないから触れない、書かないんだ。それはおかしいじゃないかとぼくはいうんだ。

問題提起であってもいいのに、全部わからなきゃ書かないというのは意味ないということで、ぼくなりに仮説を提出しているわけだ。末永雅雄さんという橿原（かしはら）考古学研究所の高松塚を掘った人ね。あの人が『古墳の航空大観』という本を出しましたがね。ぼくの説を一応入れてあるんだ。それしか解釈しようがないだろうというんでね。

在野の考古学者には実力のある人が多いんだけど、原田大六とか亡くなった森本六爾（ろくじ）なんかアカデミズムに容れられないんで、ずいぶん苦しんで、そのために、アカデミズムを激しく攻撃し、次第にエキセントリックになって行ってしまう。
アカデミズムは何といっても旧帝大出身者が最高で、私学にも序列があり、在野の人に差別感を持ってますからね。森本六爾は土器の用途を三つに分けたが、当時は鼻もひっかけられなかった。それが認められたのはやっと、死んだあとでしたね。そういうことで、ぼくは森本に同情して、「断碑」を書いたんだけどね。

邪馬台国〝論争〟

――松本さんのご研究とは落差があるとは思いますが、話題になりましたのでね。高木彬光さんとの「邪馬台国論争」についてはいかがでしょう。
ありゃ論争じゃない。ただ、高木君が他人の説を無断で使っているじゃないかと指摘しただけですからね。論争というのはあくまで双方の主張が討論になることでしょう。あの場合はそうじゃないんだ。

6　ノンフィクションの可能性

事実の迫力

――松本さんの作品には、虚構の、フィクションの面白さを追求したものと、事実に基づいた、ノンフィクションの迫力を盛った系列と、二つの対照的な流れがあると思います。『日本の黒い霧』から『風の息』にいたるもの、あるいは、『ミステリーの系譜』や『昭和史発掘』などがその系列ですし、これから日本の歴史をやられるとなると、それも、この一つになるのでしょうけれど、このほか何かお考えになっていますか。

歴史ばかりやるつもりもないですけどね。ノンフィクションに手を出したのは、フィクションで書くよりも、事実のほうが読者に強く訴えるような材料があったからですよ。下山事件とか白鳥事件とか帝銀事件とかね。小説で書くとその小説の中でどこまでが事実で、どこまでが作者の虚構なのか区別がつかない。そのあいまいさのためにせっかくの生々しい材料が死んでしまう。そういうことの残念さ。それなら、そのまま出して、ノンフィクションの形で書いたほうが読者にぼくの考えがよく通るということなんです。それから発展して行って、それが『日本の黒い霧』とか『現代官僚論』になって行ったというわけです。

米情報機関の圧力なし

——現在アメリカでもロックフェラー委員会が米国のCIAの実態調査を行っているくらいで、CIA批判もおおっぴらに行えるようになりましたが、『日本の黒い霧』で米国謀略機関の犯罪に言及されたころは、かなり勇気が要ったと思います。CIAその他からの圧力というものはなかったですか。

下山総裁が米国謀略機関の手で謀殺されたというのは、ぼくが初めて書いたので、その「下山総裁謀殺論」を執筆した当時は確かに、その点が気になりました。資料も出所はいえないけれどもかなり確実なものでしたからね。でも、そういうことはなかったですよ。

——話が少々政治的な問題になりましたから、例の報道界の大きな話題になった創価学会と共産党との協定の仲介者としての松本さんのご感想を一つ。今はまだいえない部分も多いと思いますが。

いえないのが大部分だよ。ぼくはまったく中立。だから何ともいえない。けれども、十年協定ということで、条約は十年間有効です。十年というのは両者が合意したことなんで、お互いに政治的な展望に立っているのだと思う。現在の政局で十年協定を考えると問題があるけれども、十年という長期展望に立つと公明党執行部がいつまでもこのまま不変であるかどうか。長い目で見ると、十年協定が必ず意味を持つようになって来ると期待しています。

7　海外旅行と推理小説

最近作『黒の回廊』について

——最近文藝春秋から非売品で『黒の回廊』という推理小説を新しくお出しになりましたね。

この作品はね、文春の全集の月報に連載していたのが未完に終わったわけです。本にしなければいけない段階で、どうも面白くないんでシチュエーションをちょっと変えたんです。初めは百枚も書き足せばいいと思ってましたが、結局五百五十枚生原稿を書いた。全部で七百五十枚ですから、元の月報の原稿は二百枚くらいしか使っていない。

——それじゃほとんど書き下しですね。私あの作品を拝見してまず感心したのは、女性の観光団を外国に送り出して、その参加者が現地で殺されるという筋立ては、なかなか現実性をもたせる上でも、トリック的にも困難があると思うのですが、そういう新しい試みに挑戦された松本さんの意欲です。殺人現場の移動のトリックが巧みに風景やホテルと結びつけられているのも面白いと思いました。それに、さまざまな女性が出て来るのに、それぞれが虚栄心むき出しで、そのいやらしさが実によく出てますよね。

ぼくは、女性不信論者なんだ（笑）。だから、理想的な女性を高らかに謳い上げた作品は一つもない。

——そういう所が実に面白かったんです。ただ、一つだけ私の読み違いかも知れませんけど、動機の問題が気になりました。『ゼロの焦点』と同じような設定ですけど、犯人が団に加わらないのなら、殺さずにじっと黙っているほうがいいんじゃないかとも思ったんですが。

あれは、証拠物件をつきつけられて割れて行く、というのでない小説のむずかしさですね。自分の過去を知っている人がいるというので参加を取りやめたんだが、それだけじゃ、これから先、マスコミで脚光を浴びる自分の将来にとても大きな不安がつきまとう。「顔」という短篇ご存知でしょう。あれですよ。

——なるほど、昔のことを知っている人がこの世に存在している限りどうにもならないということですね。名簿を見て、それまで存在することを忘れていた人々が身近にいることを知ってがくぜんとするわけですか。そういうふうにご説明を受けると何かわかる気がするんです。もう少しそこら辺を書き込んでいただくともっとよくなるように思いますけどね。

あなたのような読み巧者がすーっと理解できないとすると、作者の手落ちがあったとも思えますね。

――いやいや、私の読み違いかも知れませんから、もう一度読み直して見ます。

その点はともかく、ぼくはあれにね。これまで、三回か四回行った外国旅行の観光の楽しみを書いた面がある。そういう意味では楽しみながら書いたわけです。実際、事件と直接関係ないこともずいぶん書いていますよ。その余裕というのは、ぼくの趣味で書いたんだ。

――あれは面白いと思いましたよ。

だからぼくは一種の観光小説とも考えているんですね。

――そういう点では『セント・アンドリュースの殺人』や『アムステルダム運河殺人事件』と似た所もありますね。もっとも『アムステルダム……』のほうは実際の事件をもとにしているわけですけど、『セント・アンドリュース……』のほうは完全なフィクションですが、あの二つの作品も海外の風物をよく描いてますからね。全集の解説に『セント・アンドリュースの殺人』はノンフィクションだと書いているので、私は警察庁にも頼んでそんな事件があったかと照会した記憶がありましたけど、どうしてもわからなくて、松本さんに電話を掛けてやっとフィクションだとわかったというようなことをおぼえています。

『アムステルダム運河殺人事件』もね、ぼくは胃潰瘍で手術して三カ月ほど東京女子医大の病院にはいっていたことがあるんだけど、ぼくはじっとしてるのがきらいなんだ。たまたま病院にはいる前に、「週刊朝日」のほうから海外取材の話があった。そこで、逆療法で現地に飛んだわけです。

あとの二人はヴァイタリティーのある森本哲郎君とカメラマンでしたがね。正直の所つらかった。事件の解決部分がどうも考えつかなくてね。まあ最後は死体処理の面から一つの解決を示したわけですがね。それをポーの「マリー・ロージェの秘密」をヒントにして作品に仕立てたわけ。

『セント・アンドリュースの殺人』もあれは苦しかった。ぼくは荒涼とした風景が好きで中部のハイランド地帯とかが好きで、スコットランドに行っただけで、ぼくはゴルフ知らんからセント・アンドリュースに興味ないのよ。中村さんという朝日のロンドンの支局長、この人がセント・アンドリュースでゴルフをやりたくて仕方がないんだ。そこで、中村さんと今出版の写真部長をやっている舟山さんに引っ張られてセント・アンドリュースに行ったんで、また作品をでっち上げなけりゃならなくて、とても苦しかった。

——でも、あの作品はよくまとまってますね。時刻表は本物ですか。

本物ですよ。スコットランド読みすると、ちょっと発音が違うらしいけどね。

8　推理文壇の将来

推理作家協会のこと

——松本さんはこれまでずっと推理作家協会の役員を続けておられて、ことしおやめになりましたけど、これは松本さんの作家は作品が勝負だという考え方に基づくのでしょうか。

いやもうやめるというのは、ずっと前からいっていたんですよ。最初の理事長をやめるといい出して二期ほどつとめ、会長をやめるといってから何のかんのといわれて三期ほどやったかな。ぼくは余り世話ができないんだ。だから、名前だけでそこに居るのはよくないんだよ。とくに理事長をやめて会長になったときも、文芸家協会にも会長がいないのに、推理作家協会のような小さな組織に会長と理事長がいるのはおかしいといったんだけど、色々事情があってやって来たわけです。

だから、協会の会合にも出ないし、乱歩賞の授与式にも顔を見せなかったりね。会長としても理事長としてもぼくは失格なんだよ（笑）。やはり、よく世話をする人でないといけないんだ。ぼくは人づき合いはきらいだし、組織向きの人間じゃないんだよ。

――このごろは探偵作家クラブのころと違って推理文壇も開放的になって来たようですが。

それは佐野洋君がよくやってくれてるからね。名理事長だと思う。非常に意欲的だしね。乱歩さんが作ったようなサロン的な探偵作家のクラブというような、乱歩という強烈な個性で動かされて来た時代と今のような合理的、機能的な組織では違うが、これははっきり時代の流れの反映でしょう。

個性の強い乱歩さんのようなボス的な存在が組織の機能にいつまでも影響しちゃいけないと思う。もっと近代的な運営じゃなくちゃいけないということ。その点佐野君はよくやってくれていますよ。しかし、それでも古い人にはまた、乱歩さんの古いサロン的なものになれて来た人には、何か物足りないと感じる人もいるようだし、ボス的存在に憧れている人もいるらしい。

でも、それは古い型でまもなく自然に消滅すると思います。そういうもんじゃないんだ。ある一人の親分の所に新進作家が集まるとか、また集めるとかというようなものじゃなく、組織の機能でなくちゃいけないと思う。

——最後に、先輩として、後から来る新人作家に何か一言。

よく雑誌から注文が来たが、注文が来てから考え出し、考えている内に締め切りが来てしまう。そこで、責めをふさぐだけという原稿をよく見かけるよね。

あれは具合い悪いね。絶えず何か持ってなくちゃ。とくに流行作家といわれている人たちは考えるひまもないくらい原稿に追われているからね。日ごろの蓄積つまり在庫品がないから、苦しまぎれにいい加減なものを書いてしまう。今は雑誌も多いし、編集者も書き手に困っているから、それでも通ってしまうけど、これは自ら真綿で首を絞める結果になるんじゃないかと心配している。

新人は、出て来れば一つや二つネタは持ってるわ。たとえば森村誠一君なんかホテルに非常にくわしいから、かれはそれが財産なんだ。それから先が問題で、一つのことばかりやっていられないからね。レパートリーを広げなければいけない。そういうための蓄積を絶えずやって行かなければならないんだ。

今は雑誌が多いから、注目される新人はすぐ出られるんだ。すぐ注文も殺到して流行作家並みの扱いを受けるわけだ。その時点が実は一番危険だ、ということ、それを忠告したい。

——結局、長期にわたっていい仕事ができるかどうかは蓄積のあるなしにかかわって来るんですからね。

そうそう。日ごろの準備、いい気になって編集者におだてられて、変なものを書くことのないように。努力しても締め切りがどんどん迫って来る。そりゃもう目や耳から血が出るような苦しい思いをしますよ。それと日ごろからの準備というのは違いますからね。

日ごろからの準備といっても、ものになるものとならないものとあるんだよ。よく文章を書いて、二、三日机の中にしまってもう一度取り出して読んで見ろ、そうすると書いた文章の悪い所がよくわかるという。アイデアもその通りですよ。思いついたときはいいと思っても、すぐに書かないで、ノートか何かにつけて置いて時日を置いて読み直して見ると、そのときにものになるのはものになるんであって、それでものにならなければ駄目。自分で選択心を持たなきゃいけないということ。

それと新人に忠告したいのは、本を読んでいないな、余り。本を読まなきゃいけない。文章がうまくないというのも普通の小説を読んでいないことにも帰因するし、それと、馬車馬みたいに、推理小説ばかり書いていればいいかというと、そうでもないんだよ。

小説というのは、推理小説というワクを外して見ても、小説という機能は変わらないんだよ。その小説の中にその人の持っている観察力、読書による知識のようなもの、そういうものがやっぱり必要だと思いますね。

——そうすると、才能があってみんな出て来るわけですけれども、あとは結局努力ということになりますね。

そう。才能というのはみんな同じようなものだと思うよ。もちろん才能のない努力は意味ないけれど、ある程度才能があればあとは努力だね。

後記——権田　私はこんなふうに熱っぽく語る松本清張の顔を眺めながら、モーパッサンが師匠のフローベルの下での厳しい文章修業時代に、繰り返しかみしめていたというビュッフォンの次のような言葉を思い出していた。

いわく。才能とは長い辛抱にほかならないと。

昭和二十五年、四十一歳のとき、初めて書いた「西郷札」が「週刊朝日」の懸賞の三等に入選、四十三歳で「或る『小倉日記』伝」によって芥川賞を受賞、四十七歳で朝日新聞社を退社して、翌年から『点と線』をはじめとする推理小説によって戦後の推理小説に新しい地平を切り開いて来た松本清張の歩みこそ、まさしく絶えざる努力の軌跡そのものではなかったか。

私はそんな感慨にとらわれながら、松本邸をあとにしたが、当の松本清張は、私たちより一足先に、日曜だというのにもう一つの対談のために迎えに来た車でいづこともなく姿を消していた。(一九七五・一〇・一九訪)

私の小説作法——自作解説

1976.06

「張込み」昭和三十年ごろ、東京下町のある商店に強盗が入り、主人を殺して逃走したという新聞記事が出た。犯人の身許が割り出され、その者は九州の某県のある町に家があり、当人は一年前から妻子を残して東京に出稼ぎに来ていたことがわかった。すぐさま警視庁から捜査員二名が九州に出張し、被疑者の家に張込みすることになった。一段くらいのコミ記事だったが、何気なくこれを読んだとき、私は犯罪そのものよりも被疑者の生活環境を考えた。

昭和三十年ごろといえば、敗戦後のインフレが落ちこんで不況を招き、農村では特にその傾向が強かった。被疑者は農業で、現金収入の途を考えて東京に出稼ぎに来たものに違いない。ところが東京で一儲けしようと思っても、地方から初めて来た農村の人間にとっては、有利な働き口も金儲けもない。家では送金を待っている。犯人には妻子のほか両親も一緒にいたのかもしれない。犯人は送金を待っている家族のことを考え、思い余ってその商店に盗みに入ったが、主人夫婦に目を覚まされて殺したのであろうと考えた。そうなると、ひたすら夫の送金を待ち、その帰郷を待っていた家族、とくに妻は、帰郷する夫の代わりに警視庁から刑事が張込みに来たとなれば、どういう気持ちになるだろうか。そこから「張込み」の発想が始まった。

当時、私は、「小説新潮」に推理小説の短篇を一つ依頼されていた。その前に同誌に発表した歴史物がわりと好評だったので、続けての依頼であった。「顔」もそうだが、「張込み」も推理小説として構想したのではない。人間の心理に重点を置いて、それから起る「事件」を主題にした。その意味で、これは推理小説でもなければ、犯罪小説でもない。いわゆるサスペンスの範疇にも入らない。そこにはドキドキするような場面やアクションは少しもないからである。

「張込み」の最初の腹案では、家で待っている犯人の妻を刑事の眼から見ることを考えた。いつ犯人が立ち回りに戻るかわからない。それを前の家の二階から始終監視しているうちに刑事の心情として、何も知らぬ妻の生活に次第に同情が起ってくる。この場合、刑事は自分たちの来ていることを犯人の妻には知らせないでおく。張込みの或る場合には、警察が家族に協力を求める。当人が帰ったときは連絡してほしいと頼んだり、あるいはその家の中に捜査員が隠れているようなこともある。だが、この小説では、そうした張込み方法をとらなかった。犯人の妻は、何も知らないままに自分の行動がすべて刑事に観察されている。刑事の眼は、第三者の眼であり、読者の眼でもある。

そのうち、最初の、犯人の妻という設定を変えた。犯人と恋仲であった女性が他家に嫁いでいる。夫は年上であり、かつ愛情のない夫婦であるということにした。つまり警視庁では、地元署と協力して犯人の経歴を調べていくうちに、かつての恋人が他の家庭の主婦になっていることを突きとめた。したがって、今は他人の妻だが、追い詰められた犯人は前の恋人に会いに必ず立ち回るという予想で張込んだのである。主婦は、愛情のない夫との家庭生活では無味乾燥で無気力である。しかし、ひとたび犯人から連絡があると、刑事の眼から見ても、その動きはにわかに活発となり、生き生きとしてくる。主婦の倦怠した生活の底に埋もれ火のように残っている曽ての情熱が再び燃え上ってくるというのをテーマに書いた。

「顔」は、前に触れたように推理小説のつもりで書いたのではない。過去を持つ男が急に世に出るという設定では何があるだろうかと考えた。何の学歴もなく、また若くて急に世に知られるような職業とは映画の俳優か、今でいうならテレビのタレントである。この場合は映画の俳優で、しかも彼は一躍スターの座にのし上がるということにしたが、過去を持つ男は、絶えず自分が他人から顔を見られることを警戒しなければならないのに、映画の俳優はできるだけ多くの観客に、また世間の人に自分の顔を知られることを望むという矛盾も一つのテーマになり得ると思った。結末は多少推理小説めいているが、主たるテーマではない。この作品は、たしか昭和三十一年に書いたと思う。

そのころ私は、練馬の立野町（たてのちょう）という所に小さな家を借りて住んでいた。両親と妻子七人という大家族で、狭い部屋の片隅で、勤めから帰っては書き続けたのを覚えている。この中に出てくるロシアの俳優の演出理論は、急に思いついて吉祥寺の古本屋に行きその棚にあったものを見つけて引用した。「顔」は最初に書いた推理小説的な作品だったため、これを表題にした短篇小説集が、江戸川乱歩が会長をしていた日本探偵作家クラブから探偵作家クラブ賞を贈られた。

「白い闇」は、前記の立野町から上石神井の家に移ってから書いた。今と違って、そのころは私の家から青梅街道に出るまで雑木林の中についた道を約二百メートルほど歩かねばならなかった。月夜の晩に白い靄のかかった風景から「白い闇」という言葉を思いつき、のちにこの作品ができた時の題名とした。作品の内容と上石神井の夜の雑木林とは関係がない。

当時、「小説新潮」で作家の取材旅行を写真グラフにして、それを本文の小説と一緒に掲載する企画があった。私にもその注文が回ってきて、編集部からどこか取材旅行に行きたい所はないかと聞かれた時、まだ行ってみたことのない十和田湖が頭に浮かんだ。十和田湖のみならず東北地方は全く知らず、九州生まれの私にとってはあこがれの土地の一つであった。同行のカメラマンは林忠彦氏である。実際その時は観光的な気分が先に立って、小説のほうはアイデアもなければテーマも浮かんでいなかった。したがって、発表する小説の舞台は、仙台の松島、青森、十和田湖と写真場面に出ている所をかならず取り入れなければならないので、それを考えると、初見の各地を回っていてもかなり憂鬱だった。十和田湖には青森県の観光課の人がついてきてくれて、湖畔の宇樽部(うたるべ)という所に泊まった。宿で会食している時、県庁の人が、この十和田湖は火山湖で湖底が熔岩になっているために、断面がジグザグとなり、自殺者が投身しても、その死体が棚の下のような間に入ると決して浮かんでこないということを雑談で話してくれた。この話から初めて小説ができたような気がして安心した。夫が行方不明になり、妻は夫の友達と行方不明になった十和田湖に出かける。妻は、その夫の友人が犯人であることを知っているが、証拠がないために警察にも訴えることができない。そこで湖畔からボートを借り、二人だけで乗って湖上に漕いでいく。折から湖面は霧に包まれ、真っ白い闇となる。

「危険な斜面」は、サラリーマンの世界に材を取った。サラリーマンは絶えずその出世階段で危険な斜面に立っているといってもよい。出世すればするで、他のジェラシイを買い、足を引っ張られる。また取り残された者は絶望感と寂寥感に襲われ、同僚と飲み屋に集まっては酒で憂さを晴らす。

そこでは上役の悪口と、抜擢された同僚への言いようのない羨望と嫉妬とが「荒れた」酔語となり、やがてあきらめを生んでいく。私も長い間勤め人をしていたので、そういう世界はいやというほど経験で知っていた。もし順調に出世階段を登っている人間に一つの危険が訪れたとすると、それはどういうかたちがあるだろうか。普通に考えられるのは、主流派と反主流派の間にはさまって没落していくケース。またこうした主流反主流の交代がサラリーマンにとってはいつも危機となり得る。現在の主流派にあまりぴったりと密着すると、次の代替わりとなった時に蹴落とされる。したがってサラリーマンは、絶えず権力の交代を予想し、それに気を使わなければならない。だがそれはよくあることで、小説としては別な面から危険な斜面に立つ社員をとらえた。

「天城越え」は、有名な川端康成の「伊豆の踊子」があり、私は東京に来て間もない昭和二十九年に、初めて伊豆に行き今井浜という温泉に泊まった。その翌日、天城を越えて修善寺に着いたことがある。この作品では、天城越えと犯罪とは関係ないが、舞台としてかつて通った天城峠を設定した少年の犯罪である。私は、少年の心に潜む犯罪性といったものに興味を持ち、この作品をはじめ「火の記憶」「潜在光景」などにも書いている。少年の犯罪は、潜在的な意識の中に潜んでいる性に根ざしている。昭和三年の共産党大弾圧の際、私も飛ばっちりを受けて小倉警察署の留置場に二十日余り入っていたことがあり、同房者の強盗、どろぼう、婦女誘拐、詐欺といった連中が、それぞれ自分の犯行を面白おかしく語って聞かせたものである。私が二十歳のころである。その時に聞いたどろぼうの話が、この少年が目撃する場面のヒントになっている。

「潜在光景」は、やはり子供に潜む犯罪性がテーマである。自分の母親を他人の男に取られまいとする子供、それに対して気を遣う母親の恋人がいくら手なづけようとしても、子供の眼に光る憎悪は、男を恐怖心に陥れる。そういうところからこの小説を構成してみた。

「陸行水行」は、今ブームになっている邪馬台国を小説のテーマに使った。昭和三十八年「週刊文春」に連載した連作シリーズの一つである。邪馬台国は、だれにとっても興味があるとみえ、学者だけではなく随分とアマチュアの参加がある。それは『魏志倭人伝』という二千字にも足りない三世紀の中国の史書がどのようにでも解釈できるという興味であり、その興味は、長い学界の論争でも解決がついていない謎とつながっている。謎は、だれにとっても興味深いものである。この小説の主人公浜中浩三はその一人で、彼は四国の松山に近い村役場の吏員である。邪馬台国問題と取り組んで、それを単調な勤めの唯一の救いであり慰めとしている、いわゆる郷土史家である。作中で、この浜中と「私」とが邪馬台国問題で話し合っているところは、今でもそうだが、郷土史家にありがちな発想を紹介したつもりである。『倭人伝』には、狗邪韓国から対馬、一支、末盧までは海上でも里数になっており、末盧から陸地で伊都国、奴国、不弥国まではこれも里数で表されている。しかし、不弥国から投馬国は「水行二十日」であり、投馬国から邪馬台国は「水行十日、陸行一月」となっている。学界では、不弥国までの里数は実際に郡使が歩いた所で、不弥国から水行の日数で表されている所は実際に行っていないのではないか、つまり倭の住民から話として聞いたのを書きとめたのではないかと言われている。余計なことをいうと、私自身は『倭人伝』のこの距離数は編者の陳寿が机上で創作したものであると、その後『古代史疑』はじめいろいろなものに書いているが、この作品とは関係がないので省く。

主人公は結局、どこに邪馬台国があるかを探るには『倭人伝』のとおりに不弥国から実際に船で行ってみなければ実証ができないと主張する。浜中浩三によれば、不弥国は豊前宇佐〔大分県〕の近くだという。といっても宇佐そのものではなくて、宇佐から約二十キロぐらい山の方に離れた安心院（あじみ）という所があり、そこは駅館川（やっかんがわ）をさかのぼっていくと、広々とした盆地が突然に開けてくる。この川の上流は『古事記』の神武天皇記にも見えている旧蹟足一騰宮（あしひとつあがりのみや）の伝承地でもある。浜中浩三は、この盆地こそ不弥国であるというのである。安心院盆地は、私が戦前に初めて訪れて、その峠を越えた所に突然開けた盆地の雄大さに驚いたのが印象となっている。小説のうえで邪馬台国の探険に船で行こうという設定は、最近、角川書店主によって古代の船が作られ朝鮮海峡を渡る試みとどこか発想が似ていないでもない。もちろんこの小説は、論文として書かれたものでもなければ、私の邪馬台国論を小説化したものでもない。週刊誌の性質上、連載中はひどく難しい小説のように編集部でも渋い顔をしたが、本にまとまるとかなりの反響があった。そこでこういうものが私の邪馬台国論と思われては困ると思い、その後二年して「中央公論」に『古代史疑』を執筆した。いうならば私を古代史の論文執筆に走らせたのは、この短篇ということができる。

「たづたづし」は、本文の冒頭にも書いたように『万葉集』から題材をとった。場面は、前にも述べた上石神井の環境を取り入れた。往還から引っ込んだ所に百姓家があって、ケヤキの防風林に取り巻かれている。両方が同じような農家なので、狭い道はかなりの所まで暗かった。夜、そこを抜けると、月光の道路に出たというのは私の実感である。月の晩は、蒼白い光が一面の畑を濡らし、遠くの森が靄にぼやけている。満月の晩は月光が強い。これは私が散歩の時に感じたことである。

ほかにも『万葉集』から思いついて書いた推理小説がある。「万葉翡翠」という。『万葉集』に「渟名川の　底なる玉　求めて　得し玉かも　拾ひて　得し玉かも　惜しき　君が老ゆらく惜しも」（三二四七）という歌がある。普通「ぬなかは」は川にかかる枕言葉とみなされている。確かに渟名川は身近な川と見るより、空想的な川の名前のように思われる。事実、注釈書を見ても、渟名川は天上界の川だと書いてある。だが枕言葉は、もともとその歌がつくられた時期には、何らかの実際的な意味があったことは間違いがない。それが次第に忘れられてきて、単なる修飾語と解釈されるようになったのである。この歌の「ぬなかは」は、越の国のヌナカハヒメにかかっている。越の国は、今の越後一帯をいう。

元来、日本の古墳から出る勾玉には材質が二種類あって硬玉（翡翠）と軟玉（瑪瑙）である。戦前は、硬玉製の勾玉は、その原石を中国の雲南省から輸入したものと考えていた。ところが戦時中、ある地質学者が新潟県の糸魚川付近の姫川の上流で、偶然翡翠の原石が転石となって川にあるのを発見した。その地質学者は、さらに上流を調べ、原石の所在を確認した。今では、古墳に入っている硬玉製の勾玉は、ほとんどが姫川産であるということになっている。姫川というのは、ヌナカハヒメのヒメにかかわる地名であろう。

これをテーマに、ある考古学者が越の国の姫川からヒントを取って、翡翠の発見に若い弟子たちを派遣し、そこに殺人事件が発生するという話を書いた。このように『万葉集』には、まだまだ現在でも解釈が違っていたり、あるいは全く解釈困難な難解とされる歌がある。これなども使いようによっては推理小説の材料になるように思う。「たづたづし」は、ある人から聞いた話からヒントを取った。これは「小説新潮」昭和三十八年八月号に載せた。

「内なる線影」は、福岡県の北部海岸が舞台である。正確にいうと、宗像郡の鐘崎から神湊にかけた所が土地のモデルである。小倉生まれの私は、たびたびこの海岸を歩いた。鐘崎の地名は一種の沈鐘伝説で、秀吉の朝鮮役の時、黒田侯が朝鮮の梵鐘を載せた船がこの海岸の沖合いで転覆し、鐘が海底に沈んだ。それ以来、船がこの近くに差しかかると、海底から鐘の音が聞こえてくるという言い伝えがあった。明治になって、この鐘を引き揚げる計画があり、錦織剛清という人が金儲けをもくろみ、沈鐘の引き揚げにかかったことがある。この錦織剛清というのは、相馬のお家騒動に関係し、後藤新平が監獄に入れられるというちょっとした疑獄事件である。錦織は、その謀略の張本人とされた。相馬家の当主を気違いと称して座敷牢に押し込めたところは、現代でも邪魔者を精神病院に入れる手口と似ている。この事件なども、ひねって書けば推理小説の材料になりそうである。さて錦織が引き揚げた鐘は大きな岩石だったので、元の海に戻したそうである。

鐘崎から神湊にかけての海岸は、この小説に書いたようにいわゆる白砂青松で、夏は海水浴に適し、北九州の各地から人々が集まってくる。砂丘は小高い形で、約十二、三キロも続いている。

また余談をつけ加えると、鐘崎は潜水海女の発祥の地である。『魏志倭人伝』に「倭の水人好んで水に潜り、魚や貝をとる」とあるが、この漁撈種族の風習は、すでに三世紀ごろからあったと見える。『倭人伝』の記載は、いまの対馬、壱岐、佐賀県の東松浦郡の海岸のことだが、もともとそこに潜水技術を教えたのも鐘崎の海人だと言われている。のみならず、その潜水技術は、日本海海岸では鳥取県の夏泊、能登半島の北端の舳倉島、さらには富山県、山形県と延びていき、太平洋海岸では紀州の白浜、伊勢の英虞湾、房州の勝浦、さらには仙台沖の金華山にまで及んでいる。漁撈種族というのは一種の海のジプシーで、漁場を求めては放浪し、適当な所に根拠地を求める。そして彼らは、ついには内陸に上がり、農耕生活に入る。鐘崎の付近は『記紀』に出てくる阿曇郷で、その地名が、今、信州の安曇郡に残っているのはその例である。

鐘崎の沖には、地島という小さな島が見える。玄海灘でもこの辺は響灘と名前が変わる。もう少し西に行けば大島がある。大島は、海岸からは遠くて見えないが、沖ノ島とともに宗像大社の祭神である三柱の女神を祀ったところだ。ある夏の日、私は神湊から漁船に乗って、この大島まで行ったことがある。すでに四十年以上も前の話である。

私は、小説の舞台を設定する時、よくなじんだ土地か、あるいは初めての旅行で非常に印象深い風景に接した所を思い出して書く。小説の取材のために、わざわざその舞台を求めて旅行することはない。そうして最初に受けた印象をもとに書く。なぜなら、取材のために詳しく調べようと二度目に出かけると、たいてい失望するからである。

小説の効果の上に背景が最も大事なことは言うまでもない。その点、E・A・ポーは、よく背景を選んでいる。彼は、土地と天候を十分に計算に入れて、これをきわめて効果的な雰囲気で描いている。「アッシャー家の没落」では、あの荒涼とした田園風景、ひねもす馬にまたがってその荒野をよぎる旅人、どんより曇った厚い雲のたれ下がる空が効果的に描かれている。そのようなものを抜きにしては、あの「アッシャー家」の憂鬱な、メランコリックで重々しい雰囲気は出ない。たとえば、他の作品の話になるが、私の『ゼロの焦点』は能登半島の西海岸に行ったことを思い出して、これを舞台に求めた。今でこそ西海岸は多くの観光客が訪れるようになったが、当時は主に東海岸の和倉温泉から、すぐ輪島へと観光していくのが普通だった。私はわざわざそこを通ったのではない。和倉温泉に一泊し、福浦という古い港町が西海岸にあり、山越えで近いと聞いたので、急にタクシーを雇い、西海岸に出たのである。早春の寒い日で、山道には雪が積もっていて、途中でタクシーがチェーンを巻いたのを覚えている。そんな具合だから、日本海の寒い風をまともに受ける西海岸は、季節外れのせいもあって、訪れる人はだれ一人いなかった。あの辺は風が強いので家の周りを簀で囲み、まるで簀だれの中に家が建っているような具合であった。その福浦から羽咋(はくい)という所に出る途中、海岸に岩礁が屹立している風景の中を通りすぎ、その記憶がいつまでも頭に残っていた。

これを小説の舞台に選んだわけだが、と言って、詳細な調査のための再遊はしなかった。したがって、地理的には細部に書き誤りもある。しかし、舞台もまた一つのフィクションである。現実の通りに書く必要はない。小説の効果のためには、その主観をかなり強く出し、その色あいに相当染め上げてもいいいと思っている。

〈面白さ〉の発見――推理小説と実生活

1981.12

（聞き手・サントリー・クォータリー編集部）

ヒューマン・インタレストということ

――先生の作品は二十数年来ずっと読ませていただいてきております。文学的なご出発は、昭和二十六年の「週刊朝日」の「西郷札」にはじまり、それが直木賞候補となって、その後「三田文学」に、「記憶」、「或る『小倉日記』伝」をお書きになられました。そして、その後者の作品で、昭和二十七年下期に芥川賞に選ばれたことは周知のとおりなんですけれども、その頃、先生は四十歳ぐらいになっておられたんですが、プロの作家としての文学的スタートをされるんですね。そのへんの動機、いろいろお書きになっておられる部分もございますが、まずはじめに、うかがわせていただけたらと思いまして……。

松本　小説を読むのは好きでしたけれども、小説家になるという気持ちはそれまで全然ありませんでした。しかし、ちょうど今のお話の、「週刊朝日」が懸賞小説の募集をしていたんです。当時で一等が三十万円かな。昭和二十六年はまだ終戦直後の混乱が続いていて、インフレで物価が日に日に高騰していた時代です。当時、朝日新聞に勤務していましたけどね、なかなかサラリーマン生活では苦しいわけです。そういうときに、簡単に言えば、賞金に目がくらんだというのかね（笑）、少しでも賞金がもらえるならばと思って、正直それで応募してみたんですがね。

動機は、そんなきわめて不純なことだけれども、題材の方は、ある日百科事典を読んでいて、〝西郷札〟という項目が偶然目に入ったんですね。それからヒントを得て年表をつくった。その理由というか、あるいは動機は〝西郷札〟への特別な関心です。つまり、あれは、西郷隆盛が九州の延岡に逃れて、そこで、軍票を発行するのですが、その軍票が、西郷が負けた後、政府は全然補償しなかったのですね。けれども宮崎地方は、あの軍票によって西郷軍にずいぶん物資を調達されたわけで、西郷軍が負けても、たとえ賊軍の軍票とはいえ、人民に迷惑をかけたことは同じだから、その人民の迷惑を救うために、政府は西郷札を補償しなきゃいかん。

そういうことが、当時は国会というものはなかったけれども、元老院というのがありましてね、そこで取り上げられた。

結局それはだめだったんだけれども、しかし、時の政府が西郷札を回収して、それに対してお金を払うという風評は宮崎地方に起こっていた。そこでその西郷札を事前に安く買い集め、そして他日補償されるときに大儲けをしよう、という商人が必ずあったに違いないと思ったのです。これは史実ではないんです。私の想像で……。そういうことが、当時インフレが進んで、投機性が非常に強くなっている終戦直後の世相とどこか一致している。それから敗戦ということは、西郷軍の敗戦とも通じるし、それから、そのために宮崎地方、鹿児島地方の人民が非常に迷惑を受けているということも、なんとなく敗戦日本の世相をもっと小型にしたようなね、そういうことを感じたものですから、それで小説に書いたわけです。

——その後、純文学、推理小説、ドキュメンタリー、時代小説、それからさらに考古学、古代史学のほうへ、エネルギッシュな活動を続けておられるわけですけれども、現代文学を語る場合、こういう言葉がありますね、「松本清張以前、松本清張以後」——。これはよく文芸批評のなかに出てきていたわけですけれども、純文学、大衆文学の垣根を、先生がずっと創作活動をお続けになられる過程で取り除いたという評価なんですね。松本清張という作家の登場によって、垣根が取り払われ、そういう区別を無意味なものとしたということをしばしば目にしたり、耳にしたりしてきたんですけど、この点、つまり、御作のこういう受けとめられ方を先生はどういうふうにお考えですか。いまさら〝純文学論争〟みたいなことをいうのもおかしいのですが。

松本　文学に、純文学とか、通俗小説とかいう区別が出来たのは大正期で、わりあい新しいことなんですね。しかし本来は、小説の成立というのは、たとえば『アラビアンナイト』がそうであるように、日本では『今昔物語』『宇治拾遺物語』がそうですが、他人の話を聞いて、それを愉しみ、喜ぶというところにあると思うんです。

考えてみると、そもそも個人の経験なんて非常に狭いんです。で、その狭い範囲のなかで、いくら小説を深く掘り下げてみたところで、やはり狭さには変わりはない。そうすると、それはいくら自分の個人的な体験、そう、昔で言えば、田山花袋あたりが明治の終わり頃盛んに自然主義文学を唱え、それが日本独特の私小説の登場になりますね。しかし、いくら「私」自体を掘り下げたところで、経験はきわめて狭いから広がりようはない。

で、そういうものはだんだん衰弱するわけですよ。というのは、話にもともとおもしろさがないわけですから。やっぱり小説というものはインタレストがないと、多くの読者が読んでくれないですね。自然主義が行き詰まってしまい、マンネリズムに陥ってしまったのもそのあたりに理由がある。で、自然主義が好んで取り上げるところの絶望感ですね、特にそのモチーフになっていたのは、女の問題と、貧乏の問題、この二つが自然主義作家が好んで取り上げていた。それでもわかるように、自分自身の個人的な体験が多いわけです。本人の体験であるか、あるいは親類縁者、友人のことにしか眼が及ばない。

それは、やはり文学そのものを衰弱させてしまう。はたして衰弱したわけですね。自然主義も藤村や秋声くらいです。文学史的に言えば、そのあとにロマンチシズムがやってくる。たとえば白樺派のようなロマンティックな人道主義、芥川龍之介、菊池寛に代表されるような、新理知派。というような流れを経て文学は今日まできているわけですね。

だから、今の話のように、純文学と通俗文学の区別は、文壇が、一つの勧進元みたいになっているところがある。文壇と文学を勘違いしている人が多いんですね。文壇が文学だと錯覚している。しかし、文壇は決して純文学あるいは文学の代表団体ではなくて、あくまでこれは小説家の親睦というか、寄り合いですからね、だから文壇で認められるとか、文壇で評判がいいということが、必ずしも小説の価値を決定するわけじゃないわけです。一部の文壇人というのは御殿女中の寄り集まりみたいなところがある（笑）。ボスがいて、そのご機嫌取りのお茶坊主がいるところは、一部の会社と全く似ています。でも、そういう文壇が文学だと思う人は相当おりますからね。

そういうわけで、別に文学に垣根があるとは思わないし、私は自分の好きなものを書くのだという気持ちですね。好きなものを書くというのは、私自身が読みたいものを自分で書く、と言ったほうが早わかりがするかしら。いわゆる「純」文学作家は、自分のために書く、とよく言いますけど、これほど妙なことはないんで、自分自身のために書くのなら、なにも雑誌や本に発表することはないわけです。日記にでも付けておけばよい。

だから、たとえば志賀直哉なんかは、〝小説の神様〟と言われていて、あの人の『暗夜行路』は高い評価を受けてきましたけどね、私から見ると、これはどうにもならん作品だということになる。今ここで、詳しいことを言う時間の余裕はないですけどね。

私の文学的な動機はやはり人間的な興味です。サマセット・モームも、人間というものは観察すればするほどおもしろくてしょうがないと、人間の存在がおもしろくてしょうがないという意味のことを言っていますが、そういうヒューマン・インタレストというのか、人間への興味、それが私の創作の動機ということですね。

「動機」のリアリズム

――ちょっとお話が前後するのですけれども、昭和二十七年下半期の芥川賞を受賞されまして、その選後評が昭和二十八年の「文藝春秋」三月号に出ているわけです。そのなかで坂口安吾が先生の作品を評して、特に文章に触れましてね、「甚だ老練、また正確で静かでもある。一見平板の如くでありながら造形力逞しく底に奔放達意の自在さを秘めた文章力」と評価しているのです。さらに「この文章は、実は殺人犯人をも追跡しうる自在な力があり、その時はまたこれと趣が変りながらも、同じように達意巧者に行き届いた仕上げの出来る作者である」というふうに書いているんですね。そのときの先生は、まさに〝純文学〟の領域に属するような作品で芥川賞を受賞されているんですけれども、坂口安吾氏が選考委員として、早くも松本先生の将来の作品を予言しているような感じがみうけられたんですがね。

松本　それはよく言われるんですけどね。坂口さんの探偵と犯人という比喩は、当時坂口さんという人がもともと探偵小説趣味があって、それで連続殺人事件とか、捕物帳なんかを書いておられましたが、そういうことから、たとえを出されたのだろうと思うので、坂口さんにそう言われたからといって、推理小説を書いたわけじゃないですね。

坂口さんのいう探偵と犯人というのは、ありきたりのそれまでの、いわゆる探偵小説のことでしょう。私は、探偵小説は、あまりに意外性とか、トリックを尊重し過ぎて、どうも人間がそのための道具になって、性格も書かれていない。だから、筋立ても無理が重なって不自然だと思っていました。あり得べからざることを書くのは構わないけれども、人間が書かれていなければならない。しかし、探偵小説にはそういう描写力がないわけですね。で、人間が書かれていないという点では、文学的な習練というか、そういうものの不足を感じてしまう。ただ鬼面人を驚かすというのか、そういう態のものが多いと――。

もともと推理小説、探偵小説というのは、アメリカのエドガー・アラン・ポーが始祖と言われていますけれども、ポーのものは、みんな非現実的なストーリーですね。それでも読んでいる限りは惻々と身に恐怖が迫ってくるというようなリアリティーがある。どこからくるかというと、きわめて細部にわたって現実的な要素を与えるような、現実感が湧いてくるような要素がいっぱい配置されているんですね。簡単に言えば、小道具に現実性をもたせるようなものばかりを配置しているんです。したがって「アッシャー家の没落」というのがありますが、それを読んでも、それから、樽の中に入った人間がナイヤガラの滝から落ちる話がある。壁の中に人間の死体を塗り込める「黒猫」という作品がある。いろいろありますが、どれを読んでいても、読んでいる限りではちっとも不自然なところが感じられない。迫真性がある。

　日本の江戸時代の作家でも、上田秋成なんていう短編小説の名手がいますが、その人のああいう怪奇物語、たとえば「白峯」という短編とか、それから「菊花の約」とか、いろいろありますね。これも全くあり得べからざること、お化けが出たり、幽霊が出たり、それから人間の怨念みたいなのが出たりするけれども、読んでいる限りは、本当に実際そういうことがあるといったような感じを受ける。それもポーと同じように、きわめて小さいところに、現実的な要素になる小道具が配置されていたり、背景にしても、それから天候にしても、ポーも上田秋成も、心憎いまでに配慮を尽くしている、ということを考えるにつれて、日本の探偵小説の作家は、あまりにもお粗末だと思ってしまうんですね。

　それからもう一つお粗末なのは、心理描写が全然出来ていない点ですね。それは今言ったように、筋立てのために人間が動くんだから、どうしても人間が道具になって、操りからくりみたいになってしまう。ただグロテスクな、そして人を恐ろしがらせるようなことばかりを考えているように思える。私はそういうのは化けもの屋敷だと批判したことがあるんで、そういうお化け屋敷のようなものから登場人物を解放して、あるいは小説を自由にして、そしてそれに人間性を与えなければいけない。

ということは、人間の心理を書くというのは、探偵小説も素材は犯罪ですからね。犯罪をするという人間の、あるいは犯人の動機を追求することになる。犯人の動機を追求するということは、人間の心理を追求することと全く同じですからね。そうすると、近代小説が心理描写にあるといわれるならば、推理小説もそういう面で、もっと純文学に近いものが出来るんじゃないかというふうに思えますね。たとえば『罪と罰』で大学生のラスコーリニコフがお婆さんの高利貸しを殺しに行く。あとで検事と一問一答があって、お互いに攻防をやる。その殺しに行く心理的な描写、それから検察官との心理的な攻防戦、こういうものこそ推理小説に取り込まなきゃならんというふうに思って、私はまず、ただ単にトリックとか、犯罪捜査のおもしろさはもちろんなきゃいかんけれども、その底にはやっぱり動機の重視が大事だと思う。今まで動機ということは、本当にお座なりに、ちょっと最後のほうに付け加えているだけで、あんまり表面的に、特に力を入れて書いていないと思っていました。それがどうも推理小説の不自然さにつながる。ですから、まず動機というものを先に出して書くことをやってきたんです。

したがって、犯人探しではなくてもいいんですわ。はじめから犯人がわかっててもいい。ラスコーリニコフという、犯人は、最初からわかっているでしょう。そういうふうに、犯罪捜査の謎解きと、犯人は誰かというようなこともおもしろいけれども、しかしその企んだ犯罪が、どのようなプロセスでバレていくか、暴露されるかということも、また一つのおもしろさじゃないかということから、私は両方を書いてきたわけですね。

——それが、昭和三十年の「張込み」、それから三十一年の「顔」、三十二年から三十三年の『点と線』になっていくわけですね。

底の深い推理小説（ミステリー）の人気

——さて、このところ数年の動きを見ていますと、SFのブームが続きまして、推理小説がやや静かに感じられたようなこともあったのですが、しかし、依然として推理小説というのは根強い支持者、読者が多くて、相変わらず底が深いという感じがします。さらにテレビドラマなどを見ていましても、推理小説をドラマ化したものとか、推理もの仕立ての作品は視聴率も大変高いわけなんですね。どうして戦後一貫して推理小説が文学の底流として支持され続けているのか？　いま伺ったお話のなかにも解答は出ているわけなんですけれどもね。

松本　それは、一つは構成の問題だと思いますね。自然主義文学に例をとると、話が何となく始まって何となく終わってしまうというフラットな構成ね、平板な構成……。昔はそれがいいとされたんです。自然に話が始まって自然に終わると。人生というものは、そうサスペンスがあるものでもなし、そう作為的にするようなものでもないと。小説は人生の一断片を切り取って、これが人生ですと、これが人間の生活ですよと示すものであったのですから、あまりドラマチックな物語性があると不自然とされていた。けれども、理屈はその通りだけれども、読むほうは次第にそれに退屈してしまうのですね。

戦後になりまして、いわゆる風俗小説が流行してくる。これもやはり今までの小説作法と同じでしてね、始めから終わりまで話が順序よく進む。そうなると、それもいいけれど、やっぱり物語というものには変化がなきゃいかん。だから始めを読んだら終わりがわかってしまうような小説は困るわけで、やっぱり小説というのは、読者に〝これから何が起こるだろうか？〟というような期待感があるものでなければいけない。何が起こるだろうかということは、一つは意外性であり、サスペンスであり、冒頭に予想したとおりのことが起こって小説が終ったんじゃ困る。推理小説はその点、非常に変化に富んだ構成を持っているわけですね。したがって、普通の小説でもいわゆる推理小説的な構成がはやるようになっている。

だから、福永武彦の小説や三島由起夫の小説にもそういう傾向がありますね。そうでなければ、つまり平板な話、平板な構成では、もう読者が途中で投げ出してしまうと。井戸端会議ではないけれども、近所のおかみさんが集まってあの家はこうだとか、あそこの旦那さんはこうだ、奥さんはこうだとかいうように他人の話を聞きたがる。小説の姿勢もそれと通じると思うんですよ。あんまり平凡なことは井戸端会議でも話題にならないでしょ？　井戸端会議といったって昨今ちょっと通じないけれどね、近所の奥さんの立ち話というか、この頃暇になりましたからね、カルチャーセンターあたりへ行って、その帰りがけお茶でも飲んでしゃべる、そのときの話題にも、やっぱりそういうものがなきゃいかん。

――いまのお話に関連いたしまして、日常生活のなかに、いま、構成と先生はおっしゃっておられましたけれども、その推理小説的な思考ですね。それからもう一つは、いわゆるイマジネーションといいますか、想像力、そういう要素が人間が生きていく上で非常に役に立ち、重要であるという考え方ができると思うんです。それから、当然、作家や詩人たちにとっては、イマジネーションは不可欠ですけれども、生きていくための、普通の人間に必要なイマジネーションですね、そういうものについてどのようにお考えでしょうか。

松本 小説家というのはね、想像力がないとちょっと小説家になれないと思いますね。これは私のことを言うわけじゃなく、みんなそうだな。たとえば志賀直哉の小説でも、みんなそれぞれフィクションが相当入っているわけです。『暗夜行路』でも主人公はおじいさんと母親の間に生まれたことになっている。あれも志賀さんの自伝じゃなくて、志賀さんの『創作余談』というのを読むと、自分は父親に憎まれている、どうも親しくなれないと。ひょっとすると自分は本当のお父さんの子じゃなくて、お母さんがおじいさんと密通して、その間に生まれた不義の子じゃないだろうか。そのために父親に憎まれているんじゃないかということを、旅行先の四国の屋島に泊って眠れないままにふと考えつくわけですね。それが想像ですわ。それだけのことから『暗夜行路』という、あんな長ったらしい小説が出来るんだからね（笑）、やっぱり想像力というのはとっても大切だと思います。

――ビジネスマンの社会でも、想像力のないものはだめだ、なんて言われているんですけれども、それではどのように使っていけばよいかとなると大変難しい問題でして……。

松本　ただ想像力といったってね、むちゃくちゃにあるからいいというんじゃなくて、一見、人の意表に出ているように思われるけれども、しかしそれには万人の心のなかにあるもの、共通性というのか、普遍性というものがなきゃいかん。で、その想像力によってつくられた小説が指摘することによって、なるほど日頃は気がつかないけれども、自分の心の奥にはたしかにそういう意識がある、それを言いあてられたというようなところがないとだめなんで、その個人的な空想力だけで、万人が納得しないようなものは意味がない。言いかえると、普遍性のない想像力はだめですね。

平野謙氏の推理小説批評

――お話が飛びますが、さっき、ちょっと先生のお言葉に出ておりましたけど、推理小説のファンであり、実作者でもあった福永武彦さんとか、亡くなられてしまいましたけれども文芸評論家の平野謙さん、いろいろ、松本先生の作品の批評をお書きになられて、私もずいぶん読んだ記憶があるんですけれども、ああいう推理小説の批評は、読者にとっては良い道案内になりますし、鑑賞や味わい方の点でも非常にヒントになるんですが、作家のお立場で、ああいう方々の批評というものをどういうふうにお受け取りになるのですか。

松本　だいたい平野さんは、私のよき理解者の側だった方ですけどね、けれども私から言えば、平野さんの見方にもちょっと不満なところがある。平野さんにはね、小説というのは「告白」でなければならないという自然主義以来の主張があるわけですね。で、「近代文学」に属しておられたかたらもっと言い方は変わるわけですけど、それは伊藤整でも同じです。やっぱり自然主義的な考えに立っていた。とくに私小説という日本独特のジャンルがありましてね。それは、個人の悩みと小説とはくっついていなきゃいかんということなんですが、個人的なものから離れた空想の世界というものは、それは単なる読物であって、やはり告白とか懺悔とかが小説のどこかになくちゃいかんというわけなんですね。

私はこの説には反対なんですよね。この人達が推薦しておくあたわざる志賀直哉さんの小説を見てもね、必ずしも告白でないわけですね。伊藤整さん自身の小説にしてもね。ヘソのある小説でなければいかんというのは、高見順さんが言い出したんだけど、じゃあ御自身はどういう小説を書いているかというと、これがまた箸にも棒にもかからぬ小説を書いている。言うことと実際はもちろん違うのがあたりまえですけれども、自分の主張と作品とがまったく別個のものになるのはどうですかね。それを、その人たちの考えどおりになっていなければ認めないというような偏狭な批評家態度は、私のとるところじゃないです。

――無視なさるわけですね。

松本　私のほうが無視するわけです（笑）。

風俗・都市感覚と日常性

――ところで、最近もそうなんですけれども、一時、風俗ということにだいぶ関心が集まっていましたが、作家の目でごらんになられて、現代の風俗、たとえば若者風俗とか、飲酒風俗とか、都会の風俗とかというものをどんなふうにお感じになっておられますでしょうか。

松本　いまの風俗といえば若者が主体になりますけどね、現代のような若い人の風俗というのは、道徳観念というものを含めて言うならば、私のような明治生まれの者にはどうも理解しにくいところが多いんです。

この頃の若者の中の無軌道みたいなもの、たとえば暴走族とか、それから原宿族なんかと言われるようなものの奇妙な風俗というものはね、これは形こそ変われ、いつの時代でもそういうものはあるんで、大正時代では、モダンガール、モダンボーイ（モガ、モボ）というのが流行っていて、これも当時から見ると、ずいぶん奇妙な格好をしていたんですね。そういうことはいつの時代でもあるわけで、とくにそのために日本の若い人がよくいわれるように、アメリカ人の意識に同化しているとは思えない。

だから、そういう風俗をテーマにした小説を書いてもね、これは小説として長続きしない、いわゆる風俗小説というのはすぐに廃る。風俗はすぐ変わりますからね、そうすると、やっぱり風俗小説というのは、遅れたファッションのものが店(たな)ざらしになってウインドーに吊り下がっていると同じように、廃れてくる。

いまの風俗については、私は理解し難いところがいっぱいあるけれども、しかしながらいままでの風俗の歴史というものを考えれば一時的な変遷の繰り返しですから、それがために日本人の意識が全く変えられるということはないと思う。暴走族だって年とればすぐやめてしまうしね。それから安田講堂で騒動を志した連中は、あの頃からだいぶたちますからね、いまやネクタイをきちんとして、善良なる会社の課長さんぐらいになって、非常にプチブル的良識豊かなマイホーム型になっていると思う。そんなふうに変わってくるんだから、あんまり懸念はしていませんね。

――最近ジャーナリズムの間でも、都市という問題が大きくクローズアップされています。〝都市への眼〟とでも言うようなものが芽生えてきていまして、いままでは、単に建築的な空間としての都市を言ってたわけなんですけど、ちょっと変わってきまして、さっき先生がおっしゃられたように、人間的で、精神的で、歴史的な都市というものに対する、新しい見方、眼といいますか、目覚めのようなものがあるのではないかと思うのですが……。

松本　それはどういうふうな見方で出てくるの？

――東京とか、あるいはニューヨークとか、ロンドンとか、都市そのものに対して若者の間で、いわゆるその都市に自分が存在しているというだけで良いにつけ、悪いにつけ一つの価値があるというような、都市に対する偏執的なかかわりといいますか、そういうものが、単に建築的なものじゃなくて、精神的な空間としての都市に対する執着力というものが、現われてきているんですね。

松本　私、よくわからないけどね、都市というのは人間が群がり集まるところで、それは昔から都会中心的な気持ちはあるわけで、田舎よりも都会に住みたいと単純に思ってきたわけですね。東京の場合にたとえますとね、人間はいっぱい住んでいるけれども、それぞれが孤立しているわけですね。田舎にいるとうるさくてしょうがないんだよね。今朝のおかずがもう昼には近所に知れ渡る、それで、ジロジロと生活をうかがわれているというような、うるささがあるでしょう。それから伝統的な風習とか、あるいは因習みたいなものがあるでしょう。都市にはそれが一切ない。私なんか二十年ここにいるけれどね、二、三軒先の人に挨拶されても、どこの方だかわからないもの。

そういうふうにね、都市のなかの孤独化というのが、若者にとって一つの魅力だと思います。お互いの連帯感が一見あるように見えて、それぞれが孤立しているというところに、自由さがあり、それからいい意味の独立独歩というか、何でも思うようなことが出来ること、しかも同じような人々が集まって、そしてそこではいろいろな設備があって、生活がエンジョイ出来るということですね。一面から見るとメダカが群がるでしょう、それと同じで、弱い者同士がそこに集まるみたいなね、あれと同じ状況が都市への新しい関心の動きになっているんじゃないかと思うんですね。

——先生の作品は、とくに都市感覚というものが中心になって、地方性というものがとても効果的な味つけとして使われています。『点と線』にしましても、新作の『十万分の一の偶然』にしましても……。

松本　私個人から言えばね、たとえば小説を書くときに静かなところへ行って物を書くこと、たとえば軽井沢とか、いろんなところに別荘を持って、そこで書くということが、不向きなのよ。やっぱり私は都会にいないとだめなんで、あんな静かなところへ行って書いていたんでは、二日もいるともう我慢出来なくなる（笑）。

——話が少しむずかしくなりますけど、今後も物質文明はますます複雑になっていくと思うんですが、その反面ものすごく、心理的な要素であるとか、精神的な要素のウエートが高まってきているわけですね。それでさきほどのお話に関連しますが、犯罪の動機も、たとえば最近の新聞紙上に出てきた、日本人のフランス留学生が女性を殺して肉を食べてしまった事件とか、あれは、非常に物質文明が隆盛をきわめているなかで起こった、明らかに心理的な屈折による事件じゃないかというふうに思うんですけれども、こういった犯罪が、今後世紀末にかけて、どうも頻繁に出てくるような感じがするのですが……。

松本　フランスの女子学生殺害の事件もそうだし、それからずっと前に、アムステルダムで日本人の商社マンが殺されて、犯人はいまだにわからないという事件、犯人はだいたい推定出来ているけどね、留学生は外国で学び、商社マンが海外で働くという状況は、国から離れて、親にも親類にも離れていることですね。一見自由なようですけれど、やっぱり孤独感というものが惻々と湧きあがってね、さっきの話じゃないけれども、都会のなかの自由感といっても、自由と、それから反面の、誰に語りようもない、誰に悩みを打ち明けようもないという孤独感と、やっぱり表裏のようにくっついているわけだね。

だから、いまのように機械文明が進みましてね、そして、昔は思いもよらなかった、銀行のオンラインという預金システムが庶民に利用される、あるいは工場でも、ロボットがだんだん進出してくるということになりますと、ますます気持ちが何かに寄りかかろうとしてきますね。したがって、そういう寄りかかるものがない物質文明が広がりますと、人は孤独に耐えられない、耐えられないから、欲求不満というのか、どうにも救いようのない気持ちから犯罪が発生するということはよく考えられますね。

――日常性というものを先生は作品のなかでいろいろクローズアップされて、あらためてわれわれに気付かせてくださっているわけなんですけども、それは、日常性というものが変わりつつあるということなんですかね。

松本　そういう孤独性が、何かに寄りかかって救いを求めることといえば、いちばん先に浮かぶのは宗教ですね。宗教も、昔の仏教のように、ただ信仰すれば救われるというんじゃなくて、現在の宗教のあり方が、はたして万人に魅力あるかどうかということも問われなければならないんで、やっぱり物質文明、機械文明が進むということは、一面、人間の理知が発達することですから、その発達した理知に合うような思想というのか、そういうものが生まれなければならないと思いますね。

古代史への冒険＝推論と仮説の愉しみ

――古代史の関係で一つお聞きしたいのですが、ここ何年か前から日本でも〝ルーツ〟という言葉が流行っていることからもわかりますが、ものの起源や歴史への関心が高まっているようです。私は先生の古代史関係のご著書を何冊か読ませて頂いて、時代の気分というものを先生がお読みになっておられるのかと――。先日講談社からお出しになられた綺麗な写真入りの『古代史私注』なども印象的ですし、この六月に角川書店から出された『謎の源流』もたのしい本でした。

松本　だいたい日本人一般が歴史好きなんだけれども、とくにそれに熱を入れて読むということは今までなかったわけです。それには理由があってね、歴史を読むというのは学者の説をいろいろ読まなきゃいかん。学者の書いたことは、およそ正しいだろうけれどおもしろくないんですね。それは、学者は学会で発表するということが頭にあるから、どんなに一般向けのものを書いてもつい学術論文みたいになってしまう。おもしろくない、というのが一つの理由だったと思います。

私の場合は、なぜ古代史に関心があるかというと、私には『日本の黒い霧』とか『現代官僚論』とか『昭和史発掘』とかいう、現代ドキュメントを主体にした作品があるわけです。これと古代史の興味は同じなのよ。というのは、現代はあまりにたくさん資料がありすぎて、ないのと同じ。資料全体が政治的な意図で書かれたり、それから社会が複雑化しているから、資料もどこまでが本物やらどこまでが偽物やらわからない。信用するにたる資料がきわめて少ない。

古代の場合は、文字通り資料が全く少なくて、この頃流行りの邪馬台国に例をとっても、『魏志倭人伝』は漢字にしてたった二千字足らずです。それだけのものを、ああでもない、こうでもないと言っている。絶対資料がないから空想が出てくるわけで、そこに謎があると。

帰納法というのが哲学用語にありますね。それぞれバラバラの物体からお互いをつなぎ合わせて、そこに一つの体系をつくりあげる。これも推理ですよね。私の場合はそういう動機から古代史が好きになったのですね。

――戦前にも、日本の古代史に関心が集まった時期がありましたか？　今のブームとは、ちょっと本質的に違いましょうけれど……。

松本　戦前は、一般の人はあまり古代史のほうには興味がなかったですね。作家でもあまりいなかった。坂口安吾さんがね、多少それに興味があって、あの方ももう少し長生きされていたら、もっと熱心にやられたと思いますね。

――それから、現代作家について、もし先生がご関心をおもちであれば……。たとえば海外でフランスのカトリーヌ・アルレー、あるいはセバスチャン・ジャプリゾとかいわゆる謎解きばかりでない作家が、ここ十年、十五年来出てきています。それから僕らが読む範囲では翻訳物ですけれども、アメリカのパトリック・クエンティンなどですがね、そのようなヨーロッパ、アメリカの作家について何かご感想をおもちでいらっしゃいますか。

松本　私は、いまの海外の現代作家の作品はあんまり読んでいないんですよね。若いときでなきゃ翻訳小説は読めないです。それから、私らが若いとき読んだのはイギリス文学です。それからあとはフランス文学といった作品ですがね。外国の作家も一人偉大な人物があらわれて、で、それを中心に文学活動がはじまる。もっとまとめて言うならば、文学運動という言い方でもいいんですけれども、そういう人がいないとつまらないですね。

それから西洋の作家の作品には、必ず神の問題が出てくるんです、キリスト教ですから。ジイドにしても、サルトルにしても必ず神との対決というのが永遠のテーマになっているような気がするわけですね。カフカにしてもそうですね。だから、神からいかに離れるかと、それから神といかに対立するか、あるいは反抗するかということが外国の作家のテーマでしょう。

ところが日本には神がいない。だからそういうところでね、たとえばサルトルの虚無主義を真似して、人の名前を出さないでサルトル式にあるいはカフカ式に、イニシャルだけでAとかBとかでやっている作家も日本にもいないではないですが、そういう付焼き刃はやっぱり困るな。その点は、明治の末に花袋がフランスの自然主義文学を取り入れて、そしてそれを自家薬籠中にして、いいにつけ悪いにつけ、私小説というジャンルが出来た。先ほどお話したように、貧乏と女の問題ですよ、そのテーマは。みんなそうなのよ、葛西善蔵にしても。しかしそういうところを付焼き刃ではなく、全く自分のものにしてしまったという点では、明治から大正末にかけての作家というのは、いまの付焼き刃の作家よりは偉いと思うね。

創作ノートと〝知的生産の技術〟

――先生はどちらかというと甘党で、お酒は召し上がらないとうかがっておりますが……。

松本　私は体質が受けつけないんだな。

――お酒についてはどんなふうにお考えでいらっしゃいますか。

松本　おたくの宣伝とは全く逆なことになるけれどもね、私はたくさん書いていると言われていますけれど、その原動力は酒を飲まないことなんだ。一般的に酒はうまく飲みさえすれば、確かに妙薬にもなるわけですがね、酒を飲むと酒の時間にずいぶんとられる。そうするとね、酒のために頭が濁ってしまって……。

　われわれの仕事というのはね、仕事をする段階で自ら発展するわけです。作家にもよりますけどね、一筋道じゃなくて、仕事をしているうちに核分裂みたいにまた別のものがそこから派生するわけだ。そこがまた、われわれの創作活動の一つの原動力でもある。

ところが酒ばかり飲んでいると、発展しようがなくて、やれ友達付き合い、今日はおまえがおごったからこの次は俺がやるといってバーに行って、そこで文学談義をやるならまだ意義があるけれども、そんなことは全然しないで仲間の蔭口、女の話、ゴルフの話ですかな。酒場も時にはいいし、やっぱりどこかで息抜きがなきゃいかんけれども、しかし、それに淫しちゃいかんと思うんだよ。酒を飲みすぎるとね、とかく勉強や仕事の時間がなくなる、それに気をつけないと。まあ飲み方しだいだな。

――先生にとってお酒に代わるべきものは……。

松本　何にもないですね、ただ私は寝るだけ。いまも寝てたでしょう。つまり一晩中書いているからね。それで昼は分割して寝なきゃいけない。星も夜も書かなきゃ間に合わない時は、私の場合そうするんです。いっぺんに十時過ぎから寝て朝の八時に起きるという生活は出来ないわけだ。

――以前、先生が上石神井のほうにお住みでいらした頃は公園をよく散歩されたということですが……。

松本　散歩もくたびれるから、あんまりやりませんね。ただなるべく車は使わないようにしています。電車で行くように。

――ことし、文藝春秋から出された『作家の手帖』とか、だいぶ前にお出しになった『黒い手帖』、いずれも創作ノートが紹介されているわけです。さっきモームのお話も出ましたけどね、あの創作ノートというのは、僕ら読者側が読ませて頂いても大変おもしろいんですが、やはり創作ノートから作品をお書きになるのですか？　もちろん作品に使われたメモには、『作家の手帖』では星印がついておりましたけれども……。

松本　やっぱりノートは付けていますよ。だから、ヒョッと浮かんだヒント、本から得たアイデアとかね。おもしろいなと思うのはやっぱり書きとめておかなきゃね。今のように年をとってきますとね、どこにあの文句があったか、ちょっと忘れるわけですね（笑）。だから読んだ時にはすぐメモすること、カードにとって、カードを整理して番号をつけておくこと。

そしてもう一つの利点は、本の場合は、読んだ本を要約しておくんです。そうすれば、その本を紹介するときには要約だけでも紹介できる。それから、まとめるという作業は本を熟読しなければできないことなんで、本をよく読むという利点になる。

よくあることですが、あの文句は確かにどこやらに出ていたけれど、と書名を忘れますね。書名がわかっていても何ページにそれがあるのかわからない。そのために私は、アイデアノートとは別に読書メモをとっています。とくにこれは歴史のほうですがね、東洋史と日本史と両方にわけてカードにしています。

アイデアノートの方は、新聞で読んだときに浮かんだもの、それから人の話、目で見たもの、聞いた話、そういうものを毎日、これは日記を兼ねていますけれども、浮かんだ時々にすぐメモする。そうしないとね、それはどこかへ逃げちゃう。頭に浮かんでも、すぐに逃げてしまいますから、やっぱりそれはとっておかなきゃならない。

私の書く仕事が終わるのが夜中のだいたい二時頃です。そうすると、二時以降、夜明けの七時頃まではそういう作業ですよ。本を読むこと、メモをとること、日記を付けること、これで三時間なり四時間なりかかるからね。そのうち朝刊がくるからそれを見て寝るという、こういうあまりおもしろくない生活ですよ。

――大文豪であられながらそういうことをされるとなると、われわれも努力をしませんと……。

松本　サラリーマンの方にはね、うんと努力してもらいたいけれども、教訓じみるから私は言わない（笑）。

――最近われわれビジネスマンも、〝知的生産の技術〟というような合言葉で、つまりカードを作るとか、新聞の切り抜きを整理するとかいうのがブームになっているんです。

松本　でも機械的にとっちゃだめですよ。とかく切り抜きというか、スクラップというのは、この頃便利なコピーがあるから、かえって想像力のほうが薄れて、なんでもそういうコピーに頼る傾向になるでしょう。それじゃいかんので、やっぱり本当はああいうものがなくて、さっき言ったように読んだら要点をまとめて書くのがいちばん身になるわけですね。ところが、これも機械文明の弊害で、すべてコピーに頼るということでは知的生産にはならないのですね。

――いろいろといいお話を頂戴できまして、ありがとうございました。

菊池寛の文学

1988.02

今日は。松本でございます。

講演で一番最後に出るのは、最初や二番目に出るのよりももっと、三倍もつらいということを菊池寛が「半自叙伝」で書いておられます（会場笑）。そのつらい、一番最後の番にまわる羽目になりました。

私は、時間が一時間という制限でございますので、菊池寛の文学については話すことがいっぱいありますけれども、要約だけになると思います。

菊池寛——まあ本当は大先輩でございますから菊池寛先生といわなければならないんですが、しかしグレートネームとなりますと尊称は一切省きます。菊池寛と呼び捨てにしたほうが偉大な人物になるわけでございます。

菊池寛の文学というのはその文学の形成過程で要素が二つあると思う。その一つは、菊池寛の家庭が貧しかったことです。そのため彼は学校を出るまで絶えず学資金の苦労をしなければならなかった。この逆境です。

もう一つは菊池寛が醜男（ぶおとこ）であったことですね。若いとき女にモテなかったことが菊池文学をつくりあげたといっていいと思います。

「半自叙伝」の中で、自分は小学校あたりまではどうにかかわいい子にみられたらしいけれど、それから後にはあんまりかわいくない顔になってしまったと書いている。トルストイは醜男であった。母親がトルストイに「レオや、おまえの顔はみっともないから、人にかわいがられるようにしなさいよ」といったというので、菊池はトルストイに同情しております。私も、自分のことを言うのは何ですけれども（会場笑）、そういう点では大いに気を強くしております。

菊池寛の文学はリアリズムであります。けれども言うところの自然主義のそれではありません。彼が貧乏生活から得たところの人生経験、いうなればそれは人生派リアリズム、生活派リアリズムといったほうがいいと思います。

そのころ、自然主義が文壇を風靡しておりました。ご承知のように明治の末に田山花袋あたりがフランスの自然主義文学を移入した。フローベルとかゾラとかゴンクール兄弟とか、そういった人たちの文学です。それを花袋らは日本流に解釈して、自己中心に生活や環境や経験といったものに即して、あるがままに書くといったリアリズムで、自己の「告白」を主体にしたのが特徴です。これが文壇の中心になっておりました。いまでもその流れが、いわゆる「純文学」と称されて、やはり文壇の主流につづいております。

それに対して起こったのが白樺派です。これははじめトルストイ流の人道主義に影響された武者小路実篤らのロマン文学です。次に起こったのが永井荷風、谷崎潤一郎らに代表される耽美的なロマンチシズムの文学です。谷崎らは同人雑誌「新思潮」に拠りましたが、次をうけた「第三次新思潮」同人は久米正雄、松岡譲、芥川龍之介らの東大文科出身の若手です。かれらは晩年の夏目漱石のまわりに集まりました。漱石の文学的教養に心酔して、漱石に倣い、書物から得た知識と材料で作品を書くことが多かったのが芥川です。当時は自然主義に対抗するものとして清新な文学の到来を思わせました。

さて、菊池寛は久米、芥川、松岡、それに成瀬正一らと第一高等学校の同級生ですが、菊池だけはある事情から一高を中途退学して、結局京都大学文学部に行った。高等学校を卒業してないために試験を受けて「選科」に入りました。それは本科よりは格が一段下です。一高を退学した理由は「青木の出京」という小説や「半自叙伝」に書かれています。それは一高同級生の一人が他人のマントを本人の知らぬうちに質入れして舎監から窃盗の罪に問われようとしたのを菊池が友情からその罪を引きうけたからです。そもそも菊池は家が貧乏なために中学校にいけなかった。小学校高等科を二年で終わったときに、彼の秀才を見こんで親戚の人が学資を出して高松中学に入れたのです。中学を出ると、学資の要らない高等師範学校というのに入った。これを卒業すると学校の先生になる義務がある。

菊池はそれが不本意だった。ある人が菊池の秀才をおしんで彼を養子にし、大学を卒業するまで学資を出そうという。彼はそれに飛びついてその人の養子となり、明治大学の法科に入る。養父は、菊池寛をゆくゆくは弁護士か司法官にさせて老後に楽をしようという魂胆でした。菊池寛は法科に入っても、文科志望が強いとわかって養父は失望し、養子の解消を言い渡すんです。

そういうことで京都大学に入ったんですが、その学資をどのように調達したかというと、菊池の一高時代の同級生の成瀬正一のお父さんが出してくれたのです。成瀬正一の父親は十五銀行名古屋支店の支配人か何かしていて金持でありました。十五銀行は華族の銀行です。成瀬家は長良川の河畔にある犬山城の城主であり、尾張徳川家の付家老(つけがろう)成瀬隼人正(はやとのしょう)の親戚かもしれません。その成瀬さんの好意で菊池は京都大学卒業まで学資を出してもらうだけでなく、しばらく正一の弟らの家庭教師として成瀬家に同居しています。そのとき成瀬夫人、つまり正一のお母さんが自分の息子の学友であるというので菊池をたいへん親切に扱ってくれた。この成瀬夫人の恩を菊池は強く感じまして、たとえば「大島が出来る話」その他の短篇に想い出を書いております。菊池は結婚してからも大島絣の着物が欲しかったが、それがどうしても買えなかった。成瀬夫人が亡くなるとその遺品(かたみ)別けとして夫人が生前に着ていた大島絣(がすり)の対が菊池に送られてきた、そこでいまさらのように夫人を追慕するという筋です。

　菊池寛は人一倍人情に感じやすかったようです。逆境に育ったせいです。家庭が非常に貧しかった。彼の家柄は藩の儒者で、先祖に著名な菊池五山というのが出ている。しかし、藩儒というのは小禄です。これがたとえば新井白石のように幕府に出仕して将軍綱吉の政治顧問格となるような、そこまでいきますと大したものですけれども、普通は藩の儒者くらいでは微禄です。

　菊池はそんなことで豊かでない家庭に育っておりました。お父さんは学校の庶務係で、これも安月給です。しかも五人の子がある。寛は四男です。

　とにかく菊池は人から親切にされると感激するのです。私は「大島が出来る話」というのを何度読み直してみても感動を受けます。というのは、そういう事情が――自分のことを申し上げると恐縮ですけれども、菊池寛の若いときの貧乏な境遇が私と相似るものがあるからです。私の学歴は、尋常小学校高等科卒であります。菊池寛は大学を卒業しております。しかし、彼はその間学資のないためにずいぶんと苦労した。中学校のときは教科書もロクに買えなかった。人から教科書を借りて勉強した。その借りた教科書を紛失してしまうということもありました。何より本好きであった。高松から東京に出て、上野の図書館の蔵書の多いことに仰天して歓喜に震えたと書いてある。

しかし、私は思うんですが、菊池にもし学資があり、小遣いも潤沢だったならば本は十分に買えたと思う。しかし、本は不自由なく買えたでしょうが、それは普通の読書に終わったのではなかろうか。菊池寛が貧乏な家庭にあったゆえに本が買えない、そこで借りた本を暗記する、あたかもノートにとるようにその内容を暗記してしまう。

もし菊池が金銭的に恵まれていたら、そういう努力はなかったであろうと思う。これはやはり貧困のトクであります。菊池にとって大きな利益になりました。菊池寛は、記憶ものの学科はだれにも負けなかったと言っております。特に英語は好きで、その実力を自負している。国語・歴史の知識でもそうです。

一つでも自信を持つことはその人間の強みであります。どのように逆境にあろうと、どのように苦しい境遇に置かれようと、自信こそは心の支えであり、勇気であるという意味を菊池はいっております。いつかはこの逆境を引っ繰り返してやるといった気概になるのであります。

菊池寛は京都大学に行ったため、東京の芥川、久米、松岡ら漱石の門下生みたいになった人たちとは別世界に居るようになる。しかし、この友人らが「新思潮」を始めた時に、一高時代のよしみから京都在住の菊池寛を同人にしてくれます。その「新思潮」の雑誌に菊池寛の原稿、草田杜太郎(もりたろう)というペンネームですけれど、掲載されるのです。

「新思潮」に自分が同人として参加しえなかったならば、自分の今日はなかっただろうと、菊池は書いております。でなかったら自分はせいぜいどこかの学校の先生をしているか、あるいは翻訳で生活するか、そういう暮らしで終わったろうといっている。ですから「新思潮」という発表舞台を得たことが、彼の文壇成功の端緒となったわけです。その感謝の気持が寛をして後年「文藝春秋」を作らせる動機になったのだと思います。

「文藝春秋」は大正十二年ごろの発刊だと思いますが、そのころは現在のように発表雑誌が多くありません。しかし、文学志望者はいっぱいいた、若い新進作家がうごめいております。だけど作品の発表舞台がない。菊池はそういう発表舞台がないところの新進作家や文学志望者のために「誰にも気がねなく書ける」舞台の「文藝春秋」を発刊しました。ザラ紙のような紙で雑誌を作った。それは同人雑誌にちょっと毛のはえたような雑誌で、はじめの定価は十銭でした。まさかそれが、大雑誌に発展するとは菊池も予想しておりませんでした。四、五号あたりから大変な売れ行きとなった。その原因の一つは、菊池の編集感覚、アイデアによると思います。

菊池寛という人は必ず自分の苦しかった時代を考えている。だからよく言われるように、そういった困っている人を見たら、着物の袂(たもと)からお札をつかみだして、「キミ、こづかいがいるだろう」といって渡したという。そんな話になります。

菊池寛の文学について少し触れます。彼は英文学、特にアイルランド演劇に心酔しました。当時バーナード・ショウだとかイエーツといった人達がアイルランド演劇運動で活躍しておりましたが、菊池はバーナード・ショウを尊敬して、そしてショウの考え方、小説の上での人間の観察方法といったものから影響をうけております。

菊池がショウから得たものは個人主義思想といったようなものだと思う。もっとも菊池はいつまでもバーナード・ショウにこだわってはいない。ショウの機知や逆説はあんがい底の浅いものです。菊池はショウから離れます。ショウが昭和の初めに来日した時も、菊池は人にすすめられたが、ショウに会いに行っておりません。

菊池寛は「半自叙伝」の中で「自分の小説は情熱とアイデアである」といっております。たしかにアイデアは菊池にあります。文藝春秋の定価が十銭というのもそれです。編集でも、内容の作り方、版の組み方のレイアウトに至るまで、既成の雑誌とは全然違います。今では普通になっておりますが、巻頭の随筆欄、あれを四段組みにしたのも、菊池の創出であります。つまりアイデアの点においても菊池寛は一流と思う。平賀源内はこの高松の出身ですが、源内も江戸中期の超アイデアマンでありました。高松という土地柄がそういう人物を生むようにも思われます。

では、菊池寛の小説上のアイデアとは何か。それは人生の裏側にあるところのものをえぐり取ろうとする視点であります。たとえば歴史観にしても、学者や研究家はその著書で定説や通説をのべるだけのが多い。しかし歴史というのは要するに人間群の行動結果であります。人間の動きが色々な事件を巻き起こして、それが記録され、伝えられ、時代を経る。当時の記録は結局表面に現れた事件を採集しているにすぎない。その記録の、もっと奥に潜在するもの、それをえぐり出して近代的な照射を与える。これが菊池寛の歴史小説であろうかと思います。

批評家の一部は、菊池寛の歴史小説は歴史の裏返しだなどと評する。これは無責任な放言であります。批評家というものは、さきほど演壇にあがられた江藤淳さんの博学は別にしまして（会場笑）、おおよそ勉強してないと思うんです。勉強してないくせに、カンでいいかげんな評言でかたづけたがる。そうして概念的なパターンで類別する癖がある。もし批評家がその人の作品に適切な批評をくだすときは、その作家と同じくらいの勉強をし、同じような学問的蓄積を持たなければならないと思う。それは理想ですが、そんなことは望むべくもないようです。

菊池寛の歴史小説は決して歴史の裏返しではありません。そこには人間に対する深い洞察が、現代との観照になっている。つまり、過去の人間も、現代に生きる人間も、根本的な共通性に変わりない。ただ、変わるところは社会制度であり、道徳であり階級制度です。こういう環境から生活が変わっていくけれども、人間本来のものは変わっていないんだというのが菊池の考えのようです。

たとえば彼の「忠直卿行状記」です。忠直は徳川家康の孫で越前に封じられ、北の庄で百万石か何かです。その忠直に乱行があったというのは記録に残っている。ところが菊池は忠直を孤独、懐疑、虚無といった近代的な性格に解釈しています。

菊池は高等師範時代に英語が得意でした。ある日、寮にいると、その窓の下で菊池の友人達が噂をしていた。「菊池のやつは英語ができると自慢しているが、なに、大したことはないよ」といっている。それが菊池のもっとも親友だっただけに、彼はショックを受ける。その陰口から人の言うことは信用できないと悟る。それが、「忠直卿行状記」の発想になったという意味を「半自叙伝」

で書いております。

菊池の作品には自分の生活体験が多く入っている。これが形を変えて作られている。たとえば菊池に「入れ札」という小説があります。国定忠治の講談の世界に材料を採っています。

国定忠治は上州赤城山にたてこもったが、関八州の役人を相手に刀折れ矢尽きて明日はいよいよ立ち退いて解散。芝居だと、その前夜に月光の下で忠治が刀を抜いて、こういう格好で見得を切る、新国劇の沢田正二郎などがやったあの名場面ですが、菊池の小説では、忠治が子分達を集めて、明日は赤城の山を下って、三々五々、思い思いに落ちて行くように指示する。ところが親分の忠治の供の三人には誰がついていくかという段になると、昨日まで生死をともにしてきた子分たちに、「お前(めえ)はついてこい、お前は来るなということは俺の口から言えねえ」と忠治はいうんです。「そこでお前達で、他につけても頼りになる者の名前を書け」と言う。投票で名前の多かった順の三人が供に選ばれる。この互選が入れ札です。

忠治には「九郎助(くろすけ)」という古い子分がいた。若い時から忠治に仕えていたけれども、年をとってからは力が衰え、あるときの喧嘩(でいり)で敵の捕虜になるという不名誉をうけたことがある。それ以来彼は後輩達に軽蔑されている。表面では皆から、兄い、兄いと言われているが、ほんとうは馬鹿にされている。それがいよいよ入れ札で「九郎助」の名前がないとなると、彼の没落が具体的にはっきりと出ます。いちばん先輩子分の「九郎助」にとって、これほどの屈辱はない。ということで、彼は互選のルールを破って入れ札に自分の名前を書いてしまうんです。

これは、実際にあった事件をモデルに菊池が書いたのです。形を変えて書いたんです。

これが人間というものであります。地位の転落の恐ろしさ、今の地位にしがみつきたいという執念、ここに人間の弱点が出ている。菊池は事実そのままを書くに忍びず国定忠治という講談の世界に変えたのであります。

さて、どちらに訴える力があるだろうか。事実をそのまま書いたほうが人間の心理を暴露することになるだろうか。または講談の世界に変えたほうが、作者の意図を読者により強く伝えることになるだろうか。もちろん後者だと私は思います。フィクションの世界に構築したほうがずっと迫力を持つ。

菊池の歴史小説に「三浦右衛門の最後」というのがあります。今川氏元の家臣三浦右衛門は敵兵に捕えられると恥も外聞もなく、「生命だけは助けてくれ」と懇願する。菊池はそれを史書で読んで、ここにも人間ありき（注。There is also a man.）の感にたえなかったと書いています。人間の弱点に人間性を見出しているのです。いいかえると個人を主張した文学です。

菊池は題材を小説的な形に変えて、効果的な表現にする点で天才的であると思う。あるとき菊池家に留守中泥棒が入った。大したものは取られなかったんですけれども、泥棒に入られたショックは、他人が考える以上に強かった。この恐怖の菊池の体験が「若杉裁判長」という短篇になっております。

若杉裁判長は、刑事判決ではいつも寛大な刑量を被告に言い渡すことで評判だった。ところが、ある夜若杉さんの家に居直り強盗が入った。若杉さんは一分ばかりその強盗と摑み合った。そのときの恐怖といったらなかった。若杉さんが法廷の裁判長席でいつも見なれたペコペコする被告とは違い、それは世にも恐ろしい凶悪犯であった。産褥（さんじょく）にあった若杉さんの妻は、そのショックが原因で病死する。子供達はちょっとしたことでも怯えをするようになる。その泥棒は強盗未遂に当たるけれど、法律の条文は被害者の恐怖というものを考慮に入れていない。ということでそれからの若杉裁判長の刑量言い渡しは、非常に厳しいものになった。こういう筋であります。

菊池寛は成瀬さんの学費の援助で京都大学を卒業して、東京の時事新報社に入社します。そこでは社会部記者のようなことをやった。そしていろいろな名士に会う。事件が起これば現場に駆けつける。だが、新聞記者としての菊池は、有能ではなかった。けれども、まじめに律儀につとめました。それも一家の生活を支えているという責任感からです。若い時からの貧乏が骨身に徹しているわけです。

それから高松の菊池家の家屋敷——先ほど拝見に行きました。今は跡かたもございませんが、あの菊池家の地所も家もみんな父親が抵当に入れていた。その借金を菊池は返さなきゃならんのです。菊池にとっては生活の維持が第一義で、だから時事新報社をなかなかやめない。

菊池の結婚の成功はこちら（高松市）の奥村家という素封家のお嬢さんの包子（かねこ）さんをめとったことです。菊池は貧乏で苦労してきたから、金持の家からの嫁をもらいたいとかねてから思った。バーナード・ショウが金のある未亡人と結婚したように、財力のある夫人との結婚を望んだ。菊池はそういうことを高松の実家に言ってやりました。高松で選考した結果、資産家の奥村家に姉妹娘があり、そのうちの妹娘に白羽の矢が立ったわけです。

すなわち、菊池は候補者の中からいちばん条件のいい家から妻を選び、妻の実家から一定の金額を月々送金してくれて、しかも将来まとまってある金額をくれる約束をしたそうです。こうして菊池は包子さんの写真を見ただけで結婚した。「だから、私は妻がどんな悪妻であっても文句が云えないのである。しかし、私の妻はそういう持参金などよりも、性格的にもっと高貴なものを持っている女だった。私の結婚は、私の生涯において成功したものの一つである」と菊池は「半自叙伝」で述懐しています。

菊池作品のいわゆる「啓吉もの」（注。「啓吉」は作者の分身）の諸短篇を読むと、包子さんの片鱗がちょいちょい出ている。彼女はまことに家庭的で、亭主思いです。だいいちに控え目です。これは包子夫人の内気な性格にもよるでしょうが、その謙虚さがまことに好ましい。雑誌に載った包子夫人の写真を私は一枚しか見ておりません。それは新進作家菊池寛の家庭を訪問した出版社のカメラマンが撮したものでしょうが、菊池は、南榎町の家の縁側に腰かけて、幼い長女の瑠美子さんを抱いている。夫人はその傍で顔をうつむきかげんに坐っている。そういう写真なんです。ほのぼのとした感じがいたします。

菊池の生涯にとって、さきの成瀬夫人と妻の包子さんとは、言葉どおり高貴な存在だったと思われます。

菊池の出世作といえば「無名作家の日記」ですが、しかし、菊池自身は戯曲の『父帰る』を代表作のように思っています。『父帰る』の筋は広く知られているとおりです。この発想は父親が遊蕩の息子の帰宅を許す外国の小説がヒントです。しかしこの話のモトは「息子二人ありき」ではじまる新約聖書に出ています。

菊池の『父帰る』は「蕩児でさえ帰宅を許される、いわんや蕩父においてをや」というわけです。
あの舞台で、長男の賢一郎が父親に恨みつらみをまくしたてる場面があります。その長男の台辞(せりふ)に、こういうのがあります。「俺達に父親(てておや)があれば十(とお)の年から給仕をせいでも済んどる。俺達は父親がない為に、子供の時に何の楽しみもなしに暮して来たんや。新二郎、お前は小学校の時に墨や紙を買えないで泣いて居たのを忘れたのか。教科書さえ満足に買えないで写本を持って行って友達にからかわれて泣いたのを忘れたのか」。そういう言葉です。

この台辞には菊池の小学校時代の経験が反映しています。小学校のとき彼の父は教科書を買ってくれないで、級友のを写本しろと言った。修学旅行に行かせてくれといくらねだっても貧乏な父は諾(き)いてくれず、しまいにはうるさがって勝手に寝てしまう。それでも寛が頼みをつづけていると、父親はがばと起き上り、

「そんなに俺ばかり恨まないで、兄を恨め！　家の公債はみんな兄のために使ってしまったんや」

と言った。

菊池の体験が『父帰る』の賢一郎の台辞ににじみ出ているから、それに現実感があり、切実感があるのです。

『父帰る』の初演舞台を見て、菊池自身は感きわまって泣き、久米も泣き、芥川も泣いたというのは有名な話です。

また「半自叙伝」を出すようですが、菊池はこう書いています。私は、後世に残ることを欲しないと昔書いたことがあるが、私は少くとも『父帰る』によって、相当後世に残るだろうと思う、と。

またそれにつづいて書いています。

　およそ、作家が後世に残るためには、作品に依(よ)るほかはないのだが、それもやはり個々の作品に依る場合が多いと思う。全体としての天分や素質が秀れていても、人口にかいしゃする作品が一つもない人は、結局大衆からは忘れられてしまうだろうと思う、とあります。

　彼は、鷗外と漱石とを比べて、自分などはむしろ鷗外を重んずるものだが、鷗外には『坊っちゃん』がない。そして鷗外の「高瀬舟」くらいではなかなか後世には伝わりにくいと言う。「鏡花と紅葉とを比べて、天分の上からも作品の上からも、弟子は師を凌いでいるが、『高野聖』や『湯島詣』くらいでは後世に伝わらないのではないか。『金色夜叉』は、まだ五十年や百年は残りそう」だと言っている。

　これは味わうべき言葉だと思います。

　いくら文名が高くても、また多くの作品を書いていても、代表作がない人は、けっきょく忘れられてしまう。

　つまり、その作家の名と同時に代表作の名が人の脳裡にぱっと浮んでこないと、作家の印象はうすいというわけです。シェークスピアといえば『ハムレット』、トルストイといえば『復活』か『アンナ・カレニナ』、ドストエフスキーなら『罪と罰』、フローベルなら『ボヴァリー夫人』、スタンダールは『赤と黒』、バルザックなら連作『人間喜劇』、ディケンズは『二都物語』などというように、作家と著名な代表作とが双生児のようにたちまち浮んでこなければいけないというわけです。

　この場合の代表作とは、かならずしも評論家などが裁定したものではなく、いわゆる人口に膾炙(かいしゃ)したものです。

　菊池はあくまでも生活経験派のリアリストです。だから漱石を認めていません。芥川や久米が漱石を崇拝するのが不思議でならない、芥川は本気に漱石の作品を認めていたのかいちど訊いてみたかったといっています。

　漱石の『それから』などは、あの中に出てくる書生の風格やものの言いかたなどで読者の興味を釣っているとしか思えない。かんじんの事件はつまらないんだと菊池は書いています。しかも、なぜあとで姦通までする女を友人にゆずったのか、また姦通したあとでどうなるのか、この二つの肝腎なことを描いていない。それに作中の人物の代助の姉も恋人も、同じような感じの女性でほんとうに書けているとは思えない。菊池はそう言うのです。同じく長篇の『こころ』なども、「私」が「先生」と知り合いになるのに、どうしてあんなに数十枚を書かねばならないのか、どうしてあんな知り方をしなければならないのか、それが解せないと菊池は評する。

　菊池によれば、夏目漱石の長篇は「奇警な会話や、作品の中に出て来る哲学的な思想や物の見方で、多くの読者が煙に巻かれている」というのです。

　漱石の『こころ』についていえば、わたしは菊池評とだいたい同感です。作中に出てくる「私」は鎌倉の海水浴場で「先生」と偶然知り合うのですが、その「先生」の謎にみちた行動を冒頭からえんえんと書いています。「先生」の奥さんによると、「先生」は月に一回雑司ヶ谷の墓地に一人で必ず出向く、だが、その理由がよくわからない、といった推理小説的な筋がえんえんとつづきます。けっきょく真相がわかってみると、「先生」が奥さんと結婚する前、友人のKが当時「お嬢さん」

だった「先生」の奥さんを心ひそかに想っていて、Kはそれを「先生」にだけうちあけた。「先生」も彼女を想っていたから、Kより先に求婚する、その失恋のためにKは遺書に理由を明かさずに自殺した、Kにたいして背信の責任を感じた「先生」は、命日には欠かさずに墓参していたというのです。

「先生」はKの自殺いらい強い贖罪意識をもち、悩みつづけてきた。そうしてその懊悩から「先生」はついに自殺する。「先生の遺書」でこうした事情のいっさいがわかるといったプロットです。ところが当時の「お嬢さん」も、先生と結婚したあとのその「妻」も、人物がちっとも書かれておりません。まるで紙でできたような女になっています。これではKと「先生」の自殺が浮き上ってしまい、説得力がありません。それに「先生」の自殺は「明治と殉死」（明治天皇の崩御により）というふうにもなっていますから、Kへの背信の罪悪感が拡散されて稀薄になるだけでなく、行方不明になってしまいます。批評家が『こころ』を漱石晩年の傑作のように言っているのがわたしには不可解です。

要するに漱石の作品は、実生活の経験がなく、書斎に閉じこもって頭で書いたものだからです。田山花袋は「漱石の長篇は、おれなら三十枚で書ける」（「半自叙伝」）と言ったそうですが、自然主義派の花袋は、漱石の作品の幼稚さ、脆弱さを知っていたのかもしれません。漱石には女というのがまったく書けなかったのです。このことは漱石を崇拝した芥川龍之介の作品についても同様のことが言えますが、ここでいま文芸講演をする気持はありませんので、このくらいで止めます。

菊池は在京の芥川、松岡、久米らが漱石山房通いをしているのに多少対抗する気持ちもあって、京都大学文学部に籍をおいたころ、上田敏教授を心のよりどころとします。といっても上田教授とは個人的な師弟関係を結ぶのではなく、近代文学を講ずる上田教授をただ尊敬していただけでした。上田敏も菊池の顔すらろくに憶えてなかったでしょう。しかし菊池は、西欧の近代文学にひろく精通する上田教授を夏目漱石よりは上位に置いていました。

もう一人、京都大学には近代文学を講ずる厨川白村（くりやがわはくそん）博士がおりました。京大の講義のうちでは厨川博士の近代英詩人論がいちばん役に立ったと菊池は言っています。

上田教授の「文学概論」や「十七世紀の英文学史」といった講義は菊池にとってあまり役に立たなかった。上田敏といえば、カァル・ブッセの「山の彼方（あなた）の空遠く」の訳詩などでひろく知られていますが、向うの本を研究的にはあまり読んでおらず、自分の鑑賞趣味で読んだ程度ではなかったかと菊池は書いています。

上田教授にくらべると厨川博士は勉強家で、本を根よく読んでいた。では上田と厨川とはどちらが文芸に対して理解力があったかというと、これは問題なく上田敏が上であった。厨川白村は同人雑誌に載った菊池の作品を、素人でなければ賞めないような賞めかたしかしなかったそうです。それにくらべ、上田敏が文芸を談ずるときは「文芸を真に味読するものの歓喜があった」、というんです。

これは一般にも通じることで、文芸関係書をたくさん読んだからといっても、かならずしも文芸のよき理解者ではありません。書誌学者的な意味はあっても、真の鑑賞家ではありません。要は、鑑賞能力、つまりセンスの問題です。わたしも評論家から自作について見当違いの評言をしばしば聞かされておりますので、菊池寛の言うことがわかるような気がいたします。

　ところが厨川博士はともかくも菊池の作品を読んでくれているのにたいして、上田教授は菊池の作品をちっとも読んでくれない。自作の載った「新思潮」を上田教授に何回送りつけても返事がなく、ナシのツブテでした。これは菊池をいたく失望させました。芥川が漱石に「鼻」や「手巾（ハンケチ）」を賞められて一躍文壇の注目を浴びた華々しさを菊池は京都から見るにつけても、大きなショックでした。菊池に「葬式に行かぬ訳」という短篇がありますが、これは上田博士の葬式が東京で行われるにつき、在京の菊池が同級生を代表してその葬式に参列するよう京都の友人らから頼まれるが、ほかの事情もあって、菊池はその葬式に行かなかったことを書いたのです。彼にはそのことで一つの言いわけがありました。

「それはS博士（上田博士）が、彼の創作を少しも認めて呉れなかった事であった。〔略〕世間的な関係は、師弟であろうが何であろうが、根本的な処では、第一義的な処では、S博士は雄吉（菊池寛）に取って対蹠人（かたき）ではなくても、少くとも路傍の人であったのだ」

　これが当時の菊池の心理です。その対極に、漱石と芥川の親密な師弟関係が置かれていたと考えられます。

　菊池は小説を書くようになっても時事新報社を退（や）めませんでした。新進作家と目されても生活の安定が得られるかどうかわからず、奥さんと長女瑠美子さんと三人暮しですが、その家庭維持のために彼は相変らず新聞記者として働いていたのです。このへんが菊池の「生活第一主義」、後年の「作家凡庸論」に通じるところでしょう。菊池は「天才作家」を否定しています。新聞記者としての菊池は自分でも失格だと書いています。世間に疎かった彼は、取材でもしばしばヘマをやっている。それを社会部長の千葉亀雄（のちに文芸評論家）が救っております。千葉が菊池の記事原稿を見て、はじめてそれが特種であるのに気づいたりしています。「文学バカ」だったせいか、菊池はそれほど当時は世事に鈍感だったのです。このへんのことは小説「特種」に書かれております。弱気な新聞記者の、その弱気なために愚鈍な取材記者として社内で評判が悪く、そのためノイローゼに陥って、ついに自殺した同僚記者の話です。

菊池は社会部記者としていろいろな有名人談話を取りに行っているが、性来話下手な彼は相手とうちとけることができず、いつも中途半端な取材になりました。それでも名士の心理の裏を見、ときには取材者側にも観察の眼が届きます。小説の「M侯爵と写真師」「R」などはそうしてできた作品です。前者は口先だけで「飯を食おう」とリップサービスをする侯爵、それを真にうけてノコノコと侯爵邸に、まるで友人でもあるかのようにでかける写真部のカメラマン。侯爵のほうは相手が新聞社の者だからこそ声をかけるのであって、新聞社をやめてその肩書がなくなり、タダの人になってしまえば会いに行っても先方はもうハナも引っかけてくれません。そんなことが人のいいカメラマンにはわかっていないのです。

後者の「R」は、記者として水産講習所の所員に話を聞きに行く。理学士の所員は、牡蠣について話をする。牡蠣は五月から八月までの暑い時季には料理屋が客に出さない。牡蠣が食べられる季節には、西洋のレストランでは店さきに「R」の看板を出す。と、その理学士はこう説明をします。

「英語で月の名前の中にRの入った月、分るかね、ほら、セプテンバー九月、SEPTEMBER、そうおしまいにRが入っている。オクトバー十月、これもおしまいにRが入っている。ノヴェムバー十一月、デセンバー十二月、みんなおしまいにRが入っている。ジャヌアリィ一月、JANUARYこちらもちゃんと入っている。……」

ここまで聞くと、菊池記者は耐えていた憤慨が爆発し、「あなたはぼくに英語の講義をなさるつもりか、ぼくは英文学を専攻した文学士です」と、叫び、席を立って、帰るという筋です。

菊池は高松中学校、一高時代を通じて英語がもっとも得意であり、京大に入っても早くからアイルランド文学に親しんでいた。あるときアイルランドの小説を翻訳した本を見ていると、「ムーンライト」を「月光」がどうしたとかこうしたとか訳してある。ムーンライトはアイルランドの俗語では「畑泥棒」を意味するのです。こういうことにかけては菊池の自負するとおりでした。時間を超えましたから、このへんで締めくくりに入ります。

菊池寛はこういう意味のことを言っています。自分は文壇に出てから数年ならずして早くも通俗小説を書きはじめた。自分はもとから純文学で終始しようという気はまったくなかった。自分は小説を書くことは生活のためであった。青少年時代を貧苦の中に育ち、四男ではあるが没落せんとする家をどうにかしなければならない義務があった。生活の安定だけは得たいと思った。清貧に甘んじて立派な創作を書こうという気はどの時代にもなかった、と。

ここで、債鬼に追われ、多大な借金を返済するために多作をしたというバルザックの例を出すつもりはありませんが、作家が「純文学」を書こうと身がまえても、「純文学」ができるとはかぎりません。「純文学」としても通らず、大衆小説としても用をなさない、箸にも棒にもかからぬ愚作が多いのです。そういうのにかぎって文芸雑誌に散見します。作者がそんなことは考えずに、懸命に書いていった作品の中から傑作が生れるのです。たとえばいま文化財として遺る古典的美術品などは、名もない職人(アルチザン)が、高貴な芸術品を志して製作したのではなく、職人として一生懸命に精魂をうちこめて作ったのです。その中のものが芸術になっているのです。

菊池寛の歴史小説の解釈については、私は教えられるところが多い。それから菊池寛の小説のつくり方、これも大きな教訓であります。もし私がもう少し早く生れ、あるいはもう少し早く菊池寛と機縁を持つことがあったならば、私は菊池先生の門下生になっていたろうと思う。門下生でも駿足の一人になり得たろうと思います(会場笑、拍手)。というのは、菊池先生の境涯と私の境涯とよく似ている。感情に共通するところが多いからであります。

菊池寛は孤独でありました。友人は多かったように見えるけれども、ほんとうの親友、心の許せる親友があったかというと、私は疑いを持つ。芥川が死ぬ前の二、三年、菊池寛は芥川を放りすぎた、あんまり面倒を見なかったという意味のことを書いておりますが、これは菊池寛が文藝春秋社を創立して、「小学生全集」とか「文芸講座」とかいろいろ出版して忙しかったせいもありますけれども、私は、菊池寛が芥川に許したのは文学的な交際であって、友人としてはそこに距離があったと思います。久米正雄にいたってはにぎやかな存在だけであって(会場笑)、たよりない友人だったでしょう。

「文藝春秋」の創刊以降、菊池寛の周りにはたくさんの新進作家が集まります。しかし、これら後輩の中にも、真に菊池が恃む者はいませんでした。横光利一をひいきにしたけれど、それは後輩としてです。

菊池寛の孤独は、小さいときのトルストイが母親から「レオや、おまえの顔はみっともないから、人にかわいがられるようにしなさいよ」と言われたトルストイの孤独とどこか似ています。これが大事な点です。作家は、人に囲まれてチヤホヤされてはいけないんです。身辺蕭条（しょうじょう）たるほうがいいのです。それに、冗談ですが、小説家はあんまり女性にモテ過ぎてもよしあしのようです（会場笑）。ということで、この辺で失礼をしたいと思います。（拍手）

グルノーブルの吹奏

1988.01

今年（一九八七）十月十六日から三日間、第九回「世界推理作家会議」がフランス、ドーフィネ地方の首都グルノーブル市で開かれ、わたしは同会議運営委員長（主催者側の同市長）からゲストとして招かれた。年一度のこの定期会議は第八回まではランス（パリの東方約一三〇キロ）で行われていたが、本年からはグルノーブル市が開催地の名乗りをあげて決定したという。

グルノーブルといえばかつて冬季オリンピック（一九六八）が開かれて名を知られている。また『赤と黒』の作家スタンダールの生地でもある。フランス・アルプス山系のせまい盆地にあり、リヨンと近い。この山峡の町のイメージがまずわたしの心をとらえ、招請状に応諾のサインをした。

運営委員長から送られてきた予定出席者リストを見ると、邦訳が多く出て日本の読者にもよく知られた欧米の一流推理作家の名をそろえている。ソ連もイタリアも入っている。わたしは外国の作家が日本の推理小説（本格、ミステリー、いわゆるハードボイルド流などを含め）をよく知っていないことを考え、この会議中の短い講演に日本の推理小説の現状を紹介した。時間の制約で、各作家各作品にふれることができなかったのは残念である。

この大会はかなりな盛況で、パリのリヨン駅から出るグルノーブル行きの特急列車（日本の新幹線にあたる）は貸切りで「黒い列車」と名づけられ、十数輛が作家、ジャーナリストなどの関係者と、テレビタレントも加わり、スシ詰めであった。列車もはじめは真っ黒に塗装する計画だったという。女性も多く、到着まで五時間の車内は浮々とした声に満ちてお祭り騒ぎ。

会場は冬季オリンピック記念の広大な体育館だった。この中で推理小説ばかりの「見本市」も開かれた。シムノンの本はコーナーを独占していた。美女らの仮装レビューもあり、カッフェ、ブティックも出張し、放送局も架設され、体育館内はまるで浅草の仲見世のような賑わいである。だが、別室を区切った講座やデスカッションの分科会場は静かなものであり、講師（各作家）も、三百人の聴衆（作家、ジャーナリストおよび同伴者）も熱心であった。

日本からの参加は初めてであり、それが珍しいとみえ、パリ滞在中の二日間、わたしはルモンド、リベラシオン、ルマタンなどの日刊紙やその他週刊誌からのインタビュウが終日つづいた。これは拙作『砂の器』の仏訳版（Le vase de sable）が新刊されたせいもある。グルノーブルでも同様だった。わたしの講演内容は次のとおりだが、通訳にはセシル・サカイ〔坂井〕さんがあたった。

日本の推理小説（ミステリー小説、犯罪小説などを含む）が外国に広く知られていないのは、言葉の壁がおもな原因です。日本語で書かれた小説が、英仏語とはいわないまでも、せめてドイツ語、ロシア語あるいはイタリア語の小説のように、英語、フランス語圏にもうけ入れられたら、日本の推理小説の真価は世界の読書界に広く知られるでしょう。

そこで、日本の推理小説は翻訳家の手を煩わすことになっていますが、この翻訳が狭き門になっている。というのは、翻訳の対象になる小説が、ときとして翻訳家自身の「好み」に限定されがちだからであります。一例をとりますと、皆さんはミシマ・ユキオ、カワバタ・ヤスナリ、タニザキ・ジュンイチロウほか数人の作家の名をよくご存知ですが、それはその作家の作品を翻訳でお読みになっておられるからです。が、その他の作家と作品はあまり知っておられない。翻訳がないからです。理由は翻訳家の「好み」によるからです。翻訳者の「趣味」に合わないものは除外されている。たとえばカワバタの専門的な翻訳家はアメリカ人のサイデンステッカー氏であり、ミシマのそれはやはりドナルド・キーン氏であります。もちろんこの二人は他の少数の作家の作品も翻訳しておりますが、カワバタやミシマほどには熱心でなく、またそれに精力的に集中することもありません。

カワバタやミシマたちに対するわたしの評価は本題から外れますのでさし控えますが、わたしが言いたいのはこういった偏った日本文学の翻訳による紹介の仕方に問題があるということです。もとよりサイデンステッカー氏やドナルド・キーン氏はじぶんの鑑賞力によってカワバタやミシマを大きく認めたわけで、それは両氏の自由です。しかし、日本文学を世界に紹介するという立場をとるときは、これは偏向的な態度といわざるを得ません。言葉を変えると、カワバタやミシマだけが日本文学の代表選手ではないのです。才能豊かな作家はほかにたくさん居ります。そういう作家たちが、今まで一部翻訳家の趣味で、カワバタやミシマなどのかげにかくれていたのです。日本現代文学の海外紹介の立場からすると不公平なのです。

同様なことは日本の推理小説についてもいえます。いや、推理小説のばあいは、普通の小説よりも、翻訳の点で、もっと残酷な扱いをうけております。すなわちその翻訳は皆無にひとしいのであります。

日本の推理小説のレベルは、世界のそれにくらべて劣るどころか優れている、と日本の作家は自負しています。これは作家のみならず海外の推理小説に通じた評論家、ジャーナリストたちが評価するところです。もし、言葉の障壁さえなければ、日本の推理小説は世界で第一級に位置することが海外でも認められるでしょう。このように作家たちも評論家も歎いております。

これまでにも直接に英語で小説を書こうと志した作家もありました。だが、学術的論文や企業報告類とちがって、小説を外国語で書くのは、複雑な心理描写やニュアンスに富む描写の点から、技術上至難のようです。尤も、最近おどろくばかりに英語力を身につけてきた日本人のことですから、将来は英語あるいはフランス語、ドイツ語などで小説を書く作家があらわれそうです。そうなった暁には、日本の推理小説は欧米の読書界に直接的に真価を問うことができるでしょう。

さて、日本の推理小説は世界の一級にランクすると日本の作家は考えていると申しましたが、では、どのようにしてそこまで「成長」してきたか、それをきわめて短い言葉で申し上げます。この事情もおそらくみなさんはご存知ないと思われるからです。日本人は海外の推理小説を翻訳ばかりで読んできました。十九世紀の後半には、エミール・ガボリオやフォルチュネ・デュ・ボアゴベのフランスの探偵小説が、クロイワ・ルイコウ（黒岩涙香）という十九世紀後半の奇才によってしきりと翻案されました。これは翻訳ではなく、日本人むきに直した翻案です。しかしその内容は原作とそれほど変っていません。ガボリオは探偵小説の始祖といわれていることは皆さんもご承知のとおりです。このガボリオやボアゴベの変化に富んだプロットの涙香による翻案は当時大いに日本の読者界に歓迎され、エポックメーキングな時代をつくりました。それ以後、一九二三年ごろに創作探偵小説が出現するまで、日本の推理小説ファンは主として欧米作家の翻訳ものばかりを読んできました。はじめのころは、コナン・ドイルのシャーロック・ホームズものとモーリス・ルブランの冒険ものが人気の第一であり、次いでエドガー・アラン・ポー、チェスタートン、フリーマン、エドガー・ウォーレス、スイス人作家のドゥーゼ、英のフレッチャー、アガサ・クリスティー、F・W・クロフツ、フィルポッツ、ドロシー・セイヤーズ、仏のジョルジュ・シムノン、米のガードナーそれにディクスン・カー、エラリー・クイーンなどとなります。

いまこれらの作家の名をアトランダムに挙げましたが、この人たちの作品は日本の専門的な雑誌の二、三に訳載されたもので、その初期のものはわたし自身若いころ、むさぼり読んだ経験があります。日本の探偵作家は、だいたいこのようにして外国小説に「育成」されてきたのであります。だが、ときには、日本の作家が外国の作家を「発掘」する例もあります。機智的で軽妙な短篇で知られる米作家のビーストンは日本のエドガワ・ランポ（江戸川乱歩）が早くから発見して日本に紹介したのであり、「スミルノ博士の日記」などで知られるサミュエル・ドゥーゼもまたコサカイ・フボク（小酒井不木）の発見にかかわります。

イギリス小説の訳載がたいへんに多い。日本では世界文学のなかでも英文学が大戦前まで主流を占めており、その名残りはアメリカ文学に継承されております。イギリス人と日本人とはどこか性格が似たところがあり、ものの考え方も一致したところがあるようで、そのためか日本では英国の推理小説のような論理的な「謎解き」ものが好まれました。日本人の性格はイギリス人と同じく、地味で、小市民的で、現実的なんです。小説上の探偵役ならシャーロック・ホームズ、ポアロ、神父ブラウンといったところで、それはだいたいにおいて小市民層の世界に起こった事件対象であり、その中で意外性やトリックなどを眼目におく傾向のものです。日本では一九二三年ごろになって、はじめて創作探偵小説が出ましたが、その作家は前述のエドガワ・ランポです。Edgar Allan Poe の発音を日本人の名前に置きかえたペンネームです。江戸川乱歩は日本の探偵小説の始祖でありま す。

乱歩は謎解きを主体とする tricky な小説を書いていました。こういうのを日本では genuine school (本格派) と呼んでいます。乱歩のトリックはかれ独自のものであり、その着想は斬新です。ことに短篇においてその天才的な特色を発揮しました。だが、彼はやがてその崇敬するアラン・ポーの耽美主義、または怪奇趣味の分野に赴きます。乱歩の本格派作品は概して lower class に材を取っている。しかし、そこには日本の伝統的な趣味が入れられ、詩情があります。また心理描写もその分析が鋭敏であります。

乱歩の出現を契機として推理作家があいついで輩出しましたが、どれもトリックや意外性を主体とした「本格派」であります。しかし、トリックに工夫を凝らすのあまりにそれが不自然だったり、意外性に矛盾があったりするのが目立ちます。犯罪動機に説得力がなかったり、背景となる「社会」が欠落したりしています。

わたしはこれらの点を残念に思い、推理小説といえども人間を描く小説の一分野にちがいないから、「もっと動機を」と主張しました。犯罪に「動機」を書きこむとき、それは社会のメカニズムの解明にもなり、政治機構にもメスを入れることになり、またじっさいの犯罪を解剖する犯罪小説にも通じます。またその心理描写の点で近代小説でもあります。かくて多岐にわたるわたしの作品はこれまで『全集』として五十四巻に上り、作品数は長・短篇を含めておよそ二百篇以上になっております。もちろんこれは数を誇示すべきでなく、問わるべきはその質であり内容で、その点大いに羞恥をおぼえる次第です。

ここで日本の探偵小説一般の現状について報告いたします。時間がきわめて制約されているので、大ざっぱなことしか述べられません。

第二次大戦後、アメリカ文学が輸入され、とくにヘミングウェイの影響からハードボイルド派のミステリー小説が輸入され、よく読まれるようになりました。

その刺激をうけて日本の探偵小説作家にもハードボイルド派が現われました。しかし、これは現状ではかならずしも盛行とはいえません。その原因の一つは、アメリカ流の「非情」がそのまま日本には通じにくいことでありましょう。日本の読者は、外国が舞台の小説だとその土地なり生活が隔絶しているためによくわからず、それゆえにそれを読むときは、遠い世界を眺めるように想像力を駆使します。そこに少々不自然な点があっても、それが目障りに映りません。しかし舞台が日本となると、それは読者自身の住むナマな環境ですから、きわめて現実感によって捉えます。外国作品に対する寛容度とは違うわけです。

外国の探偵小説は凶器としてピストルがよく使われます。ハードボイルド派はとくにピストル、マシンガンといったものが主役といってよいようですが、日本では市民がピストルを護身用として持つことを許されてないばかりか、それを所持しているだけでも厳重に罰せられます。アメリカではピストルが市民の日用の備品であるのと大きな違いで、これもハードボイルド派が日本に発展しにくい理由でしょう。ハードボイルド派はニヒル、好色、行動などといったのが特徴だそうですが、なかでもガンは不可欠です。

さらに登場人物の行動範囲の広さと狭さの問題があります。欧米の作家はヨーロッパ大陸とアメリカ大陸の広大な舞台を持ち、そこに登場人物を自由奔放に走りまわらせることができます。これにアフリカと南米とを加えるならばその活躍の地はまことに無限ということができます。それにくらべ日本は島国にして小国、登場人物の行動範囲は前者と比較にならぬ。その狭小のため、ストーリーがどうしても萎縮しがちです。すなわち思い切ったアクションむきではないのであります。

したがって、外国小説にあるような壮大な国際スパイ小説はできません。東京は国際都市といわれますが、とても全世界をかけめぐるようなアクチュアルな小説にはなりません。スパイ小説の元祖はイギリスのようですが、イギリスは日本と同じく島国でも、曾つては七つの海に活躍し、いまも大陸と接し、ヨーロッパそのものとして東側と対決しているから、そのような状況下に国際スパイ小説が生れたのでしょう。日本のはせいぜい企業スパイくらいなものです。

本格派の「殿堂」といわれるLocked room schoolはどうか。日本ではカーター・ディクスンなどの書く密室探偵小説のファンも多いです。だが、実作家の側からすると、日本の家屋構造は木造建築で、紙のフスマと障子で間仕切りがなされており、開放的なのです。厚い煉瓦造りで、各室ごとに堅牢な木製ドアに施錠するという西洋建築とは根本的に違う。それでも近年になって日本は都市を中心に西洋建築がよほど普及しました。個人住宅もですが、「マンション」と称する高級アパートが代表的です。その構造はホテルに似ていますから、locked room 探偵小説は成立しそうです。しかし日本の洋式建築はまだ本格的ではない。やはり日本的なものが残っています。だから、厳密な密室は構成されていないのです。そこに密室小説を書くとなると、カーの「密室講義」の中で散見する子供だましの手品のようなトリックになりかねません。日本にはいまのところ密室を主にする推理作家は少ないようです。

次はテーマの点です、これは動機と関係があります。欧米の小説には財産争い、または遺産相続をめぐる殺人事件がかなり目立ちますが、日本ではそれが少ないのです。一つには、日本には伝統的な富豪が少ないことと、法律の相違からもきていると思われます。離婚問題も、外国は宗教と法律がからんでいてなかなか面倒なようで、事件の原因になりますが、日本のばあいは宗教のほとんどは仏教であり、これは離婚とは無関係です。法律もいままでよりは離婚に寛大になりました。離婚が探偵小説のテーマになることはきわめて少ないのです。

また原因も動機もなしに、やたらと多くの人を殺す変質的な犯人を取扱うこともありません。「意外性」を狙うあまりに書かれたようなバークの「オッターモール氏の手」の犯人のような殺人変質者は、あまり書かれません。「オッターモール氏の手」が、世界ベストテンに入っているのがわたしには理解しにくいのです。

以上、欧米の探偵小説と比較し、日本の探偵小説の「ないないづくし」をわたしは述べてきたのですが、これはむしろ彼我の環境による特徴の相違とみるべきでしょう。日本の推理小説には、欧米ものの大味なのにくらべてキメがこまかく、繊細な雰囲気描写を持ち、そして伝統的な習俗と、情感が含まれております。

その点は日本の読者の一部はシムノンに親近感を持っています。それは「メグレ警部」ものの人情と哀愁とを理解するからです。

しかしながら総体的にいえることは、日本の推理小説はイギリスふうな「本格」派、つまりトリックが主体になっていることであります。たとえ、その形がサスペンス小説であれ、ハードボイルドふうな「非情」小説であれ、SF的探偵小説であれ、その部分のどこかにはトリック的工夫が挿入されております。それが傾向であります。トリックそのものについていえば、日本のものはイギリス派の申し子だけに、およそ論理的で、現実性があります。メカニックなものはあまり用いられません。いうなればドイルとチェスタートンとクリスティーの系統です。もっともチェスタートンほどの詩情と逆説(パラドックス)はありませんが。しかし、日本の作家のトリックは欧米よりもすぐれているのが多くあります。「意外性」のことをいいましたが、「意外性」も「トリック」と表裏一体をなすものでしょう。「意外性のための意外性」では読者は肩すかしを受けただけで、作者に「してやられた」という感じがしません。後味が白けたものになるだけです。

前に、ビーストンの名をちょっと出しましたが、ビーストンは今日ではあまり読まれてないようですが、この人は「意外性」の天才的なところがありました。読んで一驚するけれど、ちゃんと納得がゆく。短篇ばかり書いていた点、オー・ヘンリーの手法に似ています。

日本ではイギリスのクロフツの「時間トリック」の影響をうけた作家が少なくありません。それを主に書いている人もあります。わたし自身も『点と線』という列車時刻表トリックを一つだけ書いております。しかし、この『点と線』の犯罪動機は「官庁の汚職」です。当時、日本ではじっさいに官庁汚職があいついで暴露し、検察当局の取調べを受ける前に、上層部への波及を憂える下僚の自殺が続出していました。その自殺がもし他殺であったら、波及を恐れるだれかの手による偽装自殺であったら、というのが、この発想になりました。「汚職」が殺人事件の動機というのは欧米の探偵小説にはあまり見られないのではないでしょうか。

わたし自身の好みからすれば「倒叙探偵小説」が好ましいと思います。その意味ではイギリスのロイ・ヴィカーズの一連の作品"The Department of Dead Ends"（迷宮課）ものには、その継承者がもっと出てよいと思います。なぜなら、この種の探偵小説は、完全犯罪を計画し実行する犯人の心理的盲点を書いているからです。この倒叙形式の利点は動機と心理描写が十分に描けることです。

さきほど「時間トリックの小説」に官庁汚職の背景があったことを申しましたが、この背景を主役として引っ張り出しますと、政治的事件の解明ということになります。敗戦後、日本はアメリカの占領政策下におかれましたが、その期間、さまざまな奇怪な、未解決の事件がしきりと起こっております。わたしがこれらを推理して題したのが"The Black Mist in Japan"（日本の黒い霧）です。「ブラック・ミスト」という名はこれによって流行語から普通名詞となりロンドンタイムズ紙までが使用しました。

このようにしてわたしは「現代史」に分け入りましたが、このことは「歴史の粉飾」を推理によって剝ぐという作業にも通じます。

本格推理小説にしてもミステリー、スパイ、ハードボイルドにしても、そのアイディアの独創性が重要です。これが普通のいわゆる文芸小説と異なる大きな点です。

そのアイディアは、二度と使ってはなりません。ことに本格推理小説のトリックにおいてはそうです。きびしくいえば、自分が考案したトリック、アイディアは再び使用してはならないのです。もちろん、他人のそれを真似してはなりません。これが推理作家に課せられた鉄則であり、また十字架です。理想的には、それとわかるようなバリエーションもいけないのです。独創性こそ「神」です。

チェスタートンは、トリックを創造する天才です。その影響を受けている人々は少なくないと思います。だが、その影響をうけるのあまりに、彼のトリックをほとんどそのまま踏襲している作家を見かける。有名な「一枚の葉を隠すためには、森をつくればよい」の言葉はある作品の中で登場人物に言わせていることです。狙う一人の人物のために、それとわからぬように無関係な多数の人物を殺すというトリック、これは、かなりの作家によってそのバリエーションが試みられ、応用されてきました。それぞれに応用の技巧は凝らしてあるものの、独創性は減少しています。

日本の推理小説作家の作品は、海外の作品にくらべて遜色がないと申しましたが、アイディアやトリックの独創性においてもそうです。海外の作品からヒントを得たものもありますが、それはかならずしもエピゴーネンとはいえません。十分に創意が加えられ、日本的になっています。

それは、さきほども申しましたように、外国と日本とは事情が違うことにもよります。外国では非常に高価な宝石、名画などが盗難や争奪の対象になったり、莫大な遺産をめぐっての陰謀があったりして、それらが事件の原因になっているが、日本の現実ではそういうことはないのです。日本人の一般社会はまだ貧乏なのです。

さきほども言いましたように、外国の小説は空想や想像を交えて読んでも、日本の小説は読者の環境そのものが舞台ですから、ウソは書けません。すこしでもおかしなところがあれば信用されなくなる。つまりリアリスティックにならざるをえないのです。日本の推理小説やミステリーはだいたい写実主義的傾向が強いといえると思います。スパイ小説を書くとすれば外国の事実関係に沿ってフィクションを構築せざるを得ない。たとえば、この九月末に、イタリアのマフィアP2の首領ジェッリがついに逃亡先のアルゼンチンから出てジュネーブ警察に自首しましたが、この事件に関連するアンブロシアーノ銀行頭取カルビのロンドンでの怪死事件をモデルにわたしは小説を書きました〔『霧の会議』〕。せいぜいこの程度です。

ピストルの携行は許されず、せまい国土の中で行動し、人種の相違からして東西両陣営の欧米人の顔に自在に変装することもできず、したがってスパイ小説の成立にもきわめて困難な条件というなかで、日本の作家はよく奮闘しております。

これでわたしの報告はいちおう終わりたいと思いますが、では、おまえは何を書いてきたか、と問われる方々が、おられると思います。よって、ここでそれにお答することにいたします。

わたしはいろいろ書いていますので、申し上げることはたくさんありますが、時間の都合上、ここでは、いわゆる「本格派」推理小説に限定して、そのトリックといいますかアイディアのようなものを五、六点、かんたんにお話しして、わたしの傾向の一つを知っていただきたいと思います。ほんとうは各作家の作品を紹介したいのですが、それでは他人の考えたトリックを無断で暴露することになるので、自作のものに限定いたします。他の作家の着想が、わたしより優れているのはもちろんであります。

(1)殺した死体を犯人が自分の広い庭に深く埋めて、その上をコンクリートでかため、水を入れて池にする。池には鯉を飼っている。東京には軽い地震がしばしばやってくる。そのためコンクリートの底にヒビが入り、水が洩れる。犯人は水をそのつど補給する、そのうち鯉のウロコの色が悪くなり、異常に栄養過多となる。地下に埋めた死体が腐乱し、その脂が池の水に浮き上って鯉が食べていたため。——鯉の養殖家が見て気づき、犯行が暴露する。

(2)A地方の山中に人を誘い出して殺した。秋だった。完全犯罪である。春になって、その犯人の東京にある自宅の庭に黄色い花が咲いた。通りがかりの植物学者がそれに注目した。その植物は東京地方にはなく、遠いA地方のみの特産物。犯人は犯行時にズボンの折返しにその植物のタネが忍びこんでいて、庭に落ちたのに気がつかなかった。これが決め手となって、行方不明前に誘い出した彼が犯人とわかる。

(3)大学受験生の一人息子を持つ母は秀才教育をしてきている。その息子の学校の成績があるときから急に落ちはじめる。ある晩、母は息子が悪癖にふけっているのを見つける。悩んだ末、母は息子の「秀才教育」の犠牲になることを決心する。母子相姦のテーマ。

(4)殺人する家を作るために、故意に法令に違反した粗末な密閉した小屋を建造する。死体を処理したあと、「当局の撤回命令を受けた」と称して、その小屋を壊し、死体を材料と共に運び去り、犯跡を消す。
(5)殺人死体を、工業用の硝酸液のプール（一部業者などが使う）に漬ける。一昼夜くらいで白骨となる。これをとり出して水洗いし、乾かして、遠い山か海岸に捨てる。死体の白骨化には少なくとも八ヵ月以上は要する。検視医も解剖医も死後経過の判断を誤る。犯人はアリバイを主張する。
(6)殺した死体を、他人の家に投げこむ。その家では警察にそれを届けることができない。というのは、その家は麻薬を密輸入して、末端の販売人に渡すため薬を再処理するかくれた家だったから。その殺人犯人はそれを知っていたため死体をその家に投げ入れた。その家ではやむなく、投げこまれた死体の始末をせねばならなかった。真犯人は安全地帯にいる。
(7)地方の高原にハイウェイが建設される。土地の買収が行われる。一軒の古い農家だけがどんなに補償金を上げても、がんとして応じない。補償金をツリ上げたい他の地主連中が応援にきて反対運動の気勢をそえる。じつは、その敷地に、三年前に通りかかった女性ハイカー二人の死体が埋めてあった。売却ができないのはそのため。
わたしは「社会派」の名で呼ばれていますが、推理小説に関するかぎりこれは適当なレッテルではありません。ただ、犯罪が絵空ごとでなく、現代社会のなかに息づいたものでなければならないということだけ云っております。

プロットやアイディア、あるいはトリックなどについて申しあげたいのですが、すでに所定の時間が過ぎております。お聞きくださいまして、ありがとうございました。

国際推理作家会議で考えたこと――ネオ「本格派」小説を提唱する

1988.01

1

今年（一九八七）の十月十六日から三日間、フランスのグルノーブル市で「第九回国際推理小説・映画会議」（Festival International du Roman et du Film Noir）なるものが開催され、ゲストとしてわたしはそれに出席した。

七月に届いた同市の運営委員長アラン・カリニョン氏と主催フランス推理作家協会長ジャン・フランソワ・ヴィラール氏によるわたし宛の招請状を見ると、この国際フェスティヴァルは小説部門と映画部門とから成り、小説部門ではフランス、イギリス、アメリカ、スペイン、イタリア、ソ連などから約五十名の作家が出席するとしてあった。リストの中には、邦訳などでもよく知られている流行作家の名があった。

ミッキー・スピレーン（米）、エルモア・レナード（米）、グレゴリー・マクドナルド（米）、ロバート・パーカー（米）、ドロシイ・B・ヒューズ（米）、ルース・レンデル（英）、ニコラス・フリーリング（英）、マニュエル・バスケス＝モンタルバン（スペイン）、マイ・シューヴァル（スエーデン）、クロード・アヴリン（仏）、レオ・マレ（仏）、セバスチャン・ジャプリゾ（仏）いずれも日本で文庫本が多く出ている。

六月はじめ、在パリのセシル・坂井さんという日本女性からわたしにまず電話があった。つづいて手紙をもらった。

「この国際推理作家会議は第九回を迎え、今年はぜひ日本から代表的な作家をお呼びしたいということになりました。ついては主催者側が御著書の仏訳も多数にある松本清張氏をお呼びしたいと申しております。松本さんのご多忙はフランス側でも承知しておりますが、二日間でもおいでいただけませんか。主催はフランス推理作家協会とグルノーブル市です」

セシル・坂井さんはパリ第七大学の日本語講師で、わたしには未知の人だ。

その手紙に添えられた「会議」の資料を見て、承諾の返事を出した。ミステリー映画部門といっしょのフェスティヴァルというのが気に染まないが、祭典の形式にしないと多くの人が集まらないのであろう。外交や経済折衝会議とは違うのである。

「会議」のことはともかくとして、グルノーブルという山峡の小都市に気持が動いた。

《グルノーブル Grenoble、フランス南東部、イゼール県の主邑（しゅゆう）。ドフィーネ・アルプス山中、イゼール川とドラク川の合流点に位置し、ガリア時代にはクラロとよばれ、四世紀にグラチアノポリスと改称された。現在は金属・化学工業が発達し、伝統的な絹織物生産が盛んである。登山・スキーなどの中心地で、一九六八年には冬季オリンピックが開催された。作家スタンダールの生誕地でもある。一九六八年現在の人口十万余》（世界地名辞典から）

地図を眺めても、同市はフランス・アルプスの山塊に囲まれて、没したような小盆地の底にあった。曽ての冬季オリンピック開催地として日本でもかなり知られており、文学愛好家は『赤と黒』の作者が生れた地として知っていよう。

だが、わたしはオリンピックよりもスタンダールよりも、そこが山峡だということに一種の旅心を誘われた。中年まで小倉（北九州市）生活から出なかったわたしは信州の村にあこがれていて、その気持がいまもあとを曳いている。ジョルジュ・シムノンに『山峡の夜』という作品もあった。行く気になったのは、このやまかいの地形と雰囲気とが、いつか小説を書くとき、イメージにとれるかもしれないと思ったからだ。

セシル・坂井さんは一時帰国で八月初め東京にきた。初対面でグルノーブル会議のかんたんな打合せをした。彼女はわたしの「講演」の通訳をしてくれるのだ。

その後、八月中旬にわたしは所用があって南仏とドイツに行ったが、そのときパリの宿からグルノーブルの運営委員長と電話で短い打合せをした（通訳は折から来合せていたユネスコ本部の栗本一男さん）。

帰国してからわたしは講演のための時間がほしいと先方と交渉した。外国の作家には、日本の推理小説の傾向について、翻訳書がないために、その現状がわかっていない。この際、日本の推理小説の現状といったものを話そうと考えたのである。それには「フェスティヴァル」のスケジュールに含まれた「作家の討論会」では足りない、まとまった話をするにはそれに見合う時間が必要であると言った。運営委員会側は、それはグッド・アイデアだといって、四十分間を割いてくれることになった。通訳を入れると時間が倍になる。わたしは講演草稿をつくって、あらかじめセシルさんに渡すことにした。かくて十月の出席準備が成った。

十六日午後二時、パリのリヨン駅を特急の貸切り列車（「黒い列車」と名づけられた）で出発、七時にグルノーブルに着いた。車内は作家、ジャーナリスト、出版社、映画、テレビ関係で、十二輛ぐらいの編成列車が超満員だった。初めのプランでは車内でもディスカッションする予定だったが、そんな余裕などさらにない喧騒である。

車内サーヴィスは固いフランスパンのなかにハムのこまぎれを突込んだ「食事」が配給されたのみ。わたしは石のようなフランスパンが歯に合わないから、ちょっと齧っただけで捨てた。これが日本だと幕の内弁当の折詰か、機内食のようなサンドウイッチの詰合せなどが販売されるところである。

グルノーブル駅に着いてからがたいへんで、数百名がせまい駅前広場にどっと溢れ出たからタクシーなど拾うべくもない。主催は市当局なのに係員の姿は一人もない。整理係がいないから駅前は大混乱だった。わたしたちはうす暗い駅前に呆然と立ちつくした。山の影は見えぬ。立ってはいても寒気のために絶えず身体を貧乏ぶるいのように動かさねばならなかった。

夜のグルノーブルは摂氏一、二度くらいであった。凛烈な寒さに慄えて、予約のホテルに入ったが、タクシーをつかまえるのもホテルへ行くにも係員がきて世話するでもなかった。参加者があまりに多すぎたのかもしれない。

翌日「会議」が開かれたが、会場に主催者側の係員が現れるではなかった。会場は、冬季オリンピックの体育場があてられていた。わたしの講演がはじまるときだけ運営副委員長の市の助役さんが顔を出して、すこしのあいだテーブルについた。

この「会議」の第八回まではランス市で行われていたのを、今回からグルノーブル市が誘致したそうである。誘致するからには参加者の優遇が条件だと思われるが、当局は不慣れのためにその運営が不手際だったのかもしれない。

だが、広い体育会館の会場内には書籍見本市（推理・ミステリー）、臨時放送局、映画館（ここで審査員らにより優秀映画の授賞が決まる）、レストラン、スタンドバー、ブティックなどの出店があり、その賑わいと人の混雑はまさに「祭典」であった。

しかし、講演会と討論会の会場は別館があてられた。ここはさすがに静かなものだった。

2

日本の推理・ミステリー小説について、といったようなわたしの「講演」は、日本の作品はレベルの点で外国の小説にけっして劣ることはなく、むしろまさっているくらいである、というような主旨であった。

「それをみなさんに証明するには、日本の推理小説を読んでもらうしかないが、残念なことに翻訳が極めて少い。この言葉の障壁が海外読者の理解を妨げている。日本では外国の推理小説の翻訳がたいへん多く読まれているのに、これでは一方通行、片側貿易というよりほかかない。だが将来は英訳、仏訳なども多く出るにちがいないから、それを読まれたとき、今日松本が申し上げた話に思いあたられてご納得がいただけると思う」と、講演ではそんなことを言った。詳しい内容は、別の雑誌に出している〔「グルノーブルの吹奏」〕。

しかし、日本の推理小説のことはほとんどご存知ない会場の聴衆（作家・ジャーナリストなど約三〇〇人）が対象だから、時間の制約もあって、おおまかなことを抽象的に言うしかなかった。日本と欧米の本格派の傾向についても述べたかったが、それも十分ではなかった。例として拙作のトリッキイな一部を四、五点ならべたが、これは他の作家のものは無断で明かせなかったからである。

講演が終ると会場から拍手が一斉に起ったので、ある程度は興味を持たれたのであろう。ひとつにはセシル・坂井さんが通訳するすばらしいフランス語のためである。

話のあと、聴衆からの質問を求めたが、「ヤクザ」のことをどうしておまえは書かないかというのが多かった。日本の「ヤクザ」はフランスやアメリカのマフィアなみに思われている。会場内の臨時放送局でのラジオ対談でも同じような質問が出た。

わたしは「会議」で自分の感想をもっと述べたかったのだが、その余裕はなかった。他の行事が目白押しである。

十八日夕は親睦のパーティだというので、それを遠慮してその日の午後に、前から予定していた南仏から西独の旅に出発することにした。

もっとも十八日午後は討論会があるというので、それには出たかったが、フランス語で聞いてもわたしにはわからない。セシルさんはパリに帰ってしまう。在パリの長谷川たかこさんは残るが、通訳の約束をしてないので迷惑をかけてもいけない。討論会は放棄した。

もう一つ、心残りがあった。P2の頭目リチオ・ジェッリが九月二十三日に潜伏先のアルゼンチンから出てきてジュネーヴのスイス司法当局へ自首したとの報道があってその後の詳しい話をイタリアの作家（出席者リストにはFruttero, Lucentini, Veraldiなどの名がある）に聞きたかった。

イタリアのマフィアの秘密組織P2（フリーメーソンのプロパガンダ第2部の略。フリーメーソンとは関係がない）は第二次大戦後急速に勢力を伸ばし、イタリアの政財界をとりこんだ。その配下のロベルト・カルビに運営させたアンブロジアーノ銀行（イタリア最大の民間銀行となった）は、「神の銀行」といわれるヴァチカン銀行（修道会信用金庫）の総裁と結託し、中南米のタックス・ヘヴンの国にペーパーカンパニーを濫立して、銀行の公金をこれに流用して荒かせぎをした。大ボスのジェッリの別荘（シシリー島）の金庫から捜査当局が押収したP2会員メンバー・リストには時の閣僚二人までが含まれ、ために内閣は倒壊したくらいだ。ジェッリ頭目やナンバー・ツーのミケーレ・シンドーナの指令で、その配下による殺人、恐喝、誘拐、脱税など数知れず。アンブロジアーノ銀行のカルビ頭取もロンドンのテームズに架かるブラックフライアーズ橋下で首吊り死体となって発見された。これもP2マフィアによって殺害されたとの疑いが強いのである。シンドーナはイタリア政府の強い引渡し要求で逃亡先のニューヨークからローマにようやく送還、拘置所に収容されたが、一カ月と経ないうちに独房で血を吐き急死した。毒をもられたらしい。彼が一切を白状すれば、彼と過去に因縁をもつイタリア政財界からケガ人があまりに出すぎるからだろうといわれている。こんど自首したジェッリも、刑務所内で毒殺されるのを恐れているという。ジェッリが全部を自供すれば、シンドーナ以上の内容になろう。前回のP2メンバーのリストどころの騒ぎではない。

こんなことをここに書くのは拙作『霧の会議』がカルビ頭取の首吊り事件をモデルにしているからで、その取材のためにジェッリが前に収容されたレマン湖畔のシャン・ドロン拘置所や、脱獄後、アルゼンチンへ脱出するまで彼が潜伏していたカンヌの隠れ家や、さらにはモンテカルロの彼の邸宅などへ行った思い出があるからだ。

そのようなことから、リチオ・ジェッリの自首には強い興味がわたしにあって、イタリアの作家らに会いたかったが、先方とは未知の間だし、それに討論会やパーティなどで忙しいだろうと思い、これを諦めた。

したがって出席者リストにある作家のだれにも会わなかった。ハードボイルド派で、曾つて日本で非難されたエロ・グロ（江戸川乱歩のスピレーン評）のような描写でアメリカに人気の高いミッキー・スピレーンも参会していなかった。

しかし、その心残りを埋めるかのように一人のフランス人がわたしの前に現われた。フランソワ・リヴィエール François Rivière という推理作家・評論家である。リヴィエール氏とは今日会う約束だった。わたしの出発が早くなったので、午前十時に宿舎にみえた。

前もって与えられた予備知識では、リヴィエール氏には小説『公爵夫人の死』『セリス・ゴードン最後の犯罪』『Sevenoaks の犯罪』などの作品があり、ほかに「アガサ・クリスティー評伝」などの労作があるという。フランスでは人気作家の一人で、その作品はたいへんよく読まれているとのことだった。未だ邦訳はない。

初対面のフランソワ・リヴィエール氏は四十歳くらい、蓬髪の髭もじゃで、顔の上下が黒で挟まれている。綿入れのようなジャンパーを着て、その胸もとからは垢のにじんだようなシャツがのぞき、年とったヒッピー族のごとく身なりのかまわない人であった。だが、身体は箱のようにがっちりとしていて、背は低い。その箱はホテルのロビーの椅子に坐り、テーブルの上に録音機を置いた。対談はある出版社の企画であって、拙作『砂の器』の仏訳本が出たばかりの機会だった。セシル・坂井さんが居ないかわり、長谷川たかこさんと、パリからわたしたちについた坂本聖子さんとが通訳にあたってくれた。

訪問者のリヴィエール氏は、はじめから聞き役である。はさむ質問も短い。だが、背を前に屈め、熱心に通訳される言葉に耳を傾けた。重厚な人柄とみた。いかめしい髭もじゃの顔はときに童顔のようになり、その和んだ眼はときどき光った。通訳が入るから、一時間半だった。

その録音テープをここに再現すればいいのだが、わたしの手もとにそのテープがない。そこで、その夜、南仏のアルルの宿でつけたメモをたよりに書くとする。

もとよりメモには要点だけが記けてある。それをもとに、いろいろと思い出して書いてもよいが、それよりもメモはそのまま出して、わたしの感想とか意見とかは、まとめて後に添えることにした。

そのメモなるものも走り書きである。能率を上げるために、わたしの癖で、文語体まじりになっている。ここで口語体に書き改めようとは思ったが、ナマのほうがかえって躍動感（?）があるかもしれないと考え、少々気が怯けるけれど、あえてここにメモのとおりに写す（ただし、発言がひとり合点の舌足らずになっているため、若干の加筆をした)。

——貴公の作風はエラリー・クイーンに似ると思うが、如何。

あらず。クイーンは謎解きと意外性を主体としたる作家なり。クイーンの傾向については例せば彼が選びたる世界ベストテンにバーク作「オッターモール氏の手」を挙ぐ。これは犯人が事件捜索担当の警官なり。警官即犯人のトリックはチェスタートンの創出の由なるが、その後追随者の多くが濫用す。「オッターモール氏の手」の犯人は、人を見れば殺したくなる性格異常もしくは異常精神の持主なり。こはただ「意外性」のみをねらいしものにして動機皆無、なんら普遍性なし(後注。曾ってエラリー・クイーンのリー氏が来日したとき、わたしは香港まで同行し、「オッターモール氏の手」をなぜにベストテンに入れたかと氏と橋上で論争したことがある)。

およそいかなる犯罪にも原因、動機なしとせず。而してそれは万人の持てる共通の心理として、読者の共感を呼ぶの普遍性を要す。犯人の犯罪を冒すまでの心理は、何びともが心の深奥に持てる意識なり。されば明日は己自身がその犯罪を行うやもしれず、また逆に明日は犠牲者になるかもわからざるなり。これ日常生活にひそむ恐怖にあらずや。斯くの如きものを表現してこそ読者は現実性を感じ、その小説の世界に没入すなり。

——貴公は推理小説ほんらいの味(本格の意味)の稀薄を可とするか。

賛成せず。推理小説なる限りは、その本領を与えざるべからず。推理小説として書かれたるものはその要素の包含を要す。ドストエフスキーの『悪霊』や『罪と罰』にはそれを含む。されば殺人事件において謎解きや意外性のみに重点を置く推理小説は択らず。トリックなどの設定とともに犯人の犯行動機、心理の解剖と描写とが必要と信ず。

推理小説が単一なる主題に終始するときはとかく単調を免れず。副主題（サブ・サブジェクト）を伴うべきなり。その副主題は社会生活の矛盾問題にてもよく、政治や芸術問題の追及にてもよく、あるいは科学上・芸術上の疑問を衝くもよし。既成事実への疑問追及や既成観念への挑戦はもっとも新鮮にして推理小説のテーマとしてうってつけなり。かくのごとくにして主題は副主題の伴奏により、または重層構造によりてバラエティと深さを与えられるならん。副主題は主題の裾野となり、主題を支え、かつ渾然となり、読者を退屈させることなし。

推理小説は本格派的な骨格を要す。

推理小説の独自性がそのアイデアにあることは論なし。また同一アイデアやトリックを繰り返して使用すべからざることも言を俟たず。これ普通の小説と根本的に異る点なり。推理小説作家に課せられたる桎梏ともいうべきものなり。

普通の小説においては同一着想の同一技法を繰り返すとき、主題の「深化」と呼び「追求」と言う。すでに絵画芸術においては他人の作品の模倣も、それを「追求」と称して用語の曖昧と混乱とをきたせり。

推理小説においては他人の創出せるアイデアの模倣、巧妙なる横取り（盗用）は許されず。

しかるにこれらが半ば公然と横行す。例せばG・K・チェスタートンの「一枚の葉（殺人死体のこと）を隠すためには森の中に隠す、森なきときは自分で森を作る」（短篇「折れた剣」）の創案が、いかに他の多くの作家によって「応用」されたるか。ドイルもクリスティーもそれを変形して、しばしば使用す。ドイルには独創のトリック少し。クリスティーは他者のトリックを変形させて、または接合させて使用するの名手なり。これは厳密に過ぎたる言い方なるも、独創的なトリックとはかくも案出が至難なり。ポーは推理小説の源流なり。チェスタートンの作品はアイデアとトリックの原形なり。チェスタートンにして後期には衰退が見ゆ。またやむを得ざるなり。

——貴公は実際に起きたる事件にもとづきたる小説を書きたることありや。

国内ものに数篇あり。外国の事件としては『アムステルダム運河殺人事件』あり。後にはバンコクのタイ・シルク王ジム・トンプソンの失踪事件（『熱い絹』）、最近はロンドンのテムズ河畔で絞殺、首吊りにされしバンコ・アンブロジアーノの頭取カルビ事件をモデルとす。いま貴下に、アムステルダム運河事件について話さん。

およそ二十年前のある日、アムステルダムの運河に日本人男性の死体を詰めしトランク漂流す。死体は首と両の手首が切断されて行方わからず。被害者は、下着に記せる洗濯屋の名により、ブリュッセル在住の日本人商社員と判明す。殺害場所は他の地にて、そこよりバラバラ死体をトランク入りにして発見場所まで車で運搬し来り、運河に捨てしものとみゆ。首無しにせしは人相を知らせぬため、手首なきは指紋を失わせ、以って被害者の身元を不明にせんとする犯人の意図なりと捜査当局推測す。吾はそれに与せず。なんとなれば指紋の故とせば指先を切断するにて足る。手首までを切りはなす要ありや。死体のまとえる下着に洗濯屋の注記（名前入り）あることは犯人も検して知るなり。すなわちそれにより犠牲者の身元が判ることを犯人は意に介せざるなり。もしその身元を隠すの意図あれば、手がかりとなる下着いっさいを死体より取り去りて全裸となすならん。これよりみれば首を切断せるは、人相を不明にする目的にはあらず。

——貴公の推理は如何。

（このとき、フィリップ・ピキエ氏同席す。ピキエ氏は拙作『砂の器』仏語版の出版元社長。ピキエ氏を指して）見よ、あの紳士を。着せる洋服より露出せる肉体は首から上の顔と、洋服の両袖、ワイシャツより先の手首なり。推測するに、犯人は犠牲者を工場か倉庫の如き建物に連れこみ、そこにて絞殺したるならん。すなわち犠牲者は床の上に倒る。その床にはゴミ類と、おそらくは化学物質の液体がありしならん。これらが死体に付着す。拭えども消えざるは化学物質の液体とゴミなり。而してその化学性液体たとえば油のごときものとゴミ類とは、その特徴よりして犯行場所を容易に指摘し得るものなり。ここにおいて犯人は、死体の運搬に洋服とワイシャツを剝ぎ取りて捨て、油性の液体とゴミ類の付着せる首から上と両手首を切断し、いずれかに埋めたるものならんか。さらに言えば、絞殺なれば首に索溝（さっこう）の跡残る。首の切断はこれを不明にするの目的ともみゆ。

この事件は未だに解決せず。されば以上は我の推測にして、実際と相違するやも知れず。なれど推理小説としては現実性あるプロバビリティ（可能性）の問題として許容されん。

——近刊の『霧の会議』とはいかなるストーリイか。

バンコ・アンブロジアーノのカルビ頭取の怪死事件をモデルとせるものなり。ブラックフライアーズ橋下の工事現場にて首吊り死体として発見されたるが、ロンドンの検屍法廷にても他殺の疑い濃厚として陪審員は一致評決す。これがイタリアのマフィア組織P2と関連、さらにはヴァチカン銀行の不正融資とも関係ありとの容疑は、アメリカのジャーナリストの著せる「誰が頭取を殺したか」などの実録ものにもあり。

『霧の会議』は日本人男女が、カルビがマフィア一味に橋下工事現場に首を吊さる現場を偶然に目撃せる場面よりはじまる。いわゆる「巻きこまれ型」なり。目撃せる日本人男女はマフィアに追われ、英国より海峡を越えてフランス北部のノルマンディ地方に渡り、ドーヴィル、ルーアン、パリと逃げまわり、ニースに脱れ、北スイスへと行く。いわゆるサスペンス小説なれど、その間にP2の犯罪と、ペーパーカンパニー王国（国際金融の隠れミノ）といわるリヒテンシュタインの裏面と、ローマ・カトリック寺院の腐敗を副主題となす。

3

――貴公は午後より南仏プロヴァンス地方に行く由なるが、それも推理小説の舞台となるか。

執筆前なれば内容を詳細に明かし難きを遺憾とす。されどそのテーマの輪廓を話してもよし。

――さしつかえなき限りは。

純粋な推理小説にあらざるも、構成はそれに通ず。テーマは明かしがたきも、まず日本の新聞社が主催をなす「プロヴァンス地方・国際駅伝競走」の企画が冒頭なり。従来の国内の駅伝競走を、南仏に持って行くプランなり。プロットの展開に伴い、「アルルのゴッホ」を出すつもりなり。ゴッホはアルルにおいて約二千点の油彩画と葦ペン画、鉛筆画を描けり。しかるにそれらの画はアルル地方にも、またサン・レミ（ゴッホが二度目に収容された精神病院の地）にも、一枚として遺らず。ここは考えられざることとなり。ゴッホはアルルにおいて同居のゴーギャンを街頭に剃刀持ちて尾行し、途上、ゴーギャンに振り返られるや遽かに「黄色き家」の自室にかけ戻り、手の剃刀にて自己の片耳を斬り落とす。而して剃り落せる耳を馴染の娼婦のもとに届けしなり。

ゴッホはわが大切なる耳を娼婦に与う。いわんやその描ける画は、娼婦、近所の人々、モデルになりし人々、病院の人々に与えしならん。それらの画がアルルにもサン・レミにも一枚として無きはことごとく散逸せるためなり。ゴッホの画はアルルにては売れず。現在、ゴッホ作品の大部分がオランダに存在するは、ゴッホの死後、その作品群がゴッホの弟テオ（彼もゴッホにつづいて死す）の未亡人の保管せしものなり。これはひろく知られたることとなるも、知られざるはアルル地方にて散逸せるゴッホ遺作の行方なり。当時ゴッホの真価を知らざる者がゴッホより貰いしものの不用物として家の隅に置くか、あるいは何かの裏打ちに利用せしまま、いつのまにかその存在も忘れられたるならん。

これに目をつけたる一日本人が、ゴッホの遺作を捜索にアルル地方へ行く。日本にても、京都に住せる江戸時代の著名なる陶芸家が旅行先の地方に逗留し、その地で製作せる作品群が農家の片隅より発見されしとて、古美術商が披露せることとあり（「佐野乾山」のこと）。ゴッホの絵が現在五十億円あるいは七十五億円の値でオークションにて落札さる。わが構想は「ゴッホ捜索」よりストーリイがはじまるなり。

——貴公のその着想は大いに可なり。されば作の完成前に濫りに口にするなかれ。他の作家が耳にし、それをヒントにして逸早く書かんやも保し難し。

　貴下の忠告を感謝す。されど、ゴッホのことのみならず同地方のエキス・アン・プロヴァンスに居住せるセザンヌのことも書くつもりなり。これら、わが言うところの副主題なり。主題と副主題とは、終局において一点に集中すなり〔『詩城の旅びと』〕。

　近来、本格推理小説は行き詰りて振わず。ために作家はハードボイルド派に赴き、暴力(ヴァイオレンス)とセクシュアルな描写に奔(はし)る。すなわちミッキー・スピレーンの亜流なり。あるいは、ミステリー小説と称して似て非なるものを書く。その安易云うを知らず。

　畢竟これ独創的なアイデア、トリック等の枯渇による。先駆者欧米において然り、日本亦同様の傾向にあり。

　なれども推理とミステリー小説とを問わず、本格派推理小説の骨格は具備すべきにして、その小説の形式が如何であれ、必須なり。アイデア、トリックの創出が困難なりとて、これを回避して安逸に流るとき、ついには読者の失望を招き、支持を失いて、衰死せん。

　新鮮なるアイデア、前人を超すトリックの創造はもとより至難の業なり。しかれども刻苦してこれに立ち向うべし。苦悶し努力すべきなり。かかる努力もまた芸術と知るべし。これ我自身の心得なり。

　フランソワ・リヴィエール氏とのインタビューで、だいたいこのようなことをわたしは話した。氏は黙々と聞いていた。フランスの流行作家であり評論家の氏が、愚見にどのような感想を持ったかは、その場では、わからない。

わたしが述べたことには反対もあろう。だが、推理小説はリアリティとアイデアの二要素から成る。たとえ外形が非現実な体裁を取ろうと、リアリティに根ざしていなければならない（アラン・ポーはその典型である）。またアイデア（トリック、合理的な意外性など）はあくまでも推理小説の本領である。

テーマはフレッシュでなければならない。そのテーマとなる素材は世の中にごろごろしているはずだ。作家はそれを発掘しなければならぬ。既存テーマによりかかるなかれだ。

柱となる主題と副主題との結合といっても、それが小説を複雑にするのではない。なんどもいうようだが、副主題は主題の裾ひろがりである。主題の効果を助け、豊かにするものである。そして両者は作者の意図するただ一つの点に合体して集る。あたかも遠近法の画を見る如くである。

主題と副主題とが分離や分裂をしていてはいけない。読者を退屈させてはならない。「純文学の欠点は面白くないところにある」（菊池寛「話の塵」昭和十三年六月）と云われるように、わざと面白くしないのが純文学だろうか。物語性を排除する、それが純文学という錯覚と迷妄が、今日の「純」文学の衰退を招いたとすれば、不幸である。

ここで、わたしの考えは、現況からみて、本格推理小説へ新風を、ということになる。いわば「ネオ・本格推理小説」といったものの勃興である。わたしは何もそれを以上述べたような形態で進めたがよいというのではない。呼び名はどうでもよい。方法にはいくらでも道がある。わたしのは自分の思いつきである。「誰がロジャー・アクロイドを殺そうとかまうものか」は、エドマンド・ウィルスン（一九四〇年代のアメリカの著名な批評家・作家）の推理小説を批判した小論の題名（『アクロイド殺し』はクリスティーの代表作）である。たかが推理小説じゃないか、それほどむきになって探偵小説の是非論をやるほどのことはない、という意味である。

ウィルスンはディクスン・カーだけは多少認めても、他の「凡百の」探偵作家をいっさい否定する。探偵小説は「クロスワード・パズルと喫煙との中間に順位づけられるべきものだろう」とも言っている（H・ヘイクラフト編『推理小説の美学』所収）。

エドマンド・ウィルスンの言うとおりならば、わたしも「ネオ・本格推理小説」（この呼称はどうでもよいが）の勃興をむきになって言うことはない。たかが推理小説である。しかし「シェークスピアが『ハムレット』を書いた時、それは『たかが劇』と言われた。オースティン（注。十九世紀前半に活躍した英女流作家）が『エマ』を書いた時、それも『たかが小説』であった」（J・W・クルーチ「たかが探偵小説」『推理小説の美学』所収）。

だが、ウィルスンとわたしの立場は違う。推理小説のことを本気に考えれば、こんな提唱もしたくなるのである。それに文学的な小説にしても、一部の熱狂的な信奉者は別として、喫煙室の中で楽しんで読まるべきものだ。そのなかに、途中で投げ出す本とおしまいまで読まれる本とがあるだけであろう。

ウィルスン自身も推理小説に関連して書いている。

「芸術では、面白いものはすべて芸術的に重要なのである。また、重要そうに見えても面白くないものは芸術的には重要でない。……小説芸術の絶望的な衰退は（注。純文学をさす）、『小説家が重要な小説と面白い小説に区別をつけることを唯々諾々と黙認してしまう時』にはじまったのだという議論も成り立たないではない。ホメーロスやチョーサーやシェイクスピアやフィルデングやバルザックやディケンズが、そんな考え違いを自分に許したなどということが、そもそもありうるであろうか」（大島千代子訳）

くりかえすようだが、推理小説における主題と副主題の結合はあくまでも緊密でなければならない。副主題のほうがのさばって、主題を屈曲させては主客顚倒である。また副主題が饒舌のあまりに、メイン・テーマの存在を曖昧にしたり、ぜんたいが冗漫になってはいけない。

たとえば、寺院内部の結構を見取り図のように長々と説明したり、鐘のつきかたの知識を孫引きで引用したりするのは無用で、いたずらに冗長になるだけだといって女流推理作家ドロシイ・セイヤーズの小説が批判されている。しかし場合によってはそうした挿入も、作品のひろがりを見せるうえで効果があるものだ、ただし、あまりに長々しい文章だと、批判者の言うとおりである。ヴァン・ダインの小説が衒学的なおしゃべりにすぎるという非難もそういうことからであろう。

もっとも一部のファンにはそれが随喜の対象らしい、ヴァン・ダイン流を誇張し、筋の混迷を来しているのが小栗虫太郎の作品である。小説は全体の構成を不均衡にしないよう、緊密さを緩めないように、すべきであろう。これは拙作の失敗をかえりみての自戒である。

このくらいで、わたしの感想は終るが、最後に言いたいことがある。それは外国語翻訳の問題である。なにも推理小説にかぎったことではない。外国では川端康成、三島由紀夫、谷崎潤一郎の名がもっともよく知られている。これは周知のようにサイデンステッカー氏やドナルド・キーン氏の精力的な翻訳に負うところが多い。両氏の功績である。

だが、両氏は川端・三島作品が気に入り、その作品の翻訳に専心して、他の作家のものは顧なかった。あるいは翻訳する時間的余裕がなかったのかもしれない。その結果、外国ではカワバタ・ミシマが日本の代表的な作家であって、それ以外には目星しい作家がいないかのように思われている。客観的にはそうである。

これは翻訳対象が偏向的に過ぎるといえよう。サイデンステッカー氏もドナルド・キーン氏もそれぞれの見識によって川端・三島の作品を愛好し、その翻訳にかかりきりになったようだが、日本文学の海外紹介の見地からすると、両氏の個人的な趣味とは別問題にこれは公平を欠くといわなければならない。わたしは、両氏を非難するのではない。日本文学の海外紹介がバランスを失し、かつ狭小であったことをいいたいのである。

その大きな原因は、出版社側の事情にもある。出版社は採算に合わないものは出版したがらないからである。

そこで望まれるのは、出版社が共同して小説の翻訳事業をすることである。その資金の足りないところは政府の補助金によるのである。

こうした公共的な事業は、本来なら文化庁あたりがやることだと思う。たとえば文化庁に翻訳局といったものを置く。そして英・仏・独・中国語の翻訳に従事する。日本にはカネがありあまっており、アメリカは日本のドル減らしをヒステリックなまでに要求している。カネはこういう道に使ったがよい。日本文化の国際交流振興を言われながらも、実質的には見るべきものがない。日本文学を広く紹介するのは国際文化交流の有力な手段である。それに政府がカネを出すのは、ドル減らしともなって一石二鳥であろう。

問題はその翻訳事業の運営機関である。いちおう文化庁をと言ったが、それではまた官僚の手に委ねることになる。折角のものが役人に壟断されては困るのである。いわゆる学識経験者による審議会のようなものをこしらえても、審議会が政府の衝立になっているのは周知のとおりだ。

だからこれは純然たる民間人が、たとえば各出版社が共同して公共事業団体（たとえば「財団法人・国際文学交流基金」といった名称）をつくり、国から補助金でも助成金でも取る。政府はカネは出しても口をいっさい出さない。税金の使い方はそういうものなのではないか、そんな機関ができないものか。

さすれば、日本の推理小説の真価が海外に知られ、現在のように海外ではその知識が空白といった状態はなくなる。

いま、毎年のように西独のフランクフルトで出版物の国際見本市が開かれている。日本の出版社は外国出版物の目星しいものを求めてそこへ殺到しているようである。以下は空想だが、右のような公共団体が翻訳事業を盛大に行えば、将来東京の国際見本市に海外の出版社が押しかけてくるようになるかもしれないのである。

初出・註・解題

I

『小説研究十六講』を読んだころ
朝日新聞　一九六〇年十一月二日
〇リレーコラム欄「一冊の本」への寄稿。

推理小説に知性を
東京タイムズ　一九五八年三月十七日
再録：荒正人・中島河太郎編『推理小説への招待』南北社、一九五九年

推理小説の独創性
東京新聞夕刊　一九五八年三月二十六日
再録：『推理小説への招待』

＊1　荒正人「文壇外文学と読者――〝面白い〟ということ」より。〈中村真一郎によると、文壇の作家のなかで、この人〔松本清張〕だけが探偵小説の専門家になったということだが、坂口安吾の『不連続殺人事件』のような作品は、まだ書いていない。また、専門家ならば、つぎのような放言はできぬ。「作品の題名を挙げることを遠慮するが、次々と無意味に殺人が行われる（それには伝説や、習俗風のものが意味ありげに絡んでいるが）小説は、クリスティーの『ABC殺人事件』が粉本である。現在では、江戸川乱歩の『D坂の殺人事件』や『心理試験』『赤い部屋』などの初期の作品に比肩する独創的なトリックを書くすぐれた作家は一人もいない」〔「スリラー映画」『随筆黒い手帖』所収〕／これは、日本の探偵小説の歴史にたいする無知を暴露したものである。また、クリスティーな

どもよく読んでいない。名前を伏せた横溝正史にたいする侮辱である。ところでこの作者は「春の血」（「文藝春秋」一九五八年一月号）が、トーマス・マンの「欺かれた女」（一九五三年。邦訳あり）と余りにも似ていることを、何と弁解するのであろうか。／女のしるしのなくなったことを嘆いていた女性に訪れた春の血が、子宮筋腫の肉腫の出血であったというオチは、この人の独創であろうか。これは、面白さのはるか手前の問題である。〉

＊2　「週刊朝日」一九五八年三月一月号書評欄「心中殺人事件――松本清張『点と線』」（無署名）より。〈大体この小説では、佐山と並んで重要なお時という女の殺されるまでの経過が、ほとんど描かれておらず、そのために全体の半分の興味が失われたという感じである。トリックの着想だけは優れていたが、それを元にして複雑な推理の迷路と、サスペンスの興味を盛り上げるという点ではまだシロウトの域を出ていない作品だということになろう。〉

＊3　「サンデー毎日」一九五八年三月十六日号書評欄「本格的だが平凡――松本清張『点と線』『眼の壁』」（無署名）より。〈著者は、これまでの探偵小説が、動機を大切にしていないことを非難しているが、この二作に関するかぎり、動機の設定はあまりに平凡である。トリックも、『点と線』の初めに出てくる東京駅のホームの場合を除けば、これまた平凡である。現在の探偵小説は、文章もまずく、筋やトリックも愚劣だ、というのが、著者の意見である。その批評はともかく、実作はまだ探偵小説と呼べるほどのものではない。ただし、犯罪を主題とした中間小説として、いちおうおもしろさは備えている。／この著者は、江戸川乱歩の初期の作品を除くと、日本の探偵小説はすべてくだらぬもののようにいっているが、暴言である。飛行機のトリックについていえば、蒼井雄が戦前に書いた『船富家の惨劇』が、巧みに使ってあるし、また『点と線』のアリバイ破りなどは、鮎川哲也の近作『黒いトランク』が成功している。また、仁木悦子の『猫は知っていた』などにも、学ぶべき点が多いであろう。〉

ブームの眼の中で

ＥＱＭＭ　一九五八年六月

○リレーコラム欄「証人席」への寄稿。

再録：『推理小説への招待』

推理小説のヒント

朝日新聞　一九五九年五月三日

推理小説の文章

木々高太郎・有馬頼義共編『推理小説入門』光文社、一九六〇年三月

再録：「松本清張研究」四号・二〇〇三年

懸賞小説に期待する

朝日新聞　一九六三年三月二十三日

一人の芭蕉

宝石　一九六三年六月

○リレーインタビュー欄「ある作家の周囲」第二十三回に掲載。

＊1　平林たい子の発言を発端として、「日本読書新聞」紙上で松本と平林との間に行われた論争。以下の記述は同紙一九六二年十月二十二日号掲載の編集部註より。〈雑誌「思想界」は、わが国の「世界」「中央公論」にあたる南朝鮮の月刊総合雑誌。問題の記事は同誌八月号の「鼎談・韓日文学を語る――日本女流作家平林たい子女史とともに」で、鼎談会は五月十八日におこなわれている。出席者は訪韓中の平林たい子、小説家金東里、同誌編集部呂石基の三氏。／鼎談は、日本の戦後文学、政治に対する日本文化人の態度などにふれたのち作家の生活状態に言及し、問題の平林発言となる。／**呂**　作家の生活にゆとりができると作品を創る問題にも関係がありはしませんか。そうするといま社会情勢が中堅以上の作家たちにはデスペレートに影きょうするということで、現実的には作家生活にゆとりが多くなったということが、どう調和しているんでしょうか？／**平林**　そうですね。そういう作家は思考というものがないんです。朝から晩まで書いているんですけど、何人かの秘書を使って資料を集めてこさせて、その資料で書くだけですね。だから例をあげる

と松本清張のような作家は相当反米なんですけど。その理由が自分の秘書の中に共産主義者がいるんですね。そういうことがあるんで、そういう資料を集めてくるわけです。それで松本といえば人間ではなく「タイプライター」ですね〉。この発言を受け、松本「平林たい子さんに訊く」(同年十月二十二日号)、平林「松本清張氏への答え」(十一月五日号)、松本「再び平林たい子さんに訊く」(十一月十二日号)が掲載された他、「秘書〝をめぐる論争　松本清張対平林たい子」として「週刊読売」(十一月十八日号)でもとりあげられ、大宅壮一、黒岩重吾、曽野綾子がコメントを寄せた。

Ⅱ

鷗外の暗示

『文芸推理小説選集　一　森鷗外・松本清張集』文芸評論社、一九五七年二月

『猫は知っていた』

読書新聞　一九五七年十二月二日

角田さんの受賞

日本探偵作家クラブ会報　一九五八年三／四月

○角田喜久雄が『笛吹けば人が死ぬ』で第十一回探偵作家クラブ賞を受賞した際に寄稿。

わが理想の人

『角田喜久雄氏華甲記念文集』私家版、一九六六年五月

対談・これからの探偵小説

宝石　一九五八年七月

再録：ミステリー文学資料館編『江戸川乱歩と13の宝石　第二集』光文社文庫、二〇〇七年

江戸川乱歩論

『日本推理小説大系　二』東都書房、一九六〇年四月

○巻末に「解説」として掲載。この『大系』では編集委員も務めた。

再録：／『江戸川乱歩全集　十二』講談社、一九七〇

年／「幻影城」一九七五年七月／中島河太郎編『江戸川乱歩　評論と研究』講談社、一九八〇年／『グルノーブルの吹奏』新日本出版社、一九九二年十一月

偉大なる作家江戸川乱歩

別冊宝石　一九六二年二月

○前半部は前掲「江戸川乱歩論」と重複するため、本書では割愛した。

再録：新保博久・山前譲編『江戸川乱歩日本探偵小説事典』河出書房新社、一九九六年

江戸川乱歩を惜しむ

毎日新聞　一九六五年七月二十九日

弔　辞

推理小説研究　一九八〇年六月

再録：開高健編『弔辞大全　二』青銅社、一九八三年十一月／みうらじゅん『清張地獄八景』文藝春秋、二〇一九年七月

木々先生のこと

宝石　一九六二年四月

○木々高太郎特集に掲載。

追悼・木々高太郎

小説と詩と評論　一九七〇年二月

○木々高太郎追悼特集に掲載。

木々作品のロマン性

『木々高太郎全集』月報一、朝日新聞社、一九七〇年十月

○同全集では監修委員も務めた。

半七とホームズ

推理小説研究　一九六五年十一月

坂口安吾

『坂口安吾全集　八』冬樹社、一九六九年十月

○巻末に「作家論」として掲載。

牧逸馬の「実話」手法
林不忘・谷譲次・牧逸馬『一人三人全集　五』河出書房新社、一九六九年十一月

活字と肉声
文學界　一九七八年六月
○平野謙追悼特集に掲載。

J・S・フレッチャー／E・C・ベントリー
『世界推理小説大系　十一』東都書房、一九六二年九月
○巻末に「解説」として掲載。この『大系』では編集委員も務めた。

メグレ文学散歩
EQ　一九八六年一月
○初出時は本文中で紹介されている各地の写真とともに掲載。

愛欲を包む霧
毎日新聞夕刊　一九八六年五月七日

Ⅲ

新しい推理小説――生まれよ本格派
読売新聞夕刊　一九六六年十二月十九日
○「責任監修・解説」を務めた読売新聞社刊『書き下ろし新本格推理小説全集』発刊にあたり、読売新聞夕刊文化欄に寄稿した一篇。その直前には「週刊読売」十二月九日号で画家の近藤日出造をホストとする連載対談欄「やアこんにちは」第六百三十一回「〝ヒガミの精神〟をもとう――新本格推理小説に取り組む松本清張氏」に登場している。〈松本清張氏略歴（……）この十二月中旬に読売新聞社で出版する「新本格推理小説全集」にはなみなみならぬ力を入れ、ひとつのキャンペーンにするといっている〉〈**近藤**（……）ところで、後世に残る仕事なのかどうか知らないが「読売」の出版局で、あなたになんかお願いしたんだそうで……。／**松本**　ええ。ぼくの責任監修、解説で、本格推理小説集のようなものを……もうじき町へ出るん

です。／**近藤**　「文春」から出ている文学全集を小林秀雄氏が監修しているような形で……。／**松本**　小林さんの場合は、もっぱらセレクトするんでしょう、すでにあるものを。ぼくのほうは全部書きおろしをしてもらうわけです。／**近藤**　できあがったものにあなたが目を通して……。／**松本**　そう。みんな長編だから、読むだけでもたいへんですよ。／**近藤**　書き手の人選はあなたが行なって……。／**松本**　ええ。／**近藤**　このほうが読むことよりたいへんだ。／**松本**　しかし、普通の文壇みたいにめんどくさくないからね。いちおうまァ、テーマというか、傾向を決めましてね。いままでの推理小説が、これはまァ、ぼくも責任を負うひとりなんだけれども、あまりに社会性だとか風俗的だとかいうものに、片寄りすぎたわけですよ。だから、推理小説本来のおもしろさというか、だいご味というものがなくなってきている。逆な言い方をすれば、普通の風俗小説なり、社会性のある小説に、ミステリーの味つけをしたものが多くなっている。それはそれでいいと思うんですよ。いいと思うんだけれども、推理小説本来の、ナゾ解きというか、本格的な興味というものを、もうこのへんで回復すべきじゃないか、と思うんですよ。／**近藤**　推理小説本来の、というと、いわゆる「探偵小説」。／**松本**　そうそう。しかし、荒唐無稽な、つまり、トリックはおもしろいけれども、あるいはドンデン返しとか、意外性はおもしろいけれども、肝心の話そのものは、あまりにお粗末で、絵そらごとで、というんじゃいけないんで、もうすこし日常生活に結びついた探偵小説ね。それをまァ、ぼくらが書きだしたわけですよ。そうして、ひところああいう推理小説ブームがきたわけですがね、そのブームのへんからだんだん形が変わってきて、いまいったように片寄ったものが主流のようなぐあいになってきた。それをもういっぺん引き戻そう、ということなんだが、前の形に戻すわけにはいかないから、こんどのこの仕事で「新本格」と呼んでいいもの出そうということでね。／**近藤**　ぼくは絵かきだから、雑誌をパラパラとやって、まずさし絵を見るんですがね、ここ何年来、推理小説と称するもののさし絵が、女が裸で寝っころがっているようなものばかり。となるともう、読む気がしなくなる。つまり、そういうさし絵より描きようがない、という小説は、本格推理小説でも新本格でもない、ということなんでしょうね。裸の女の絵ばかりだから読みたくなる、という人も多いんだろうが……(笑い)。／**松本**　しかしやっぱり、そういうことで推理小説はふるわなくなったんですね。推理小説は、平板な、なんとなく始まって、なんとなく終わるような、普通の小説と違って、伏線を張らなくちゃならない。キチンとはじめから構成しなければならないわけですよ。そうして適当にミステリアスな面もあるということで、推理小説のなかのそういう題材的なものが、本来の風俗派、社会派を食ってたわけで、言葉を変えると、推理小説を読むとなんでもある、ということね。／**近藤**　すべて取りそろった十銭(テンセン)ストア。／**松本**　そうそう。そういうところへ落ち込んでしまった。だから、このへんでもう、分化作用を起こさなければ……。／**近藤**　純度高い専門店にね。／**松本**　いま、推理小説ブームが去ったというけれども、そもそもは編集者が勝手にブームをつくったんで、それを勝手にだめにしてしまって、推理小説ブームが減退したとか、つぶれたとかいうのは、ちょっとおかしいんでね。その証拠に、まだずっとつづいてるでしょう。どの雑誌を見ても、かならず推理小説は二本か三本あるし、特集がときどきあるし……定着したというのがほんとかもしれないな。／**近藤**　おもしろいのは、推理小説ブーム減退が伝えられはじめたころから、普通の小説にむやみと犯罪的場面が出てきたことですね。／**松本**　ええ。そういう点では、一つの影響を与えたかもわかりませんね。(……)／**近藤**　いわゆる社会派推理小説の家元はあなた、といっていいんだろうけれども、あなた以前に、政治とか官僚とか経済機構とか、そういうものを背景においた推理小説は、ほとんどなかったんですか。／**松本**　ほとんど、というより絶無でしょう。大下宇陀児が多少そういうことを志したあとはありますけれどね。やっぱりパイオニアで、実らなかったですね。ぼくがなぜああいうもの書いたかというと、荒唐無稽な題材に不満だったのと、そのために、推理小説の題材を、日常生活、平凡な市民生活、庶民生活に結びつけたということですね。そうしてそういうものをやってると、どっかでどうしても政治に結びついてくる。(……)　そしてそういうものを書いてると、フィクションよりもそういうものがおもしろくなる。／**近藤**　そのヤマイがこうじて『日本の黒い霧』や『現代官僚論』になった、ということでしょう。（……）推理小説ですがね、これには、だいたいまァ殺しなどが現れる。そして殺しというものは、ほとんどまァ、トコトンまで追いつめられた時点で行なわれる。絶体絶命のところで行なわれる。となると当然、社会性というか政治性というか、そういうもののカゲが大きくのしかかってくるはずだと思うんですが、あなた以前の推理作家で、そのカゲに触れた人がいない、というのは、とても不思議なことですね。／**松本**　甲賀三郎のような大先輩がいて、トリックとかドンデン返しとか、技術的な面だけ大事にした。そして、そのパターンから後輩が抜けきれなかった、ということじゃないですか。あなたがいうとおり、人を殺すというのは、人間心理の極限状態だと思います。それは理論的にいえば、どっかで政治につながる。〉

新本格推理小説全集に寄せて

『書き下ろし新本格推理小説全集』読売新聞社、一九六六年十二月～六七年七月

○責任監修・解説を務めた『書き下ろし新本格推理小説全集』の巻頭言として、各巻の冒頭に掲載。全十巻のラインナップは以下の通り。①鮎川哲也『積木の塔』／②陳舜臣『影は崩れた』／③佐野洋『赤い熱い海』／④佐賀潜『総理大臣秘書』／⑤三好徹『閃光の遺産』／⑥結城昌治『公園には誰もいない』／⑦多岐川恭『宿命と雷雨』／⑧高木彬光『黒白の囮』／⑨島田一男『捜査線ナンバーゼロ』／⑩戸川昌子『蜃気楼の帯』

なお、各巻所収の解説は本書では割愛した。

推理小説と旅

朝日新聞　一九六七年四月二十七日

○特集「旅と本」への寄稿。

推理小説の凝集を

推理文学　一九七〇年四月

○特集「推理小説を考える」への寄稿。

推理小説年鑑序文
日本推理作家協会編『推理小説年鑑　一九六四』東都書房、一九六四年
同編『推理小説年鑑　一九七〇』講談社、一九七〇年
同編『推理小説年鑑　一九七一』講談社、一九七一年
○「日本推理作家協会理事長」の肩書きで、各巻の冒頭に掲載。

『最新ミステリー選集』まえがき
『最新ミステリー選集』全三巻、光文社、一九七一年七月
○「日本推理作家協会理事長」の肩書きで、各巻の冒頭に掲載。

推理小説の題材
小説現代　一九七〇年十二月
再録：『松本清張全集　三十四』文藝春秋、一九七四年二月

小説と取材
オール讀物　一九七一年七月
再録：「文藝春秋」臨時増刊一九九二年十月／『松本清張の世界』文春文庫、二〇〇三年三月

コーヒーと推理小説と古代史と
別冊幻影城　一九七六年一月

私の小説作法——自作解説
『松本清張自選傑作短篇集』読売新聞社、一九七六年六月

〈面白さ〉の発見——推理小説と実生活
サントリークォータリー　一九八一年十二月

菊池寛の文学
オール讀物　一九八八年二月
再録：「文藝春秋」臨時増刊一九九二年十月／『松本清張の世界』

グルノーブルの吹奏

小説現代　一九八八年一月
再録：『グルノーブルの吹奏』新日本出版社、一九九二年十一月

国際推理作家会議で考えたこと——ネオ「本格派」小説を提唱する

文藝春秋　一九八八年一月
再録：「松本清張研究」第八号・二〇〇七年六月

松本清張略年譜

一九〇九年（明治四十二年）
十二月二十一日、福岡県企救郡板櫃村にて、父・峯太郎、母・タニの間に生まれる（二月十二日、広島県広島市生まれとの説もある）。本名は清張（きよはる）。

一九一六年（大正五年）
下関市立菁莪尋常小学校に入学。

一九一七年（大正六年）
天神島尋常小学校に転校。

一九二二年（大正十一年）
板櫃尋常高等小学校高等科に入学。

一九二四年（大正十三年）
同校高等科卒業。川北電気企業社小倉出張所の給仕に採用される。

一九二七年（昭和二年）
川北電気が不況により小倉出張所を閉鎖し、失職。この頃、八幡製鉄や東洋陶器の文学好きな職工たちと交流。

一九二八年（昭和三年）
小倉市の高崎印刷所に石版印刷の見習職人として就職。

一九二九年（昭和四年）
三月、文学仲間がプロレタリア文芸誌「文芸戦線」「戦旗」などを講読していたため小倉署に検挙され、清張も十数日間留置される。その間に父が蔵書を焼き、読書を禁じる。

一九三〇年（昭和五年）
徴兵検査を受け、第二乙種補充兵。

一九三三年（昭和八年）
版下工の技術修業として、半年間福岡市の嶋井オフセット印刷所の見習となる（翌年、高崎印刷所に戻る）。

一九三六年（昭和十一年）

十一月、内田ナヲと結婚。

一九三七年（昭和十二年）

二月、高崎印刷所を退職。十月、朝日新聞九州支社の広告部意匠係臨時嘱託となる。

一九三八年（昭和十三年）

一月十八日、長女誕生。

一九三九年（昭和十四年）

朝日新聞九州支社広告部嘱託となる。

一九四〇年（昭和十五年）

朝日新聞西部本社（九州支社が昇格）広告部意匠係常勤嘱託となる。三月二日、長男誕生。

一九四二年（昭和十七年）

六月二十日、次男誕生。

一九四三年（昭和十八年）

一月一日付で広告部意匠係社員となる。教育召集として十月から三ヵ月、久留米の第五十六師団歩兵第一四八連隊に入隊。

一九四四年（昭和十九年）

六月、臨時召集として久留米の第八十六師団歩兵第一八七連隊に二等兵として入隊。第七八連隊補充隊に転属。敗戦までの一年間、衛生兵として勤務。朝鮮に渡り、京城市外の竜山に駐屯。

一九四五年（昭和二十年）

八月、敗戦を全羅北道井邑で迎える。十月末、本土送還され、妻の実家（佐賀県神埼町）に帰る。朝日新聞社に復職。

一九四六年（昭和二十一年）

七月二十日、三男誕生。生活費のため、箒の仲買をアルバイトとして始める（四八年春まで続けた）。

一九五〇年（昭和二十五年）

六月に発表された「週刊朝日」の「百万人の小説」に「西郷札」で応募。十二月、三等に入選。

一九五一年（昭和二十六年）

「西郷札」が同年上半期の第二十五回直木賞候補作となる。大佛次郎、長谷川伸、木々高太郎より激励を受ける。

一九五二年（昭和二十七年）

「三田文学」編集の木々高太郎の薦めを受け、同誌に「記憶」「或る『小倉日記』伝」発表。

一九五三年（昭和二十八年）

一月二十二日、直木賞候補作品だった「或る『小倉日記』伝」が芥川賞選考委員会に回され、第二十八回芥川賞を受賞。十一月一日付で朝日新聞東京本社に転勤、広告部意匠係主任となる。

一九五六年（昭和三十一年）

五月三十一日付で朝日新聞社を退社。

一九五七年（昭和三十二年）

二月、「顔」で第十回日本探偵作家クラブ賞受賞。

一九五八年（昭和三十三年）

『点と線』『眼の壁』が出版され、ベストセラーとなる。以後、「社会派推理小説」ブームを引き起こす。一月号より「太陽」に連載開始した「虚線」が同誌終刊により二回で中絶。「宝石」三月号より「零の焦点」と改題し再開。

一九五九年（昭和三十四年）

執筆量の限界を試すため、積極的に執筆した結果、書痙にかかる。以後約九年間、専属速記者・福岡隆を雇い口述筆記を行なう。七月、『小説帝銀事件』で第十六回文藝春秋読者賞受賞。

一九六〇年（昭和三十五年）

『日本の黒い霧』を連載し、ノンフィクションの分野に進出。

一九六一年（昭和三十六年）

国税庁発表の一九六〇年度所得額で作家部門一位となる。この年より直木賞選考委員となる。九月、自身の推理小説観に関する文章をまとめた『随筆黒い手帖』を刊行。

一九六三年（昭和三十八年）

八月、『日本の黒い霧』『深層海流』『現代官僚論』などで第五回日本ジャーナリスト会議賞受賞。同月、日本推理作家協会理事長に就任、四期八年間務める。

一九六四年（昭和三十九年）

四月、初めての海外旅行に出発、欧州、中東を歴訪して五月帰国。十一月、来日したE・S・ガードナーと会談。

一九六六年（昭和四十一年）

十二月、『砂漠の塩』で第五回婦人公論読者賞受賞。同月、読売新聞社より刊行開始した『書き下ろし新本格推理小説全集』全十巻の「責任監修・解説」を務める。

一九六七年（昭和四十二年）
三月、『昭和史発掘』『花氷』『逃亡』などにより第一回吉川英治文学賞受賞。
一九七〇年（昭和四十五年）
十月、『昭和史発掘』などにより第十八回菊池寛賞受賞。
一九七一年（昭和四十六年）
四月、松本清張全集第一期全三十八巻刊行開始。この年、日本推理作家協会会長に就任、二期四年間務める。
一九七七年（昭和五十二年）
日本推理作家協会を退会。
一九七九年（昭和五十四年）
直木賞選考委員を辞退。
一九八二年（昭和五十七年）
十一月、松本清張全集第二期全十八巻刊行開始。
一九八七年（昭和六十二年）
十月、フランス・グルノーブルで開催された第九回「国際推理作家会議」に招かれて出席。
一九九〇年（平成二年）
一月一日、「社会派推理小説の創始、現代史発掘など多年にわたる幅広い作家活動」により八九年度朝日賞受賞。
一九九二年（平成四年）
四月、脳溢血で倒れ入院。七月、肝臓癌と判明。八月四日、死去。享年八十二。

解説

巽　昌章

松本清張の推理小説に関する評論集としては、『黒い手帳』（一九六一年）がつとに名高いと思います。しかし、それ以外にも様々な場所で、彼はみずからの読書体験を語り、作家たちを批評し、推理小説のあるべき姿を論じていました。本書は、そうした評論、随筆、インタビュー、講演などを集成したまことに貴重な一冊です。とりわけ、作家としてのマニフェスト的文章が中心だった『黒い手帳』に比べ、こちらには多くの感想文や私的な回顧の文章も収められ、それらを通じて、精力的な「読む人」としての清張像が浮かび上がってくるところが画期的です。

いったいに小説家というものは、旺盛に本を読み、それを血肉として作品を書いています。だから、小説の世界では、純然とオリジナルである作家などというものは存在しません。清張もまた熱心な読書家であり、先人の影響のもとに自分のスタイルを作り上げ、国内のみならず海外に向けてもアンテナを張り、ときには先行作品を下敷きにして小説を書いていました。本書を通じ、「読む人」清張に出会うことによって、この作家のスタイルの背後にあるものの豊かさを再認識することもできるでしょう。

そんな本好きの原点を物語る小品が、冒頭に収められた「『小説研究十六講』を読んだころ」です。十六か十七歳、会社の給仕として働きながら、隙あらば読書に没頭していた清張は、お使いに出た先の銀行で順番を待ちながら、木村毅の『小説研究十六講』に読みふけり、「銀行の方でもっと手間取ってくれたらいい」と思います。本好きの多くが共感するに違いない、いかにも微笑ましいエピソードですが、そこで清張は、次のような木村の文章を引用しています。

ポウの短編の諸作の如き、人生と直接に相わたる重要事を語り、人道的含蓄ある提示をなすことは毫末もない。モウパッサンもまた、語らずにおいたら却って気品を保持し得たであろうようなことを摘発してはばからぬ。ただ、両者とも、芸術的完成の上に微塵の躓きも見せて居らぬ。茲において乎吾等は、不完全なる妥協と未成なる努力の集積した現世では、単なる技巧、単なる細工も、完成である限りに於て、それ自身一つの善であり、価値であり、立派な存在権の主張であることを知る。

西洋からあらたに伝えられた「小説」という存在、そこに松本少年は、技巧的な完成をひとつの価値とする流れのあることを知りました。清張がこの一節を引いたのは、推理小説という技巧的、人工的な分野に携わる覚悟を示す意図があってのことでしょう。しかし、それだけでなく、清張が木村の「張りのある文章」に魅せられたと書いていることにも注意すべきです。リズミカルに論理をたたみかけてゆく勢いのある文体には、どこか後年の清張を思わせるところがあります。清張の小説と言えば何となくどろどろした粘着質の印象を持つかもしれませんが、彼はむしろ簡明でリズミカルな文体を志向していました。この一冊に吐露された、森鷗外、岡本綺堂、木々高太郎と言った作家への敬慕の念からも、そんな好みをうかがうことができるのです。

わかりやすい例を挙げてみましょう。清張に『鬼火の町』という長編時代小説があります。いわゆる捕物帳ではあるものの、主人公をつとめる岡っ引きが、時の権力者の秘密に触れたことで絶望的な窮地に追い込まれる暗鬱な展開は、「社会派」清張の持ち味が出ているともいえましょう。ところが、犯人の正体を突き止めたとたんに、それまで主人公の視点で語られてきた小説は、暗く長い廊下から風通しの良い座敷に通されたかのようにスタイルを変えます。

「……話は、それだけです。あとは、大体、お察しがつくでしょう」

と、竹亭と名乗る老俳人は冷えた茶をすすった。

次は岡本綺堂『半七捕物帳』の「十五夜御用心」からです。

「お話はまずこのくらいにして置きましょう」と、半七老人は云った。「どうです。大抵はお判りになりましたか」

綺堂の読者ならご承知の通り、終盤でこんなふうに語り口を切り替えるのは、半七もののお約束です。『鬼火の町』を結ぶには、他のやり方も十分可能だったはずなのに、清張はあえてこの行き方を選びました。本書の「半七とホームズ」にあるように、清張はホームズより前に『半七捕物帳』を愛読していたのですが、それにしても、どれほど綺堂好きなんだよ、と言いたくなるところです。むろん、捕物帳作者の中で際立って文章のうまい、合理的できびきびした語り口を身上とする綺堂をまねたのは、それが清張自身の目指す文体と近しいものだったからにほかなりません。

さかのぼれば、それは、木村毅に魅せられた時代から清張に潜在した、漢文を背骨とする文語体への好みであり、つまるところ、森鷗外の簡素を極めた文章に行きつくように思われます。周知のとおり、清張には「或る『小倉日記』伝」「鷗外の婢」といった鷗外に取材した小説があるとともに、本書に収められた「推理小説の文章」では、『雁』などを引用しながら、その文体がもつ「楷書」の魅力を語り、「鷗外の暗示」では、鷗外が残した「かのように」「魔睡」「佐橋甚五郎」「魚玄機」などに新たな推理小説の可能性を見出そうとしているのです。

推理小説は、もっと生活を書き込まねばならない。犯罪はどうして行われたかを書くと共に、何故行われたかも同じ比重で書くべきである。犯人の動機は、われわれの奥に持っている心理から索き出して貰いたい。トリックの意外性はまことに結構であるが、生活に密着したものにしたい。

「鷗外の暗示」は一九五七年に書かれていますが、右のような推理小説観は、その後も清張の持論として維持されていきました。それを、鷗外の「簡潔な活々とした直截な描写」や、「過剰な筆を費やす」ことのない会話運びなどへの絶賛とともに語っているわけです。

そういえば、最晩年にあたる一九八八年の一文、「国際推理作家会議で考えたこと――ネオ『本格派』小説を提唱する」は、世界推理作家会議に出席した折、フランソワ・リヴィエール氏のインタビューを受けて、自己の推理小説観を語ったもので、その際のやり取りは、「能率を上げるために、わたしの癖で、文語体まじりになっている」メモで再現されています。西洋人に向けて、動機の大切さ、それが普遍的な心理に立脚すべきことなどを「文語体」で力説する清張――期せずして『小説研究十六講』を読んだころ」や「鷗外の暗示」のはるかな木魂(こだま)を聞くような感慨があります。

生活を描き、動機を重視するといった、「リアリズム」への意識は清張において一貫しており、いいかえれば当人にとって自明のものだったようです。それが簡潔で凝縮されたスタイルと一体になったところに、作家清張の姿が浮かび上がる。それが強固なものであるだけに、異質な意見との出会いによって考えを深めてゆくといった面は、この本の中にもあまり見出されないように思います。

たとえば、吉本隆明は、「戦後文学の現実性」で、「一冊の汽車の時刻表があり(『点と線』)、目撃者の証言や捜査記録があり(『日本の黒い霧』)さえすれば、そこに物語がつくられ、推理が構成されるというのは松本清張の特長だろうが、そこから物語をつくり、推理を構成し、悪による社会への復讐を仮託する自己を対象化しえないというところに、松本清張の『事実』主義の限度をさだめることができる」と批判しています。吉本は、清張の「リアリズム」がいわば天然のものであり、社会を観察し、推理小説を構成してゆく自分を意識化できていないというのです。こうした批判への応答、といわずとも、念頭に置いた論考がもしあればと思わずにはいられません。

その結果、清張の推理小説観はかなりラフなものにとどまりました。彼は最後まで、推理小説にはトリックのオリジナリティが必要だと言い続けましたが、なぜそんなにトリックにこだわるのかも私には良くわかりません。そもそもトリックとは何か、それがあることで自分の書く推理小説はどうなっているのか、といった懐疑の声は、清張の残した発言からはあまり聞こえてこないのです。この意味で、清張はあくまで実作者であり、悩むより書くことが天命だったのでしょう。

本書の中で、そんな彼が唯一、異質な思考とのニアミスを演じているのが、乱歩と交わした「対談・これからの探偵小説」にほかなりません。『ゼロの焦点』の連載が中断したとき、穴埋めに企画されたインタビューなのですが、清張はのっけから「乱歩論をやりたい」と口走り、聞き手として出席したはずの乱歩を逆に質問攻めにしており、清張の意外なヤンチャさと乱歩に対する烈々たる興味をうかがうに十分です。ところが、残念ながら、この攻守逆転した問答は乱歩の意向でカットされてしまい、そこから対談は、推理小説のあるべき姿へと話題を変え、清張は乱歩から「みな普通小説みたいなものになったら、しいて推理小説というジャンルを立てる必要はないのですからね。だから、推理の興味を充分満足させながら、リアルな小説を書くということです。それが理想です」「長篇の『点と線』などは、その理想に近づいている。小説がうまくて、しかもトリックにも十分意を用いている」「それはぼくのいわゆる『一人の芭蕉の問題』ですからね」といった発言を引き出しています。

「一人の芭蕉」とは、探偵小説は芸術たりうるかという論争において乱歩が持ち出した例えでした。探偵小説の芸術化には、芭蕉のような傑出した実作者を待つほかない、それが清張に託されたというわけです。しかし、それまで乱歩が「一人の芭蕉の問題」その他の文章で述べた内容に比べ、清張との対談での発言からは、重要な問題がいくつも脱落してしまっています。乱歩が考えていたのは、小説とトリックの両方が優れていれば理想の推理小説ができるなどという単純なことではありませんでした。私がニアミスと言うのはここのことです。

乱歩はこの芸術論争の中で、探偵小説は「子供らしさ」を免れないと述べています。彼にとって「子供らしさ」とは極めて重要な概念でした。それは、登場人物たちの行いを奇術的なトリックに還元することを喜ぶような心理であり、乱歩が常にポオやチェスタトンを引いて語っていることからもわかるように、人間社会の種々相を抽象化して、奇抜な論理に服せしめるような思考でした。清張は、乱歩の初期短編が日常的なリアリズムから出発していることを見抜き、そこに親近性を感じていたのだと思います。しかし、乱歩の眼は同時に、抽象論理の支配する世界を幻視していました。

他方、清張もまた、一種の幻視家だったと私は思います。彼のトリックへのこだわりは、吉本がいうように、片々たるニュースから裏の出来事を空想するような性癖からきており、そして、「黒い霧」「日常の陥穽」「社会の暗部」と言った言葉に象徴されるように、多くの日本人の持つ昭和の社会イメージが清張作品によって大きな影響を受けたのも、彼の書くものが、個々の事件とその解決を超えた、巨大な幻想をはらんでいたからではないでしょうか。
それゆえ、この対談にはぜひとも第二ラウンドがほしかった。そこで乱歩と清張が、それぞれに、日常的リアリズムから出発してどこへ歩んでゆくか、どのような幻想をつむぐかを語り合ってほしかった。この本に接した私の見果てぬ夢です。

（たつみ・まさあき／推理小説評論家）

カバー写真
The Asahi Shimbun/Getty Images

装丁
細野綾子

編集協力
松井和翠

松本清張推理評論集　1957－1988

2022年7月25日　初版発行

著　者　松本清張

発行者　安部順一

発行所　中央公論新社

〒100-8152　東京都千代田区大手町1-7-1
電話　販売 03-5299-1730　編集 03-5299-1740
URL https://www.chuko.co.jp/

DTP　市川真樹子
印　刷　図書印刷
製　本　大口製本印刷

© 2022 Seicho MATSUMOTO
Published by CHUOKORON-SHINSHA, INC.
Printed in Japan　ISBN978-4-12-005546-1 C0095

定価はカバーに表示してあります。落丁本・乱丁本はお手数ですが小社販売部宛にお送り下さい。送料小社負担にてお取り替えいたします。

●本書の無断複製(コピー)は著作権法上での例外を除き禁じられています。また、代行業者等に依頼してスキャンやデジタル化を行うことは、たとえ個人や家庭内の利用を目的とする場合でも著作権法違反です。